Índice

objetivo
DELE

B2

Carola Vesely
Javier Voces

Español Lengua Extranjera

SGEL

Primera edición, 2014

Produce: SGEL – Educación
          Avda. Valdelaparra, 29
          28108 Alcobendas (MADRID)

Coordinación editorial: Jaime Corpas
Edición: Belén Cabal
Corrección: Ana Sánchez Urquijo
Diseño de cubierta: Thomas Hoermann
Diseño de interior y maquetación: Leticia Delgado
Imágenes: Shutterstock, de las cuales solo para uso editorial: pág. 22 (dimitris_k/Shutterstock.com) y
pág. 146 (kajornyot/Shutterstock.com).

ISBN: 978-84-9778-813-7
Depósito legal: M-18610-2014
Printed in Spain – Impreso en España

Impresión: Gohegraf Industrias Gráficas, S.L.

Introducción

CONSIDERACIONES GENERALES SOBRE EL LIBRO Y LOS AUTORES

Este libro se concibe como un ejercicio práctico para todos aquellos estudiantes de español como lengua extranjera que deseen presentarse al examen DELE B2. Su objetivo es, por tanto, la óptima preparación de estos estudiantes a través de la resolución de diferentes exámenes que reproducen fielmente el modelo empleado por el Instituto Cervantes. El libro se ha elaborado a partir de las nuevas directrices que el Instituto Cervantes ha realizado en sus modelos de examen y, en concreto, el nuevo DELE B2.

Los autores de este manual son profesores de español como lengua extranjera con amplia experiencia docente e investigadora tanto en España como en Estados Unidos y Latinoamérica, así como examinadores DELE acreditados por el Instituto Cervantes.

Al tratarse de autores que provienen de diferentes países hispanohablantes, para la creación de este manual se han considerado diferentes variantes del español, en consonancia con los objetivos del examen DELE, que, por definición, siempre considerará válida toda norma lingüística hispánica.

ESTRUCTURA DEL LIBRO

El libro se estructura en tres partes bien diferenciadas. La primera de ellas corresponde a los **consejos generales**. Se aportan aquí herramientas de diversa índole (recomendaciones básicas, cuadros léxicos y gramaticales, etc.), para la óptima realización de las tareas que se presentarán en el apartado posterior.

La segunda parte está compuesta por los **modelos de examen**. Así, el libro consta de seis unidades temáticas, cada una de las cuales forma un examen completo (reproducción del modelo del Instituto Cervantes). Las unidades se constituyen en torno a temas de actualidad y, en consecuencia, cada unidad pretende trabajar un campo léxico diferente. Para su confección se ha utilizado mayoritariamente material real, tanto en los textos propuestos como en los audios que acompañan al libro:

Examen 1: Viajes
Examen 2: Artes y literatura
Examen 3: Deportes y pasatiempos
Examen 4: Cine y televisión
Examen 5: Naturaleza y medioambiente
Examen 6: Ciencia y tecnología

Cada unidad contiene, a su vez, un apartado de **claves fundamentadas** de todas aquellas tareas que así lo requieren. Se incluyen también breves aclaraciones gramaticales que, en contexto, facilitarán la comprensión y corrección por parte del alumno.

Finalmente, el libro cuenta con una sección en la que se ofrece la totalidad de las **transcripciones** de los audios utilizados en las diversas tareas que así lo precisan.

Por lo que respecta al uso que se le puede dar a este libro, caben al menos dos sugerencias de explotación: su estructura posibilita que el estudiante pueda hacer un uso autónomo, esto es, simular la ejecución del examen DELE B2 (en las destrezas de comprensión lectora y comprensión auditiva) y posteriormente comprobar los resultados. Para ello bastaría con que realizara un control adecuado de los tiempos.

Por otra parte, el libro se presenta como una herramienta especialmente funcional en la preparación del examen DELE también para los profesores. Su uso en las clases garantiza la preparación de la prueba con un material específicamente seleccionado para ello, así como la reflexión necesaria sobre la naturaleza de cada tarea.

EL EXAMEN *DELE B2*

Antes de empezar a desarrollar los modelos de examen, te ofrecemos algunos datos que te darán una visión global sobre el proceso de examinación del DELE B2.

• EL DELE B2 evalúa tu capacidad para comprender discursos orales y escritos de un nivel avanzado de complejidad y sobre diferentes temas, desde lo más concreto a lo más abstracto.

• También evalúa tu capacidad de interactuar con diferentes tipos de hablantes de español, así como de producir un discurso oral y escrito en el que seas capaz de informar de hechos y de dar tu opinión sobre diferentes asuntos.

• El tipo de contenidos lingüísticos que pueden ser incluidos en este nivel está basado en el documento *Niveles de referencia para el español* (NRE), desarrollado por el Instituto Cervantes.

• El examen está conformado por 4 pruebas:

1. Comprensión de lectura
2. Comprensión auditiva
3. Expresión e interacción escritas
4. Expresión e interacción orales

• Por lo general el examen se administra en dos citas diferentes. En la primera de ellas se realizan las tres primeras pruebas, dejando la prueba oral para el mismo día por la tarde o un día diferente. La fecha y hora para esa segunda cita se comunica mediante una carta enviada al domicilio del candidato.

• Las pruebas tienen la siguiente duración:

1. Comprensión de lectura	70 minutos
2. Comprensión auditiva	40 minutos
3. Expresión e interacción escritas	80 minutos
4. Expresión e interacción orales	20 minutos (+ 15 minutos de preparación)

CALIFICACIÓN DEL EXAMEN

• La puntuación máxima que se puede alcanzar en el DELE B2 son 100 puntos. Para calcular el puntaje total el examen se divide en dos grandes grupos:

Grupo 1	Puntuación máxima
Comprensión de lectura	25 puntos
Expresión e interacción escritas	25 puntos

Grupo 2	Puntuación máxima
Comprensión auditiva	25 puntos
Expresión e interacción orales	25 puntos

Puntuación total del examen: 100 puntos

• La calificación global del examen será "Apto" o "No apto", donde "Apto" requiere la obtención de un mínimo de 30 puntos en cada uno de los dos grupos en que se divide el examen.

• La obtención de menos de 30 puntos en uno de los dos grupos implicará una calificación de "No apto", aunque se hayan obtenido 30 o más puntos en el otro grupo.

• La calificación de las pruebas se realiza mediante dos sistemas diferentes. Las pruebas de expresión e interacción (escrita y oral) se califican mediante examinador, a partir de escalas de evaluación disponibles para consulta en el sitio web del Instituto Cervantes.

• En el caso de las pruebas de comprensión, las respuestas correctas reciben 1 punto y las incorrectas 0 puntos. Para calcular la puntuación en cada prueba (que contiene varias tareas) se sigue la siguiente fórmula:

$$\frac{\text{puntuación obtenida x 25}}{\text{puntuación máxima posible}} = \text{puntuación final}$$

Ahora que ya tienes una visión panorámica del examen DELE B2, te invitamos a visitar la sección de consejos prácticos que te ayudarán a preparar con detalle cada una de la pruebas, potenciando así tus conocimientos de español y orientándote hacia la realización exitosa de este examen.

Consejos

Con los consejos que te presentamos a continuación podrás afrontar de un modo más completo la preparación del examen DELE B2. Se organizan por destrezas o pruebas y cada una de ellas comprende, a su vez, diferentes tareas. Si bien las pruebas de **comprensión lectora** y **auditiva** dependen más de tus competencias lingüísticas, tu tiempo de estudio y el método de enseñanza-aprendizaje que hayas utilizado, hemos querido ofrecerte aquí algunos consejos que consideramos útiles, ya que te ayudarán a comprender el funcionamiento de cada tarea y subrayarán ideas fundamentales. Del mismo modo, te recordamos que en el apartado correspondiente a las **claves fundamentadas**, encontrarás razonamientos útiles que te ayudarán a mejorar el rendimiento en estas destrezas.

Por lo que respecta a las pruebas de **expresión e interacción escritas** y **expresión e interacción orales**, hemos profundizado en su análisis, ofreciendo consejos de diversa índole y analizando ejemplos de textos y extractos de conversaciones reales. Del mismo modo, te ofrecemos **herramientas y trucos** que insisten en aquellos aspectos que consideramos más importantes para la superación del examen.

PRUEBA ① COMPRENSIÓN DE LECTURA

- En la Prueba 1 dispones de **70 minutos** para realizar **4** tareas de comprensión de lectura.
- Cada una de las tareas está enfocada en el desarrollo de una habilidad específica y presenta textos **de diferentes temas, estilos** y **extensión**.
- En el examen, las respuestas de esta prueba deben marcarse en la hoja de respuestas.

Tarea 1

En esta tarea debes leer un texto y responder seis preguntas de selección múltiple, en las que se ofrecen tres opciones de respuesta.

Lo que se evaluará aquí es tu capacidad para comprender las ideas principales de un texto, así como para identificar determinados datos con información más específica.

- El tipo de texto que hay que leer fluctúa **entre** las **400 y 450 palabras** y es de tipo informativo.
- **Por lo general**, las preguntas se plantean en el **mismo orden** en que avanza el texto, por lo que lo mejor es que **leas el texto completo una o dos veces**, y luego vayas avanzando **párrafo por párrafo** conforme contestas a las preguntas.

Tarea 2

En esta tarea tendrás que relacionar cuatro textos con diez preguntas o enunciados.

Se evalúa la capacidad del candidato para localizar información específica y relevante en textos e inferir sentimientos, actitudes, valoraciones…

- Los textos tienen entre **130 y 150** palabras cada uno.
- Los cuatro textos de entrada suelen ser **testimonios de personas** que narran **experiencias**, por lo que pueden aparecer algunos **giros coloquiales** y **opiniones personales**.
- Aquí deberás poner atención en determinada información específica, pero también tendrás que identificar **valoraciones** y **sentimientos de los hablantes**, aun cuando estos **no** sean **expresados explícitamente**.
- Para esto, intenta ponerte en el lugar del hablante e inferir lo que está sintiendo u opinando a través de su discurso, sus **expresiones** y su **tono**.

Tarea 3

La tarea consiste en completar párrafos en un texto con seis enunciados breves (entre 15 y 20 palabras) seleccionados de entre ocho opciones.

En esta tarea se evalúa la capacidad del candidato para reconstruir la estructura de un texto e identificar las relaciones entre las ideas.

- Ten presente que al texto **solo le faltan seis párrafos**, y que **las alternativas ofrecidas son ocho**. Esto significa que **dos de las opciones son distractores** (párrafos que no deberás incluir en tus respuestas).
- Lo más importante aquí es que pongas atención al **sentido del texto en general**. Algunas veces parecerá que hay más de una opción posible, es entonces donde te recomendamos que te fijes en los **conectores** (*sin embargo, de este modo, paralelamente*, etc.), que te darán suficiente información para comprender y organizar los párrafos de forma coherente.
- Otra buena alternativa para identificar el párrafo correcto es atender a los **tiempos verbales utilizados**, lo que también te dará información sobre la **coherencia** del texto.
- Lo más importante de esta tarea es que des forma a un texto que tenga **lógica interna**, donde todos sus párrafos se encadenen de forma organizada lógicamente. Es ahí donde debes poner el foco de tu lectura.

Tarea 4

La tarea consiste en leer un texto y completar los huecos seleccionando una de las tres opciones de respuesta para cada uno de ellos.

En esta tarea se evalúa la capacidad del candidato para identificar estructuras gramaticales para completar un texto extenso complejo.

- En esta tarea el foco está puesto en el uso de determinadas **estructuras gramaticales**.
- El ejercicio nos presenta un texto de entre **400 y 500** palabras al que se le han extraído **catorce palabras**, presentadas como **espacios en blanco**.
- Para llevar a cabo eficazmente esta tarea, debes poner mucha **atención** en las **estructuras gramaticales**, **más que en el sentido del texto**.
- Los contenidos gramaticales que pueden ser incluidos en esta tarea se ajustan al nivel B2 del Marco de Referencia Europeo de las lenguas, sin embargo, a modo de referencia, **presta especial atención a las fórmulas de probabilidad**, diferentes **usos de indicativo y subjuntivo, diferentes pretéritos**, etc.

PRUEBA **2** COMPRENSIÓN AUDITIVA Y USO DE LA LENGUA

- La prueba consta de **cinco tareas** con ítems de respuesta preseleccionada y una serie de textos que acompañan a la tarea de comprensión. Alguna tarea puede incluir, en vez de un solo texto, **varios fragmentos o microdiálogos**.
- Dispones de **40 minutos** para resolver un total de **30 ítems**.
- Recuerda que en el examen escucharás **cada audición dos veces**. Tendrás unos segundos para leer los enunciados de las respuestas múltiples. En *Objetivo DELE B2* en aquellos casos en los que haya más de una conversación o intervención, te ofrecemos pistas por separado para que en tu entrenamiento puedas escucharlas tantas veces como necesites.
- Es muy importante **no ponerse nervioso** y tratar de **comprender el audio de manera global**. Ten cuidado porque a menudo **todas las opciones de respuesta son aludidas** y solo una es la correcta.

Tarea 1

La tarea consiste en escuchar seis conversaciones y responder a las preguntas de selección múltiple eligiendo una de las tres opciones de respuesta sobre cada una de ellas.

En esta tarea se evalúa la capacidad del candidato para captar las ideas principales y extraer información concreta en conversaciones informales y formales.

- En esta tarea, normalmente, los ítems de respuesta se refieren, por un lado, a la **idea general del audio**: para qué o por qué se habla. Por otra parte, también se formularán **preguntas más concretas**: dónde nació, dónde empezó su viaje, etc. Lo mejor es que intentes **centrarte en la idea general de la conversación**, pero **presta atención a aquellos detalles más específicos que te llamen la atención**: nombres de ciudades, profesiones, familiares, etc.
- Ten cuidado con los enunciados de las preguntas de selección múltiple. Presta mucha atención a la colocación de las **negaciones** y a palabras como **alguien / nadie, algún / ningún, siempre / nunca, etc.**
- Recuerda que son seis **conversaciones independientes**. Si hay alguna que no puedes entender, céntrate en la siguiente.

Tarea 2

La tarea consiste en reconocer las ideas que se escuchan en una conversación y relacionarlas con unas determinadas personas.

En esta tarea se evalúa la capacidad del candidato para reconocer información específica en conversaciones informales o formales.

- En esta tarea es muy importante que **reconozcas lo antes posible a las personas que hablan**. Generalmente hablan un chico y una chica pero, a veces, pueden ser dos chicos o dos chicas. **Pon atención a sus nombres** e identifícalos lo más rápido posible.
- Lo difícil de esta tarea no es reconocer las cosas de las que hablan las personas que mantienen la conversación, sino **identificar aquellas cosas** de las que **no habla ninguno de los dos**.
- Es muy útil, entonces, que **leas con atención los enunciados de la selección múltiple** para tenerlos muy presentes cuando escuches el audio.

Tarea 3

La tarea consiste en escuchar un texto y responder a las preguntas, seleccionando una de las tres opciones de respuesta.

En esta tarea se evalúa la capacidad del candidato para extraer información concreta y detallada e inferir posibles implicaciones en una conversación.

- En esta tarea escucharás una **entrevista radiofónica o televisiva** a un **personaje concreto**: un científico, un actor, un escritor, etc.
- Reconocerás, entonces, **dos voces**: la de la **persona que entrevista** y la del **entrevistado**.
- La conversación se organizará en torno a las **preguntas** que hace el entrevistador y las **respuestas** que ofrece el entrevistado.
- Al igual que en tareas anteriores, el tipo de ítems de este ejercicio te cuestionará acerca de **dos aspectos**: **ideas o datos concretos** que puedes encontrar fácilmente en el audio (nombres de ciudades, fechas, cantidades, etc.), y, más difícil, **ideas más abstractas de las que tú tendrás que inferir o deducir información** (estados de ánimo, reacciones ante algún acontecimiento, rasgos del carácter, emociones, etc.).
- Los ítems no solo te interrogarán en relación con lo que dice el entrevistado, sino que también formularán **preguntas sobre lo que afirma u opina el entrevistador: tienes que prestar también atención a las palabras del entrevistador**.

Tarea 4

La tarea consiste en relacionar enunciados con las personas que expresan esas ideas.
En esta tarea se evalúa la capacidad del candidato para captar la idea esencial de monólogos o conversaciones breves formales o informales.

- Lo fundamental en esta tarea es **leer con antelación y mucha atención los ítems**. Para ello, puedes aprovechar los **momentos previos a la audición** (que suelen emplearse para prepararlo todo), para hacer una **lectura rápida**.
- En esta tarea **no tienes que inferir ni interpretar nada**. Concéntrate en las palabras que vas a escuchar.
- Al igual que en tareas anteriores, vas a escuchar a diferentes personas con **distintas voces y acentos**. Estate atento para asociar rápidamente las voces a los enunciados.
- **No seas impulsivo**. Recuerda que vas a escuchar la audición **dos veces. Las respuestas evidentes casi nunca son las correctas.**

Tarea 5

La tarea consiste en escuchar un texto y responder a las preguntas de selección múltiple.
En esta tarea se evalúa la capacidad del candidato para extraer información concreta y detallada e inferir posibles implicaciones en monólogos o conversaciones extensas.

- Esta tarea consiste en escuchar un **monólogo o discurso** sobre **un tema en concreto**. Como en ocasiones anteriores, trata de **leer los enunciados** con antelación.
- En esta tarea hablará la misma persona durante toda la audición. Presta especial atención a su **acento y tono**, te ayudará para la comprensión.
- En esta tarea se formularán preguntas sobre el contenido del monólogo o discurso. Esto es, **preguntas objetivas**.
- Intenta **tomar notas** de todas aquellas **informaciones** que te parezcan **originales o extrañas**.
- Utiliza la **segunda audición** para **centrarte** solo en aquellos ítems de los que **dudes**.

PRUEBA **3** EXPRESIÓN E INTERACCIÓN ESCRITAS

- En la Prueba 3 dispones de **80 minutos** para realizar **2** tareas de expresión escrita. Lo mejor será que administres tú mismo el tiempo para utilizar un máximo de **40 minutos** en el desarrollo de cada tarea.
- No te olvides de dejar al menos **10 minutos por tarea para revisar** lo escrito y para hacer las correcciones que estimes convenientes.

Tarea 1

La tarea consiste en la redacción de un texto epistolar, formal o informal, en el que se expongan las ideas y argumentos de manera clara, detallada y bien estructurada, respetando las convenciones y rasgos del género.
Según el Instituto Cervantes, en esta tarea se evalúa la capacidad del candidato para, a partir de las notas tomadas sobre un texto oral informativo, redactar una carta o correo electrónico que recoja los contenidos relevantes y que exprese una opinión sobre los mismos.

Tras escuchar una noticia en la que se habla sobre la escasez de programas musicales de calidad en televisión, usted ha decidido escribir una carta a un conocido periódico nacional para denunciar la situación. En la carta deberá:
- presentarse;
- explicar el motivo por el que escribe;

- *opinar sobre la oferta televisiva de la llamada TDT (Televisión Digital Terrestre);*
- *explicar las razones por las que considera que la música debería estar más presente en televisión;*
- *proponer alguna solución al problema planteado.*

TAREA RESUELTA CON CONSEJOS

El título de la carta formal puede dar una **idea muy concreta del contenido** desde la primera línea del texto. También puede funcionar como **el "asunto" si se trata de un correo electrónico.**

Más espacio para la música en TDT

Estimado Sr. Director:

Mi nombre es Sergio Cano y escribo a su periódico porque me gustaría denunciar una situación que me parece negativa. Recuerdo que años atrás se podía disfrutar de más contenidos musicales en televisión. Ahora, por el contrario, apenas hay programas dedicados a la actualidad musical o conciertos en directo.

Solo existen canales temáticos que ni siquiera se incluyen en la TDT gratuita. Creo que la emisión de más espacios musicales en las cadenas de televisión sería de mucha ayuda para la promoción de artistas y sus trabajos, amén de ofrecer mucha más variedad a los canales saturados de *realities*. Hace falta más cultura para hacerla interesante.

La televisión, sobre todo la pública, debería ser una plataforma para difundir la cultura y apenas vemos música en ella. Tan solo pequeños espacios en horarios poco accesibles. Ahora que tenemos la TDT con canales más específicos espero que se incluyan pronto espacios para la música.

Reciba un cordial saludo.

Atentamente,

Sergio

Es importante **estructurar muy bien el texto.** En este caso, se ha dividido en **tres párrafos** de los que este, el primero, corresponde a la **presentación** ("mi nombre es Sergio Cano") y, a continuación, se ofrece la **explicación del motivo por el que se escribe**: "denunciar una situación que me parece negativa". En este primer párrafo es importante ser **conciso y directo** ya que se plantea el tema que posteriormente se desarrollará en la parte central del texto.

Este es el **párrafo de cierre.** En él **se cierra el argumento** que ha dominado todo el cuerpo del texto y, si es necesario como en este caso, **se aporta alguna posible solución al problema**: "La televisión, sobre todo la pública, debería ser una plataforma para difundir la cultura…". Un buen cierre tiene que resolverse **en pocas líneas.** En este caso es suficiente con tres.

En una carta formal es muy importante el **encabezamiento o saludo.** Para ello existen **diferentes fórmulas en español**: Si se conoce el nombre de la persona a la que dirigimos la carta, utilizaremos expresiones como **"Estimado/a [nombre de la persona]", "Querido/a [nombre de la persona]".** En caso contrario, sustituimos el nombre de la persona por palabras como **"señor", "señora", "presidente", "director",** etc.

El **párrafo central** está dedicado a la **explicación y valoración más extensas del motivo** por el que se escribe al diario. En este caso, se habla de manera específica de la realidad televisiva en España. Se critica la poca presencia de programas de música en la TDT y se afirma que serían de mucha ayuda para artistas jóvenes. Del mismo modo, se relaciona directamente la música con la cultura. También se valora de forma negativa la presencia excesiva de los programas de televisión llamados *realities*.
Como se puede comprobar, en este párrafo se trabaja con **tres ideas muy bien organizadas y redactadas de forma clara y sencilla.** Para ello es fundamental el buen uso de la puntuación (punto y seguido, punto y coma, coma, etc.).

Finalmente **la firma.** Para ello también hay **fórmulas establecidas** en el género de la carta formal: **"atentamente", "afectuosamente", "muy atentamente", "sin otro particular",** etc., más el nombre de la persona que escribe la carta debajo. Como se puede observar, a veces la firma también va acompañada de una segunda despedida. En este caso, "atentamente".

En un texto formal es necesario escribir una **despedida.** Para ello, al igual que para el saludo, existen en español ciertas fórmulas: **"Reciba un cordial saludo", "Un saludo", "Saludos cordiales", "Un efusivo saludo",** etc.

[Extraído de: *http://www.elmundo.es/opinion*]

ALGUNAS HERRAMIENTAS Y TRUCOS:

- Tienes que elaborar un texto de entre **150 y 180** palabras. Lo más importante es ajustarse a los **requerimientos de la tarea,** así como a las **características estilísticas de una carta formal**.
- **La organización es fundamental**. Estructura el texto en párrafos bien diferenciados entre sí. Cada párrafo tiene que cumplir su función.
- Cuando escribas tu carta formal, **no olvides utilizar en todo momento la tercera persona usted/ustedes**.
- Del mismo modo, **emplea fórmulas de cortesía siempre que puedas**: "**Me gustaría denunciar** una situación que me parece negativa", por ejemplo.

- **Recuerda que algunos de los encabezamientos** más utilizados en español son:

Don Doña Señores/as Estimado/a Sr./Sra. mío/a Estimados Sres. Distinguido/a Sr./Sra.	+ nombre o primer apellido
Excelentísimo Sr. (*ejemplo: Excelentísimo Señor Presidente*) Ilustrísimo Sr. (*ejemplo: Ilustrísimo Señor Alcalde*) Muy Sr. mío / Muy Sr. nuestro	

- **Aquí hay otro listado con fórmulas de despedida frecuentes:**

A la espera de sus noticias
A la espera de una pronta respuesta por su parte, le(s) saludo atentamente
Quedando a su disposición, me despido atentamente
Quedo a la espera de sus noticias
En espera de sus noticias
En espera de su pronta respuesta
Agradeciéndoles de antemano
Dándoles las gracias por anticipado
Sin otro particular, le/s saluda atentamente
Atentamente
Muy atentamente
Atte.
Un saludo

- Trata de utilizar un **léxico adecuado**. De igual modo, intenta establecer **relaciones sintácticas complejas** (causa, finalidad, consecuencia, etc.) para componer un texto gramaticalmente rico.

En esta tarea también se puede pedir al alumno que redacte una carta o correo electrónico informal. A continuación ofrecemos el texto anterior (la carta formal enviada a un conocido periódico español) transformado en un texto de carácter informal. Observa los comentarios y consejos que se ofrecen:

Ahora podemos titular el texto informal (para un amigo, por ejemplo) utilizando para ello un **lenguaje más coloquial:** "tele". Este título podría ser también el **"asunto"** del correo electrónico que se enviará.

Nunca ponen programas de música en la tele

Hola Luis, ¿cómo estás?

¿Recuerdas que hace unos años ponían más música en televisión? Ahora casi no hay programas dedicados a la actualidad musical o conciertos en directo.

Solo hay canales temáticos que ni siquiera se incluyen en la tele gratis. Si pusieran más espacios musicales en las cadenas de televisión, sería de mucha ayuda para la promo de artistas y sus trabajos, y, además, se ofrecería mucha más variedad a los canales llenos de *realities*. Hace falta más cultura para hacerla interesante.

La tele, sobre todo la pública, debería ser una plataforma para difundir la cultura y casi no vemos música en ella. Solo pequeños espacios a las tantas de la madrugada. Ahora que tenemos la TDT con canales más específicos espero que incluyan pronto espacios para la música.

Escríbeme pronto, porfa.

Abrazo grande,

Sergio

El texto informal **omite las presentaciones porque** la persona a la que vamos a enviar nuestra carta o correo electrónico ya nos conoce.
En este tipo de textos se pueden hacer **interpelaciones directas al interlocutor** como, por ejemplo, la formulación de preguntas en segunda persona.
En los textos informales **la estructura no es tan rígida como en los formales**. Por este motivo, no es necesario organizar el texto de manera estricta, más allá de la lógica y de un cierto orden.

En los textos informales **no existen los formalismos**. El encabezamiento está compuesto, normalmente, por el **nombre de pila** de la persona a la que se dirige la carta o correo electrónico y **una pregunta informal** sobre su estado.

En general, el léxico utilizado en una carta de este tipo es menos formal y, como en este ejemplo, se pueden utilizar coloquialismos. Así, palabras como "tele" o "promo" no podrían utilizarse nunca en un texto formal.
Por otra parte, las estructuras sintácticas también se simplifican y se asemejan más a las usadas en el lenguaje hablado.

En el texto informal **la despedida no requiere de fórmulas**. "Escríbeme pronto" "Espero saber cosas de ti" o "Cuéntame cómo te va a ti" son despedidas comunes en este tipo de texto.

La firma en una carta o correo informal **es como una despedida por teléfono móvil**, por ejemplo. Es suficiente con **una o dos palabras que demuestren el afecto** que se siente por la otra persona: **"un beso"**, **"un abrazo"**, etc.

[Extraído de: *http://www.elmundo.es/opinion*]

ALGUNAS HERRAMIENTAS Y TRUCOS:

- Normalmente se escriben cartas informales a **personas que ya conocemos y que, incluso, pueden ser nuestros amigos**. Por este motivo, **olvida cualquier formalidad**, así como el uso de la tercera persona de cortesía (usted/ustedes). **En las cartas informales se utiliza el llamado tuteo**. Es **muy importante** recordar que en **algunos países de Latinoamérica el uso de la segunda persona (en singular y en plural) no es frecuente**. En estos casos la tercera persona se neutraliza y se utiliza tanto en textos formales como informales.

- **Algunos encabezamientos que se pueden usar en los textos informales son:**

¿Qué tal? ¿Cómo estás? ¿Cómo te va? ¡Cuánto tiempo! Querido/a ¡Hola! ¿Cómo va eso? ¿Qué es de tu vida? Hace tiempo que no sé de ti	+ nombre de pila

• **Algunas de las despedidas más frecuentes son:**

> Un beso
> Un abrazo
> Abrazos
> Abrazo grande
> Hasta pronto
> Nos vemos pronto

• Utiliza un **lenguaje informal**, próximo al hablado. Recuerda que se puede introducir en el texto algún **coloquialismo** para marcar más el carácter informal. Piensa que, más o menos, tienes que utilizar las mismas estructuras que cuando hablas por teléfono con un amigo.

Tarea 2

A partir de una noticia breve de periódico, revista, blog o red social, se pedirá la redacción de un texto formal en forma de artículo de opinión. Según los criterios de evaluación del Instituto Cervantes, la claridad expositiva, detallada y estructurada serán elementos muy importantes para calificar la tarea de manera satisfactoria.

OPCIÓN 1

Usted colabora en una revista de actualidad internacional. Su editor le ha pedido que escriba un artículo sobre el problema de los jóvenes españoles para encontrar trabajo. En el artículo debe incluir y analizar la información que aparece en el siguiente gráfico, que indica en porcentajes el número de españoles que ni estudia ni trabaja en comparación con otros países.

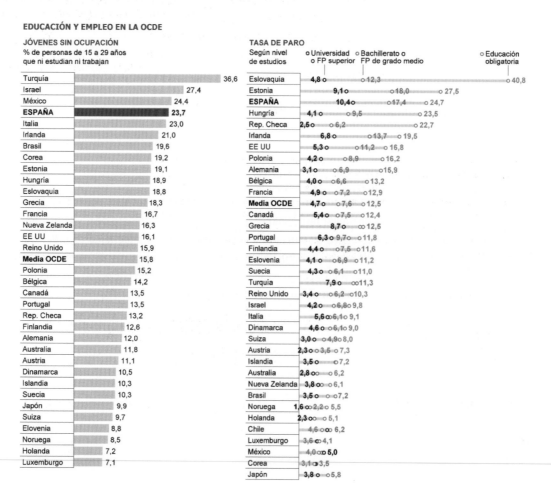

EDUCACIÓN Y EMPLEO EN LA OCDE

TAREA RESUELTA CON CONSEJOS

En esta tarea es **especialmente importante que el título** sea muy **claro y resuma de forma efectiva el contenido del texto.** Un título (o titular) adecuado también implica que se ha comprendido correctamente el contenido de la tabla y que la interpretación de los datos que se ofrecerá en el cuerpo del texto será correcta.

España es el país de Europa con más jóvenes que ni estudian ni trabajan

La crisis económica ha disparado el número de jóvenes en España que ni estudia ni trabaja, englobados bajo el apelativo de Generación *nini*. El 23,7% de los españoles de entre 15 y 29 años se encontraban en esta situación en 2010, según recoge el informe *Panorama de la Educación 2012* de la Organización para la Cooperación y el Desarrollo Económico (OCDE). Se trata del país europeo con el porcentaje más alto, casi ocho puntos por encima de la media de los países desarrollados (15,8%) y siete puntos más alto que en 2008. Si nos fijamos solo en la franja de 25 a 29 años, la cifra llega al 29%.

Cada uno de esos jóvenes a los que se les ha colgado la etiqueta de *nini*, unos 1,9 millones de personas, son la encarnación de un cúmulo de defectos en el sistema productivo y educativo. Por un lado, se trata de un sector productivo muy dependiente de los servicios y la construcción en la última década, con poca oferta para titulados superiores y mucho empleo no cualificado. Y, por otro, de una escuela que no pudo retener a un alto porcentaje de jóvenes en época de bonanza (el abandono temprano ha rondado el 30% la última década, aunque bajó en 2011 al 26,5%) y ahora no es capaz de recuperarlos cuando esos jóvenes han pasado masivamente a las listas del paro.

Este texto se divide en dos partes bien diferenciadas. En este primer párrafo se ofrece una **interpretación resumida pero a la vez detallada de los datos más importantes** que contiene la tabla. Se reproducen los porcentajes y se redacta un **texto coherente** que refleja la perfecta compresión de la misma.

Por otra parte, en caso de que sea posible, es buena idea **poner los datos en contexto:** en esta ocasión, parece que hay una relación directa entre el problema laboral de los jóvenes en España y la crisis económica mundial que ha marcado el rumbo del mundo en los últimos años.

También, si es posible, la puesta en contexto de los datos puede aprovecharse para **manifestar el conocimiento de algún aspecto cultural español.** Por ejemplo, el concepto de *nini* (joven que ni estudia ni trabaja) denota un buen conocimiento de una parte de la realidad social española que, sin duda, contribuirá a enriquecer el texto en su conjunto.

En este ejemplo, el segundo párrafo está destinado a la **interpretación de los datos.** Esta segunda parte más subjetiva, manifiesta las **valoraciones y opiniones personales** –coherentes y fundamentadas– de la persona que escribe. Así, en este caso se afirma que el gran número de jóvenes españoles que ni estudia ni trabaja se debe a un conjunto de problemas que existen en España. Se habla, en concreto, de la educación en nuestro país y de la relación entre la educación y la inserción laboral; es decir, los problemas que existen en el sistema para que los jóvenes estudien y después comiencen a trabajar.

Esta parte del texto, más difícil que la anterior, puede redactarse de forma que las afirmaciones no sean absolutas: **con expresiones como "en mi opinión", "desde mi punto de vista", "según mi interpretación", "los datos podrían reflejar…", etc., se puede intentar hacer una valoración de los datos más personal.**

[Extraído de: *http://sociedad.elpais.com/sociedad*]

ALGUNAS HERRAMIENTAS Y TRUCOS:

- Tienes que escribir un **texto de entre 150 y 180 palabras**. Lo más **importante** en esta tarea es **la interpretación correcta de los datos** que hay en la tabla y su **redacción coherente**.

- **Divide el texto en varias partes bien diferenciadas**: en **la primera**, más descriptiva, **escribe acerca de los datos que se ofrecen en el gráfico**. Es buena idea **que redactes de forma sencilla** cómo entiendes la tabla y las variaciones que se producen (en este caso en porcentajes). Lo que tienes que demostrar en esta primera parte es simple: **has entendido el gráfico**.

- **En la segunda parte de la composición**, puedes intentar escribir **una interpretación sencilla de lo anterior**. Para ello, **relaciona la tabla con el contexto** (en este ejemplo España y la crisis) **o compara estos datos con los de tu país o un país que conozcas**.

- A continuación se recogen en un cuadro algunas **expresiones** que te pueden ayudar a la hora de **establecer comparaciones y contrastar la información**:

Al igual que / A semejanza de / Lo mismo que De la misma manera que / De modo semejante a / Igual que / Así como Inferior / superior Mientras que	Por una parte… pero por otra… / Por un lado… y por otro… Sin embargo No obstante A pesar de / Pese a En cambio

- En la **segunda parte de tu composición**, además de interpretar los datos del gráfico, **puedes hacer una valoración** de los mismos. Es decir, puedes **expresar tu opinión sobre lo que más te llama la atención**. Si consideras que las cifras son interesantes o, por el contrario, las encuentras en la media (en este ejemplo, en relación a otros países).

- Finalmente, **es una buena idea cerrar el texto con una conclusión sólida**. Para ello puedes **hacer un resumen de lo que has escrito antes y ofrecer al lector una valoración final lógica**, esto es, en función de la información que te proporciona la tabla.

Tarea 2
OPCIÓN 2

Usted escribe en un blog sobre cine. Ayer asistió al estreno de una película en su ciudad y debe escribir una crítica. A continuación puede ver la información extraída del programa que repartieron en la sala.

Título original: *Ismael*
Año: 2013
Duración: 110 min.
País: España
Director: Marcelo Piñeyro.
Guion: Verónica Fernández, Marcelo Figueras, Marcelo Piñeyro.
Fotografía: Xavi Giménez.
Reparto: Mario Casas, Larsson do Amaral, Belén Rueda, Ella Kweku, Sergi López, Juan Diego Botto, Mikel Iglesias, Gemma Brió, Óscar Foronda, Alain Hernández.
Productora: Antena 3 Films / Zeta Audiovisual.
Género: Drama | Melodrama. Inmigración. Drama social.
Sinopsis: Ismael Tchou, un niño mulato de 8 años, se fuga en el AVE rumbo a Barcelona para conocer a su padre. Su única pista es la dirección de un apartamento, escrita en el remite de una carta dirigida a su madre. Cuando encuentra el edificio, en el apartamento solo está Nora, una elegante mujer de unos 50 años.

[Extraído de: *http://www.filmaffinity.com*]

TAREA RESUELTA CON CONSEJOS

> Es muy importante que el texto tenga una **estructura clara**. Para ello **es una buena idea dividirlo en tres párrafos**. Además, **no se debe olvidar el título**; un buen título es imprescindible para expresar la idea general de lo que el lector se encontrará más abajo.

> En este ejemplo, el título introduce la idea de que la película sobre la que el lector va a leer la crítica pertenece a la categoría de "cine navideño", es decir, un cine familiar de carácter sentimental.

Qué bello es vivir… y qué difícil hacer cine navideño

> Es importante **firmar el texto**. La firma puede incluirse, como en este caso, **debajo del título o al final del artículo**.

Ana Sánchez de la Nieta

Ismael es un despierto niño de 10 años. Vive en Madrid con su madre africana y su padrastro, que le ha dado el apellido y con el que tiene una estupenda relación. Un día decide escaparse a Barcelona para conocer a su padre, un joven profesor que vive volcado en la enseñanza a chavales con peligro de exclusión social.

> **El primer párrafo está destinado a la introducción**. En él, se da información sobre el objeto de la crítica. En este caso, una película. La persona que escribe esta crítica ha optado por empezar con la sinopsis (resumen del argumento). De una manera **clara y sencilla**, se narran las líneas generales de la película: los acontecimientos más importantes. **En este primer párrafo todavía no hay opiniones ni valoraciones personales.**

Esta es una de esas películas en las que al crítico le gustaría entregar, precisamente, el juicio crítico y defenderla a ultranza. Es una película bienintencionada, navideña, llena de momentos emotivos, fácil de ver… Además, y esto es más importante desde el punto de vista cinematográfico, supone un paso adelante en la carrera de Mario Casas –que terminará siendo un buen actor– y hay que reconocer el mérito que tiene, en medio de la dictadura del escepticismo y del pensamiento débil, plantear en clave provida una historia de maternidad en circunstancias difíciles. Por todo esto hay que aplaudir a *Ismael* e incluso concluir que cumple bien su objetivo de ser una alternativa adulta de cine navideño.

> Este es el párrafo central. Contiene las **ideas más importantes**: las opiniones y valoraciones sobre la película. Lo importante de esta parte del texto es la **coherencia**. Las ideas deben de estar **unidas por conectores de un modo sencillo y lógico**. En este ejemplo, podemos encontrar **"además"**, conector que suma una idea a otra en la función valorativa del texto. Cerrando el párrafo otro conector: **"por todo esto"**, se utiliza a modo de resumen de las ideas principales e introduce una valoración general que tiene en cuenta todo lo dicho anteriormente. Aquí se recogen, entonces, **las ideas que se quieren destacar de un modo estructurado**. También es **importante** el uso de un **léxico adecuado**: es una crítica cinematográfica y hay términos específicos que conviene usar.

Dicho esto, la película –quizás por ese carácter navideño– se empeña demasiado en gustar y contentar a todos y la sensación final es de cierta artificialidad. Hay, como he dicho, temática provida y niño encantador, pero también abuela ejemplar, guiños sociales, adolescentes indignados, diálogos subidos de tono entre los más adultos y, para que no falte de nada, unos instantes de Mario sin camiseta. Todo por el público.

> El último párrafo cierra el texto. Lo que se busca en la parte final es ofrecer **una síntesis de todo lo dicho y redactar una opinión general** que transmita al lector un mensaje claro acerca de la opinión del crítico. Como se puede observar, el texto se inicia con "dicho esto", un conector que introduce la conclusión. Es positivo en este tipo de textos no retrasar demasiado la conclusión. Lo más efectivo suele ser **cerrar el párrafo de un modo sencillo y directo**. Si se quieren destacar ideas ya apuntadas en partes anteriores del texto, este es el momento. Frases como **"como ya he dicho"**, **"como ya he apuntado"**, **"como ya he comentado"**, etc., ofrecen una mayor solidez al texto.

[Extraído de: *http://filasiete.com*]

ALGUNAS HERRAMIENTAS Y TRUCOS:

- En esta tarea tienes que escribir entre **150 y 180 palabras**. **Trata de organizar el texto en párrafos; tres o cuatro párrafos breves harán del texto un conjunto con estructura**. No olvides usar adecuadamente los signos de puntuación, especialmente **el punto y seguido** y **el punto y aparte**.

- **Las dos partes más importantes de este texto son el inicio y el final**. Intenta ser **directo en el primer párrafo**; plantear de manera rápida el objetivo del texto. De igual modo, **en la parte final utiliza mensajes claros y directos**. Recuerda que es fundamental que el lector comprenda el mensaje sin dificultad.

- Asegúrate de **marcar muy bien las transiciones entre un párrafo y otro** y, por lo tanto, entre una idea y otra. Para esto, **utiliza los conectores adecuados**.

- En esta tarea tienes que redactar un **texto valorativo**. Para ello **es fundamental el uso de locuciones subjetivizadoras**. Es decir, frases como **"en mi opinión", "desde mi punto de vista", "para mí"**, etc. te ayudarán a comenzar los razonamientos. Aquí se recogen algunas de las más comunes en español:

Creo / Pienso / Opino que…
En mi opinión / Para mí…
Estoy seguro de que…
(A mí) me parece que…
(A mí) no me parece que…   + subjuntivo
Es cierto que… / Por lo que veo…
No creo / pienso / opino que…   + subjuntivo
Hay que tener en cuenta que…
Tengamos en cuenta…
No estoy seguro de que…   + subjuntivo
Está claro que…

- Desde el punto de vista del contenido, es importante que seas equilibrado. Te ayudarán las **frases cortas y sencillas**. No intentes hacer razonamientos demasiado complejos. Recuerda para ello los **nexos coordinados: "y", "pero", "sin embargo"**, etc.

- Intenta hacer un **texto atractivo**. Puedes **comparar aspectos culturales entre España y otros países o relacionar diferentes campos artísticos entre sí**: en este caso, cine y música, cine y arte, cine y literatura, etc. Esto hará que el lector lea el texto más interesado.

- **No olvides el tono del texto**. No tiene que ser un texto demasiado formal pero es importante que **no abuses de estructuras o léxico demasiado coloquiales**.

PRUEBA 4 — EXPRESIÓN E INTERACCIÓN ORALES

- Esta prueba consta de tres tareas. Las dos primeras son de expresión y la tercera de interacción.
- **Para las tareas 1 y 2 dispones de 20 minutos de preparación previa**, en los que puedes tomar notas y escribir un bosquejo esquemático de lo que dirás durante la conversación con el entrevistador.
- Al comenzar la conversación, el entrevistador te hará algunas preguntas que no serán calificadas y cuyo único objetivo es romper el hielo y proporcionar un ambiente relajado para el examinando.
- En esta prueba del examen DELE **lo más importante es no dejarse llevar por los nervios** y así poner lo mejor de ti para demostrar tu manejo del español hablado.
- Aparte de estar bien preparado para las tareas, es importante que te familiarices con la idea de que **en el momento del examen habrá dos examinadores en la sala**. Uno hablará contigo y el otro estará sentado detrás tomando algunas notas.
- Aun cuando es muy normal experimentar cierto estrés en este momento, debes hacer lo posible por no demostrar al examinador que estás nervioso y **relacionarte con él de forma natural y confiada**.
- Es importante que tengas en cuenta que el examinador DELE **considerará cuatro aspectos fundamentales en tu desempeño:**

  1 Fluidez.
  2 Dominio de la gramática y del léxico.
  3 Pronunciación.
  4 Contenido.

- En este punto, recuerda que **hablar de forma fluida no significa necesariamente hablar rápido**. Pronunciar muy de prisa solo puede acarrear confusiones.
- Cuanto más pausado sea el discurso, más tiempo tendrás de pensar en la selección de palabras (dominio léxico), en la corrección gramatical y en la organización del contenido de tu discurso.
- Al mismo tiempo, una pronunciación calmada te permitirá poner atención en la pronunciación correcta y clara, pero **hablar de forma pausada tampoco significa hablar lento**. Intenta no caer en extremos.
- En cuanto a la gramática, **el nivel B2 exige corrección y manejo de estructuras más complejas**. Sin embargo, cierto margen de error es aceptado. No te pongas nervioso si fallas en alguna estructura. Y si te das cuenta a tiempo, **la autocorrección será bien evaluada** (Ej.: "Quiero que *vienes... Perdón. Quiero que vengas...").
- Otra recomendación en este aspecto es **no tratar de utilizar estructuras gramaticales muy complejas**. Siempre es mejor utilizar formas que manejas bien, que arriesgarte a usar aquellas que acarrean más probabilidades de equivocarte.
- Practica en casa algunas de estas estructuras (condicional, condicional compuesto, subjuntivo, etc.), para así llegar al examen con un manejo cómodo de las mismas.

Tarea 1

La tarea consiste en mantener un breve monólogo sostenido y conversar sobre una serie de propuestas para resolver un problema. En esta tarea se evalúa la capacidad del candidato para valorar las ventajas y desventajas de una serie de propuestas dadas para resolver una situación problemática e intercambiar opiniones acerca de ese tema.

Le proponemos un tema con algunas indicaciones para preparar una exposición oral. Tendrá que hablar durante 2 o 3 minutos sobre ventajas e inconvenientes de una serie de soluciones propuestas para una situación determinada. A continuación, conversará con el entrevistador sobre el tema.

La industria cultural está en crisis. Cada vez se consume más música y cine a través de internet, haciendo que las ventas de discos, DVD y la recaudación por la venta de entradas de cine desciendan notablemente. Una posible explicación a esta realidad es el elevado precio que hay que pagar para consumir cultura. La consecuencia directa es el fenómeno de la piratería.

Los discos, DVD y las entradas de cine deberían ser muy baratos para que no existiera la piratería.

Los gobiernos y la policía deberían luchar más contra la piratería. Las penas deberían ser más duras y si alguien comete delito de piratería, debería ir a la cárcel.

La culpa es de los músicos y artistas. Sería buena idea que cobraran menos y así la música y el cine serían más baratos.

Las grandes superficies deberían hacer más descuentos en música y cine.

Los cines podrían regalar la bebida y las palomitas cuando se compra la entrada. Con bebida y comida gratis irían más personas.

Los músicos podrían dar conciertos que duren muy poco tiempo y cobrar muy poco dinero. Así podría ir más gente.

EXPOSICIÓN:

Ejemplo: *A la propuesta de que las grandes superficies deberían hacer más descuentos en música y cine le veo una cosa muy positiva…*

CONVERSACIÓN:

Una vez el candidato haya hablado de las propuestas de la lámina durante el tiempo estipulado (2 minutos), el entrevistador le hará algunas preguntas sobre el tema hasta cumplir con la duración de la tarea.

EJEMPLO DE PREGUNTAS DEL ENTREVISTADOR:

Sobre las propuestas

- De las propuestas dadas, ¿cuál le parece la menos efectiva?

Sobre su realidad

- ¿Usted va al cine con regularidad? ¿Cuántas veces al mes?

- ¿Compra música en las tiendas especializadas?

- ¿Consume cine y música a través de internet?

Sobre sus opiniones

- ¿Considera que los precios de la música y el cine son muy elevados?

- ¿Por qué?

- ¿Cree que la piratería es un delito?

- ¿Por qué?

Duración total de esta tarea 4-5 minutos.

ALGUNAS HERRAMIENTAS Y TRUCOS:

- En primer lugar, en las pruebas de expresión oral, es muy importante **controlar los nervios**. Para ello, respira profundamente y piensa que el examinador te ayudará en todo lo que pueda para que hagas bien la prueba.
- **Tómate tu tiempo para leer con atención el enunciado de la tarea**. Por una parte tienes que leer el planteamiento del problema y, después, las posibles soluciones. Recuerda que en esta tarea **también hay una imagen** que, a veces, te puede ayudar.
- Una buena idea es que, cuando empieces a hablar, **te centres en aquellas soluciones que te han llamado más la atención**. De este modo, tendrás más ideas en tu cabeza y será más difícil que te quedes en blanco:

Los músicos podrían dar conciertos que duren muy poco tiempo y cobrar muy poco dinero. Así podría ir más gente.

Esta me parece una buena idea. Si los músicos dan conciertos "mini", los precios de las entradas también podrían ser "mini". Yo iría, sin duda. Me gusta. Pero esta idea también se puede hacer al revés: si los músicos dan conciertos muy largos, entonces el precio de las entradas también será más caro, ¿no? Creo que es una idea muy interesante. ¡Puede cambiarlo todo!

• Recuerda que siempre es más fácil hablar de un tema cuando **lo llevamos al ámbito personal**. De este modo, en realidad estamos hablando de nuestra experiencia y nuestros gustos, y el discurso puede producirse de forma más natural.

> ¡Me encantan las palomitas! ¡Esta es una idea genial! Cada vez que voy al cine me compro las palomitas más grandes que encuentro. En mi opinión, comer y beber en el cine forma parte de la diversión. ¡El cine es para pasarlo bien!

> Los cines podrían regalar la bebida y las palomitas cuando se compra la entrada. Con bebida y comida gratis irían más personas.

> Creo que esto es una mala idea. Por ejemplo, a mí no me gusta comer ni beber en el cine. Además, creo que puedes molestar a otras personas si haces demasiado ruido. Yo pienso que el cine es un lugar para ver una película y no para hacer un picnic.

• En definitiva, esta es una tarea en la que el objetivo principal es mostrar **acuerdo o desacuerdo** con las propuestas que ofrecen. Para ello, no olvides que existen muchos **conectores** que pueden ser muy útiles:

CONECTORES QUE EXPRESAN ACUERDO	CONECTORES QUE EXPRESAN DESACUERDO
Estoy de acuerdo contigo / con usted / con…	Estoy en contra de…
Pienso lo mismo que usted / tú	No estoy de acuerdo contigo / con usted / con eso
Tiene(s) razón / Tiene(s) toda la razón	No tiene(s) razón / Está(s) equivocado
Por supuesto / Claro / Desde luego / Bueno	¡Claro que no! / En absoluto
Yo también / A mí también	Eso no es así / Eso no es cierto
Yo tampoco / A mí tampoco	Eso es absurdo / ¡De eso ni hablar!
Estoy a favor de…	Está(s) muy equivocado
	Por supuesto que no
	Yo no pienso lo mismo que usted / tú

• En la parte final de la tarea debes **establecer un diálogo más directo con el entrevistador**. Para ello, **te formulará una serie de preguntas** sobre tu experiencia personal y tus opiniones. Ya casi has finalizado la prueba, **permanece tranquilo** y **responde de manera concreta a lo que te pregunte**. Si lo necesitas, tómate tu tiempo para pensar…

> Creo que sí. Es como robar porque no pagamos el trabajo de los músicos y actores. Para mí es un delito. Lo tengo claro.

> No lo sé. Por una parte diría que está mal, pero, por otra, pienso que si existe es porque la música y el cine son demasiado caros…

> ¿Crees que la piratería es un delito?

Tarea 2

La tarea consiste en mantener un breve monólogo sostenido sobre una situación y conversar sobre la misma.

En esta tarea se evalúa la capacidad del candidato para describir una situación a partir de un enunciado, una foto y unas pautas dadas, y conversar brevemente sobre experiencias y opiniones respecto a ese tema.

- El monólogo debe durar en torno a los **2 minutos**, para luego dar paso a 2 minutos más de conversación.
- El tema a tratar está dado por una lámina que suele ser una fotografía, a partir de la cual deberás imaginar la situación y describir la imagen.
- La fotografía contará con un **título** que te orientará sobre la situación retratada, así como con una serie de pautas para tu intervención, que te guiarán para planificar tu monólogo.
- La situación debe ser creada por ti, basándote en la imagen, el enunciado y las pautas, por lo que **no existe una única respuesta correcta**.
- En el presente libro aparece una opción de fotografía por modelo de examen, pero en el examen DELE B2 encontrarás dos imágenes, de las cuales deberás **escoger solo una** para desarrollar la tarea.
- Al comienzo de la prueba tendrás 20 minutos durante los cuales puedes tomar notas para organizar tu intervención oral.

Usted debe imaginar una situación a partir de una fotografía y describirla durante unos dos minutos.

A continuación conversará con el entrevistador acerca de sus experiencias y opiniones sobre el tema de la situación. Tenga en cuenta que no hay una respuesta correcta: debe imaginar la situación a partir de las preguntas que se le proporcionan.

UNA SITUACIÓN EMBARAZOSA

Una de las personas en la fotografía tiene un problema relacionado con las otras personas que aparecen en la imagen. Imagine la situación y hable de ella durante, aproximadamente, dos minutos.

Estos son algunos aspectos que puede comentar:

- ¿Dónde están estas personas?

- ¿Qué relación cree que hay entre estas personas? ¿Por qué?

- ¿Cómo imagina que es la persona que está en primer plano? ¿Por qué?

- ¿Cómo imagina que son las personas que están en segundo plano? ¿Por qué?

- ¿Qué cree que está pasando? ¿Por qué?

- ¿Qué piensa que están haciendo las personas que están en segundo plano? ¿Por qué?

- ¿Cómo imagina que se siente la persona que está en primer plano? ¿Qué estará pensando?

- ¿Qué cree que se están diciendo las personas que están en segundo plano?

- ¿Qué cree que va a ocurrir después? ¿Cómo va a terminar la situación?

Una vez haya descrito la fotografía durante el tiempo estipulado (2 minutos), el entrevistador le hará algunas preguntas sobre el tema de la situación hasta cumplir con la duración de la tarea.

EJEMPLO DE PREGUNTAS DEL ENTREVISTADOR:

- *¿Ha sido testigo alguna vez una experiencia de* bullying *o intimidación? ¿Podría narrar la situación?*
- *¿En qué contextos cree que se producen más agresiones o intimidaciones entre personas del mismo círculo?*
- *¿Qué consecuencias cree que provoca el* bullying *para quien es víctima del mismo?*
- *¿Cuál cree que es la motivación de algunas personas para hacer* bullying *a otras?*
- *¿Por qué cree que la preocupación por el* bullying *entre los niños y adolescentes ha crecido en el último tiempo?*
- *¿Qué se puede hacer para erradicar las agresiones entre alumnos en las escuelas?*

ALGUNAS HERRAMIENTAS Y TRUCOS:

- A la hora de describir la imagen, parte **de lo general hacia lo particular**. Fíjate en la **cantidad de personajes, su género, edades aproximadas, las expresiones de cada uno, algunos rasgos físicos característicos, etc.**:

> En esta imagen podemos ver cinco personajes femeninos. Específicamente cinco chicas jóvenes, <u>probablemente</u> adolescentes o jóvenes universitarias, que están vestidas con vaqueros y camisetas de colores. Tres de ellas son morenas, una rubia y la chica de adelante es pelirroja.

- También, pon atención a las **características del lugar en que ocurre la acción** y argumenta por qué crees que puede tratarse de un colegio, un aeropuerto, un parque, etc.:

> El lugar donde ocurre la escena es exterior. Hay un árbol y césped, <u>por lo que podría tratarse de</u> un parque o de algunas áreas verdes alrededor del campus donde las chicas estudian.

- A partir de las expresiones y/o la ubicación de los personajes en la imagen, **puedes ir aproximándote a la situación imaginada**:

> Cuatro de las chicas están agrupadas al fondo de la fotografía. Están todas juntas, <u>por lo que parecen</u> bastante amigas. Las cuatro están mirando a la chica del primer plano, la pelirroja, así que probablemente estén hablando de ella. <u>En contraste</u>, la chica pelirroja está sola y tiene una actitud seria, preocupada o triste. <u>A partir de esta información</u> podríamos concluir que las chicas de atrás están hablando mal de la chica del primer plano, que <u>podría ser</u> una víctima de *bullying* o maltrato juvenil.

- Recuerda que debes imaginar una situación a partir no solo de la fotografía, sino del enunciado o título que la encabeza y de las pautas de intervención que aparecerán en el examen debajo de la fotografía. **El enunciado ya nos orienta hacia una situación problemática** que genera conflicto o incomodidad en alguien, que asumimos será, en este caso, la chica pelirroja.

- Un seguimiento cuidadoso y ordenado de las pautas de intervención será de gran ayuda para crear la situación imaginada. En este caso, al ir respondiendo paso a paso, podremos localizar la acción (por ejemplo en un parque o área verde universitaria), concluir que las cuatro chicas del fondo son amigas y que la chica del primer plano no tiene muchas amigas, pues está sola, etc.

- Una vez que tenemos la descripción física y visual más o menos objetiva, ya podemos irnos internalizando en la **psicología de los personajes retratados**. De este modo, y siguiendo también las pautas, podemos aventurar que la chica del primer plano es tímida y de pocos amigos, pues parece callada y no está sociabilizando con las demás. Como contraparte, podremos proponer que las chicas del fondo son sociables, pero tal vez algo crueles, pues están hablando de la chica pelirroja a sus espaldas y sin intención de acercarse a ella.

- De este modo, ya tenemos una **caracterización física y psicológica de los personajes**, así como una descripción del entorno, lo que nos permitirá proponer nuestra situación imaginada:

> Las chicas del fondo están hablando mal de la chica del primer plano, quien se siente triste porque está sola y no es querida por sus compañeras de clase.

- Usualmente, las pautas de intervención incluyen el desafío de crear algunos diálogos que podrían darse en la situación. En este caso deberíamos imaginar qué cosas podrían estar diciendo las chicas sobre la chica pelirroja:

> Las chicas del fondo están hablando mal de la chica pelirroja. Ella es muy buena alumna y ha sacado excelentes calificaciones en el último examen, así que las chicas tienen envidia y se están burlando de la ropa de la chica pelirroja. Una dice '¿has visto que fea la camiseta de Laura?' y otra se ríe y responde 'pues sí que es horrible. ¡Se nota que lo único que hace es estudiar!'.

- Por lo general, las pautas de intervención siempre considerarán una proyección de cómo se van a desarrollar los hechos con posterioridad a la situación puntual de la fotografía. Para eso tenemos que **echar a volar nuestra creatividad**. Un ejemplo podría ser:

> Al final, Laura decide enfrentar a las chicas y decirles que no le gusta nada que estén hablando a sus espaldas. Las chicas reaccionan sorprendidas y lo niegan. Entonces Laura se marcha y empieza a conversar con otro grupo de chicas que son muy majas y estudiosas como ella.

- Al terminar tu intervención, **el entrevistador te hará preguntas relacionadas con el tema de la situación recién comentada**. En este caso se trataría del *bullying* o el acoso entre pares. En esta sección deberás dar tu opinión sobre el tema o referirte a tus experiencias concretas en torno al mismo.
- Al tratarse de una conversación, te animamos **a jugar un rol activo**. Evita transformar esta segunda parte de la tarea en un interrogatorio por parte del entrevistador en el que tú únicamente contestas a sus preguntas. Recuerda que **no te estarán evaluando la corrección de tus respuestas, sino tu capacidad comunicativa de interacción con tu interlocutor. Siéntete con la confianza de hacer preguntas al entrevistador sobre sus opiniones**, o bien contrapreguntas después de responder. Por ejemplo, si el entrevistador te pregunta si has sido testigo alguna vez de una experiencia de *bullying*, podrías responder:

> Sí. Recuerdo que cuando estaba en primaria mis compañeros se reían de un chico de la clase que era muy tímido. Un día le quitaron su merienda y él se puso a llorar... fue muy triste. ¿Y usted/tú, ha(s) vivido alguna experiencia de bullying? / ¿Es muy común el bullying en España? / Y usted/tú, ¿qué opina(s)?

- La capacidad de reaccionar discursivamente a las palabras del entrevistador también será bien evaluada. Si el entrevistador te dice que en el último tiempo el *bullying* entre niños y adolescentes se ha incrementado, se podría intervenir diciendo "¡qué mal!" u otra expresión para reaccionar, como las que te ofrecemos más abajo.

Algunas expresiones que te ayudarán a expresar reacciones ante el interlocutor son:

Sorpresa	Reacción negativa	Reacción positiva
¡Dios mío!	¡Qué mal!	¡Qué bien!
¿De verdad?	¡Qué horror!	¡Estupendo!
¡Es increíble!	¡Qué pena!	¡Qué divertido!
¡Qué dice(s)!	¡Qué barbaridad!	¡Fantástico!
¡No me lo puedo creer!	¡Qué raro!	¡Menos mal!
¿En serio?	¡Es horrible!	¡Genial!
¡Parece mentira!	¡Qué putada! (coloquial)	¡Qué guay! (coloquial)
¡No me diga(s)!		

Tarea 3

La tarea consiste en mantener una breve conversación informal a partir de un estímulo escrito o gráfico. En esta tarea se evalúa la capacidad del candidato para conversar a partir de un estímulo escrito o gráfico.

- En esta tarea deberás mantener una **conversación informal** con el entrevistador, que durará entre **3 y 4 minutos**.
- A diferencia de las pruebas anteriores, para esta **no hay tiempo de preparación**.
- Como estímulo para la conversación existen dos opciones entre las cuales **deberás escoger solamente una**. En este libro solo presentamos una opción.
- Estas opciones consisten usualmente en **noticias sobre tendencias contemporáneas o resultados de encuestas que deberás comentar y comparar** con tus propias respuestas a las mismas preguntas.

Usted debe conversar con el entrevistador sobre los datos de una encuesta, expresando su opinión al respecto. En el examen deberá elegir una de las dos opciones propuestas, aunque ahora le proponemos solo una.

EJEMPLO DE PROPUESTA: ¿CÓMO SE DESPLAZAN LOS ESPAÑOLES?

Esta es una encuesta realizada por el Instituto Nacional de Estadística de España para investigar los hábitos y pautas de consumo de los hogares españoles en relación con el medioambiente. El estudio, titulado "Encuesta de hogares y medioambiente" revela interesantes datos sobre el uso de los medios de transporte en el país.

¿Qué medio de transporte utiliza principalmente en sus desplazamientos los días laborables? (debe considerar un solo medio de transporte, el más utilizado):	
Transporte público (autobús, metro, tranvía, tren...)	
Transporte privado (coche o moto)	
A pie	
Bicicleta	

Fíjese ahora en los resultados de la encuesta entre los ciudadanos españoles:

¿Qué medio de transporte utiliza principalmente en sus desplazamientos los días laborables? (debe considerar un solo medio de transporte, el más utilizado):	
Transporte público (autobús, metro, tranvía, tren...)	21,7%
Transporte privado (coche o moto)	45,3%
A pie	30,3%
Bicicleta	1,3%

[Extraído de *www.ine.es/jaxi/menu.do?L=0&type=pcaxis&path=%2Ft25%2Fp500&file=inebase*]

Comente ahora con el entrevistador su opinión sobre los datos de la encuesta y compárelos con sus propias respuestas:
- ¿En qué coinciden? ¿En qué se diferencian?
- ¿Hay algún dato que le llame especialmente la atención? ¿Por qué?

EJEMPLO DE PREGUNTAS DEL ENTREVISTADOR:

- ¿Cree que el uso predominante del transporte privado es beneficioso para la salud y el medioambiente?
- ¿Está usted de acuerdo con los hábitos de transporte de los españoles?
- ¿Nota alguna diferencia importante entre los modos de transporte en España y los de su país u otro país con el que esté familiarizado?
- ¿Considera que los hábitos de los españoles contribuyen al cuidado del medioambiente? ¿Por qué?

ALGUNAS HERRAMIENTAS Y TRUCOS:

- Esta es una **conversación informal**, por lo que el registro a utilizar debe ser **coloquial y espontáneo**. No temas emplear expresiones coloquiales.

- Lo más importante aquí es que logres **interactuar con el entrevistador**, para lo cual te serán de utilidad las herramientas desplegadas para la tarea 2 de esta misma prueba.

- **No te limites a responder a las preguntas del entrevistador**. Propón temas, entrega tu opinión y pregunta por la del entrevistador, coméntale si estás de acuerdo o no con él (para eso te serán útiles las expresiones para indicar acuerdo y desacuerdo que ofrecemos en los consejos para la tarea 1 de esta misma prueba), etc. Debes intentar que la conversación fluya entre tu interlocutor y tú.

- Si cometes algún error mientras hablas no hay problema. **Autocorregirte en voz alta será bien evaluado por los examinadores**.

- Lo mismo ocurre si pierdes el hilo de la conversación. Puedes retomar y seguir adelante sin que ello te descuente puntos.

- En general, en todas las tareas de la Prueba 4 vale la pena recordar que el examinador está ahí para ayudarte a que entregues lo mejor de tu español hablado. **Nunca intentará ponerte en apuros**, sino simplemente darte herramientas para que te expreses con confianza y fluidez.

PRUEBA ① COMPRENSIÓN DE LECTURA

Duración de la prueba: **70 minutos**
Número de ítems: **36**

Tarea 1

Instrucciones:

Usted va a leer un texto sobre los monumentos más visitados del mundo. Después, debe contestar a las preguntas (1-6).
Seleccione la respuesta correcta (a / b / c).

TEXTO

LOS DIEZ MONUMENTOS MÁS VISITADOS DEL MUNDO

En cada ciudad hay uno, porque además de representar un valor arquitectónico o artístico, tienen un valor histórico o social: son los monumentos, obras públicas con un carácter conmemorativo que llaman la atención de turistas del mundo entero. A continuación veremos cuáles son los diez monumentos preferidos por los viajeros de todo el planeta.

La Catedral de Notre-Dame de París cuenta con doce millones de visitantes al año. Es una de las más antiguas del mundo y tiene un asombroso diseño gótico, por lo que ha aparecido en diferentes producciones cinematográficas. Muy cerca de la Catedral de Notre-Dame, la Torre Eiffel se levanta como el símbolo de Francia y su capital, París, recibiendo algo menos de siete millones de visitas por año. Se trata de uno de los monumentos más famosos del planeta, diseñado y construido por el ingeniero Gustave Eiffel en 1889. Este mismo arquitecto es el responsable de otro de los monumentos más famosos del mundo, esta vez emplazado en Nueva York: la Estatua de la Libertad recibe alrededor de cuatro millones de visitantes al año y fue un regalo de los franceses a los estadounidenses para celebrar el centenario de la Declaración de Independencia del país americano en 1886.

Pero Estados Unidos no solo tiene la Estatua de la Libertad en este llamativo listado. El Lincoln Memorial en Washington, creado en memoria del expresidente Abraham Lincoln, también está dentro de los más codiciados del mundo, con cuatro millones de visitas anuales.

España no se queda atrás. El Palacio de la Alhambra recibe más de tres millones de visitas cada año, constituyéndose como el monumento más visitado de este país. También en Europa, la capital de Italia cuenta con un monumento visitado por más de cinco millones de turistas anuales: El Coliseo es un anfiteatro de la época del Imperio Romano que fue construido en el siglo I.

Siguiendo a la Catedral de Notre-Dame en número de visitantes, sorprenden los nueve millones de visitas anuales que recibe la Gran Muralla China, así como la Ópera de Sidney, en Australia, con siete millones de visitantes cada año.

Finalmente, Egipto e India son otros de los países favoritos de los turistas que buscan monumentos. La Pirámide de Guiza, por ejemplo, con tres millones de visitantes al año, es la pirámide más grande de Egipto y la más antigua de las Siete Maravillas del mundo, pues se terminó de construir en el año 2570 a. C. El Taj Mahal, por su parte, tiene una sorprendente arquitectura, pero sobre todo es un símbolo de amor: las leyendas de la India cuentan que el emperador Sha Jahan mandó construir este palacio como un regalo póstumo para su esposa. Más de dos millones de turistas llegan cada año al Taj Mahal para disfrutar de su lujo y sus historias.

Basado en "Los diez monumentos más visitados del mundo", de *www.eldiario.com.ar*

PREGUNTAS

1. La Catedral de Notre-Dame…

☐ a) es el monumento más antiguo de toda la lista.

☒ b) es el monumento más visitado del mundo.

☐ c) es el símbolo de París.

2. La Estatua de la Libertad…

☐ a) es más moderna que la Torre Eiffel.

☒ b) fue diseñada por el arquitecto Gustave Eiffel.

☐ c) conmemora la amistad entre Francia y Estados Unidos.

3. El listado de monumentos famosos incluye…

☐ a) tres monumentos franceses.

☐ b) dos monumentos españoles.

☒ c) dos monumentos estadounidenses.

4. El segundo monumento más visitado del mundo es…

☐ a) la Torre Eiffel.

☐ b) el Palacio de la Alhambra.

☒ c) la Gran Muralla China.

5. ¿Por qué el texto dice que "España no se queda atrás"?

☒ a) Porque uno de sus monumentos es visitado por gran cantidad de turistas.

☐ b) Porque es el país con más visitantes de Europa.

☐ c) Porque tiene muchos monumentos antiguos y también modernos.

6. El Taj Mahal…

☐ a) fue construido en el año 2570 a. C.

☐ b) es un palacio construido para disfrutar del lujo.

☒ c) es un monumento indio.

| Tarea 2 | **Instrucciones:** |

Usted va a leer cuatro textos en los que cuatro aventureros cuentan cómo fue su primera experiencia viajando por diferentes lugares del mundo.

Relacione las preguntas (7-16) con los textos (A, B, C y D).

PREGUNTAS

		A Rafael	B Alberto	C Mariana	D Ricardo
7.	¿Quién dice que debido a la lluvia su viaje no fue tan bueno como esperaba?		✓		
8.	¿Quién dice que su primer viaje tenía que ver con un estudio científico?	✓			
9.	¿Quién dice que viajó para poder trabajar e independizarse?				✓
10.	¿A quién le impactó su viaje por las enormes diferencias culturales?			✓	
11.	¿Quién dice que descubrió su espíritu aventurero en este viaje?				✓
12.	¿Quién dice que nunca podrá olvidar las sensaciones que tuvo al caminar por las calles?			✓	
13.	¿Quién tomaba una bebida local varias veces al día?	✓			
14.	¿Quién dice que viajó acompañado de su pareja?		✓		
15.	¿Quién dice que el viaje le produce sensaciones ambiguas?			✓	
16.	¿Quién dice que lo mejor de su viaje fue descubrir la calma con la que se vivía allí?				✓

TEXTO

A. Rafael

Recuerdo perfectamente mi primer viaje, fue a Marruecos. Yo era un joven con muchas ganas de vivir nuevas experiencias fuera de mi país y se me presentó una gran oportunidad: viajar con uno de mis profesores de la Facultad de Historia para hacer un estudio etnográfico en una pequeña región del norte de este país. Fueron unos días muy interesantes, aunque también pasé algunas dificultades, sobre todo debido a las oscilaciones de temperatura. Conocí a mucha gente interesante y probé nuevas comidas. Los marroquíes son especialmente amables. Sin duda, una de las cosas que más me gustó fue el té; bebía dos o tres vasos cada día. Todavía hoy conservo alguno de los informes que redacté en aquella aventura con cierta nostalgia.

B. Alberto

Yo vivía en Sevilla con mi novia. En el verano de 2012 decidimos pasar juntos las vacaciones y nos fuimos con lo puesto a un *camping* de Mallorca. Los primeros días fueron muy divertidos; recuerdo la tienda de campaña y el cortavientos. Normalmente comíamos de bocadillo y nos pasábamos la vida en la playa, tomando el sol tirados a la bartola. Por las mañanas, normalmente, aprovechábamos para visitar alguna cueva o nueva cala donde el agua era cristalina y podíamos disfrutar de un baño muy agradable. Los últimos días de estancia se hicieron más complicados. El clima cambió y las tormentas eran frecuentes. La tienda de campaña se inundaba cada dos por tres y nuestro humor cambió radicalmente. Tengo que confesar que las discusiones de esos días empañaron un poco la sensación positiva del viaje.

C. Mariana

Mi primer viaje de aventura fue un viaje extremo, no más que a Tailandia. El *shock* fue muy grande porque para mí es una cultura verdaderamente lejana. Ahorita recuerdo perfectamente los olores tan fuertes cuando caminé por vez primera por las calles de Bangkok. Es una ciudad inmensa y caótica. La gente camina sin orden, los carros circulan sin ley y los turistas son los únicos que se paran para mirarlo todo. La verdad es que cuando pienso en los días que pasé en esta ciudad me vienen a la mente muchas sensaciones contradictorias: por un lado lo exótico de aquellas latitudes, con sus colores tan vivos y brillantes, sus comidas indescifrables y la música por todas partes. Pero, por otro, la lejanía del idioma, la sensación de inseguridad y de pertenencia a otro mundo bien diferente.

D. Ricardo

En 2004 decidí buscarme la vida lejos de mi hogar. La suerte me llevó a un pequeño pueblecito del sur de Inglaterra llamado Truro. Allí trabajé en lo que pude durante algunos meses, mientras me familiarizaba con el inglés y aprendía las costumbres del lugar. Me quedé atrapado por los campos verdes y la calma con la que se vive en esta zona. Gracias a este viaje comprendí que quería viajar por todo el mundo y conocer muchos países diferentes para ser muy rico de espíritu. Ahora vivo en Australia pero siempre recordaré la primera vez que puse los pies en tierras inglesas. A Truro le debo mi despertar como viajero y mis ansias de conocer nuevos mundos para compartir experiencias con gente nueva cada día.

Tarea 3 **Instrucciones:**

Lea el siguiente texto, del que se han extraído seis fragmentos. A continuación lea los ocho fragmentos propuestos (A-H) y decida en qué lugar del texto (17-22) hay que colocar cada uno de ellos.

Hay dos fragmentos que no tiene que elegir.

TEXTO

EL LADO OSCURO DE SER UN ESCRITOR DE VIAJES
Julio Rivera

17._____C_____. Pero, por desgracia, las cosas a veces no son tan simples ni tan bonitas. Cada vez que leo los foros o blogs que agrupan a escritores o periodistas de viajes –en particular los *freelance* de medios en inglés– lo que abundan son las quejas: que la paga es cada vez peor; que cada vez hay más *marketing* y menos periodismo; que los buenos tiempos ya pasaron…

18._____A_____. Esto se explicaría, en parte, porqué los "lectores de los medios" eligen internet para informarse sobre los destinos. 19._____G_____.

Volvamos a los escritores de viajes. Hace algunos días, un periódico estadounidense publicó un interesante artículo sobre los problemas de ser escritor de guías de viajes.

20._____D_____. Eso se contradice claramente con todo aquello que vemos como habitual en un viaje, donde asumimos que estamos relajados y donde nos movemos de aquí para allá, sin prisa ni problemas. Sin embargo, ¿realmente nos movemos sin prisa y de manera despreocupada por la ciudad? Me temo que esta forma de turismo, que tenemos tan incorporada como "lo que hacemos cuando viajamos", está bastante alejada de muchas prácticas reales de viajes. 21._____E_____.

¿Será que en realidad las prácticas generalmente asociadas a los escritores de viajes ya forman parte cada vez más de nuestras rutinas como viajeros? Cuando viajamos, cada vez producimos más cosas con fines de publicarlo en internet: fotos, notas de viajes, vídeos, etc. 22._____F_____. Claro que esas versiones "públicas" de nuestros viajes son posibles, desde ya, gracias a las nuevas formas de publicación en internet, como los blogs, foros, portales, etc.

¿Será que en el fondo vamos a terminar como periodistas de viajes, pero sin trabajar en ningún medio tradicional?

Extraído de *www.blogdeviajes.com.ar*

FRAGMENTOS

A. De hecho, cualquier periodista sabe que su trabajo está muy condicionado por la publicidad y las secciones de viajes son muy leídas por los anunciantes.

B. Por ejemplo, las revistas deportivas, de cocina y de entretenimiento podrían considerarse parte de esta categoría.

C. Arranquemos por el sentido común: ¿acaso no hay muchísima gente a la cual le encantaría ser un escritor de viajes?

D. El punto central del artículo apuntaba a que esto es un trabajo, no un viaje de placer.

E. Más bien, cuando llegamos a una ciudad, solemos tener tan poco tiempo que nos movemos frenéticamente por ella para conocer todo lo que tenemos marcado en la guía.

F. Cada vez está más clara la idea de realizar versiones "privadas" y "públicas" de nuestros viajes, algo común para un periodista de turismo.

G. La razón: pueden hablar de manera directa con otros viajeros y turistas, sin tener que pasar necesariamente por el filtro de los medios y el *marketing*.

H. De este modo, los viajeros tienen muy en cuenta lo que leen en las guías de viajes y tratan de ponerlo en práctica.

Tarea 4

Instrucciones:

Lea el texto y rellene los huecos (23-36) con la opción correcta (a / b / c).

TEXTO

ARQUITECTURA ACÚSTICA EN LAS PIRÁMIDES MAYAS

El desarrollo espiritual y la complejidad científica de la cultura Maya _____**23**_____ a la humanidad desde el pasado hasta nuestros días. Calendarios muy desarrollados, conocimiento científico de gran sofisticación, refinadas manifestaciones artísticas _____**24**_____ una interesante filosofía existencial, fueron algunos de los elementos más representativos de esta cultura.

Pero al parecer los mayas todavía tienen fascinantes sorpresas para nosotros. Un grupo de investigadores encabezados por la arqueóloga Francisca Zalaquett de la Universidad Nacional Autónoma de México, ha descubierto _____**25**_____ que los templos y plazas de la ciudad maya de Palenque, ubicada al sur de México, se diseñaron para amplificar el sonido. En la época de los mayas antiguos, estas construcciones _____**26**_____ los efectos de un altavoz moderno, permitiendo que las ondas sonoras se proyectaran con nitidez a una distancia de al menos cien metros.

La investigación incluyó un análisis arqueoacústico de los rituales públicos que los mayas _____**27**_____ en el área de las plazas, _____**28**_____ permitió estudiar en detalle tanto las frecuencias producidas por los instrumentos musicales de esos días, _____**29**_____ su repercusión alrededor de la ciudad. Zalaquett _____**30**_____ que los edificios funcionaban como amplificadores sonoros y que el yeso que los recubría era _____**31**_____ para estimular la acústica. Este material alteraba la reflexión y absorción de los sonidos.

Por otro lado, los investigadores identificaron habitaciones utilizadas exclusivamente _____**32**_____ los músicos, sacerdotes y oradores. Tales compartimientos jugaban un papel clave en la estructura sonora de los edificios. _____**33**_____ sonido emitido desde alguno de estos recintos se proyectaba con mucha más intensidad _____**34**_____ si se emitía desde otro punto de la misma construcción. Así, entre las múltiples plazas que incluía la ciudad de Palenque, existen algunas que al parecer estaban diseñadas para funcionar como receptores de sonido.

Los mayas utilizaron una gran variedad de instrumentos musicales que incluían percusiones e instrumentos de viento construidos con diversos materiales naturales como conchas marinas, maderas, caparazones de tortugas y otros. _____**35**_____ ciertas fuentes arqueológicas, la música desempeñaba un papel fundamental en los rituales religiosos y en las festividades conmemorativas de los mayas. Además, la investigación de Zalaquett y su equipo confirma que el avanzado conocimiento que desarrolló esta cultura incluía _____**36**_____ un complejo sistema numérico y astronómico, sino también la plena consciencia sobre la relación del sonido con los espacios que construían. Esto hace de los mayas unos verdaderos maestros de la acústica.

Extraído de *National Geographic*, en *www.pijamasurf.com*

OPCIONES

23. a) maravillaron   b) han maravillado   c) maravillaban

24. a) y   b) o   c) asimismo

25. a) el año pasado   b) recientemente   c) dentro de unos años

26. a) lograron   b) habían logrado   c) lograban

27. a) tenían lugar   b) hicieron   c) realizaban

28. a) los cuales   b) las cuales   c) lo cual

29. a) como   b) que   c) para

30. a) exige   b) dice   c) desea

31. a) puesto   b) podido   c) pudiendo

32. a) para   b) por   c) de

33. a) Cualquier   b) Ningún   c) Algún

34. a) de   b) a   c) que

35. a) Según   b) Desde   c) Tras

36. a) no solo   b) tanto   c) asimismo

PRUEBA 2 COMPRENSIÓN AUDITIVA Y USO DE LA LENGUA

Duración de la prueba: **40 minutos**
Número de ítems: **30**

Tarea 1 **Instrucciones:**

1-6

Usted va a escuchar seis conversaciones breves. Escuche cada conversación dos veces. Después debe contestar a las preguntas (1-6). Seleccione la opción correcta (a / b / c).

Tiene 30 segundos para leer las preguntas.

PREGUNTAS

Conversación 1

1. La madre no entiende la reacción de su hijo porque...

☐ a) a él siempre le ha gustado ir de pesca.

☐ b) el mes pasado él tenía muchas ganas de salir de vacaciones.

☐ c) el mes pasado ella no sabía que la pesca era una tortura para él.

Conversación 2

2. Juan cree que...

☐ a) Belén está actuando de forma irracional.

☐ b) Belén está exagerando.

☐ c) Belén tiene mucho dinero.

Conversación 3

3. Del diálogo anterior se puede suponer que...

☐ a) hubo algún problema y el avión llegó más tarde de lo previsto.

☐ b) Buenos Aires es una ciudad demasiado grande para visitarla en una semana.

☐ c) el hombre se quedará mucho tiempo en Buenos Aires.

Conversación 4

4. ¿Por qué la mujer le dice al hombre que es afortunado?

☐ a) Porque la parada de autobús está a menos de veinte minutos de la Plaza Mayor.

☐ b) Porque ella está en esa misma parada esperando otro autobús.

☐ c) Porque el hombre ha llegado sin querer a la parada correcta, y la mujer va a coger el mismo autobús.

Conversación 5

5. En opinión de Pilar...

☐ a) Madrid es mejor que Barcelona.

☐ b) cada ciudad tiene algo positivo.

☐ c) Barcelona es mejor que Madrid.

Conversación 6

6. ¿Cuál es la actitud del hombre?

☐ a) Impaciente y enfadada.

☐ b) Resignada a esperar.

☐ c) Con muchas ganas de ir a Sevilla. Le da igual cuándo.

area 2 · **Instrucciones:**

Usted va a escuchar una conversación entre una pareja de novios, Nadia y Jacobo. Indique si los enunciados (7-12) se refieren a Nadia (A), a Jacobo (B) o a ninguno de los dos (C). Escuche la conversación dos veces.

Tiene 20 segundos para leer los enunciados.

PREGUNTAS

		A Nadia	B Jacobo	C Ninguno de los dos
0.	Quiere ir a la Catedral de Santiago de Compostela.		X	
7.	Quiere viajar por toda España.			
8.	Quiere estar 10 días con la familia.			
9.	Nunca ha ido a España.			
10.	Lamenta la escasez de tiempo.			
11.	Lleva largo tiempo sin ver a su familia.			
12.	Propone dejar Castilla y León para otra ocasión.			

Tarea 3

Instrucciones:

Usted va a escuchar parte de una entrevista al presidente de la Cámara de Turismo de Guatemala. Escuche la entrevista dos veces. Después debe contestar a las preguntas (13-18). Seleccione la respuesta correcta (a / b / c).

Tiene 30 segundos para leer las preguntas.

PREGUNTAS

13. En la entrevista Mariano Beltranena afirma que la historia de la ciudad de Guatemala se remonta a...

☐ a) doscientos años.

☐ b) dos mil años.

☐ c) más de dos siglos.

14. Según el entrevistado, la ciudad de Guatemala está diseñada siguiendo las indicaciones de...

☐ a) los arquitectos mayas.

☐ b) los arquitectos españoles.

☐ c) la geografía del lugar.

15. El presidente de la Cámara de Turismo de Guatemala asegura que el Palacio Nacional es verdaderamente impresionante porque fue hecho...

☐ a) con rocas volcánicas.

☐ b) con piedras cogidas en los alrededores de la ciudad.

☐ c) con piedras traídas desde lugares muy lejanos.

16. Según el entrevistador, en otro momento de la entrevista hablarán de...

☐ a) los vestigios arqueológicos que tiene Guatemala.

☐ b) la arquitectura de la ciudad.

☐ c) la cultura precolombina.

17. Según el entrevistador, la herencia colonial de Guatemala se refleja sobre todo en...

☐ a) el Palacio Nacional.

☐ b) la plaza, la catedral y las iglesias.

☐ c) en todos los edificios de la ciudad.

18. El entrevistado afirma que Guatemala tiene una gran cantidad de iglesias debido a...

☐ a) la gran población que siempre ha tenido Guatemala.

☐ b) la tradición católica traída por los españoles.

☐ c) que Guatemala es un país de Centroamérica.

rea 4 **Instrucciones:**

Usted va a escuchar a seis personas que dan consejos para viajar de vacaciones al extranjero. Escuche la audición dos veces.

Seleccione el enunciado (A-J) que corresponde al tema del que habla cada persona (19-24). Hay diez enunciados incluido el ejemplo. Seleccione solamente seis.

Ahora escuche el ejemplo:

Persona 0

La opción correcta es el enunciado G

0	A	B	C	D	E	F	G	H	I	J

Tiene 20 segundos para leer los enunciados.

ENUNCIADOS

A Prevenir enfermedades en el país de destino.

B Los viajeros con problemas de salud deben vacunarse.

C Tramitar permisos especiales para menores de edad.

D Adelantar los trámites de registro de vuelo por internet.

E Preocuparse de tener la documentación al día.

F Comenzar con los trámites del vuelo con 48 horas de anticipación.

G Escoger bien el alojamiento.

H Exigir kilometraje ilimitado al alquilar un coche.

I Informarse sobre el detalle del servicio para evitar cobros inesperados.

J Contratar un seguro de viajes.

	PERSONA	ENUNCIADO
	Persona 0	G
19	Persona 1	
20	Persona 2	
21	Persona 3	
22	Persona 4	
23	Persona 5	
24	Persona 6	

Tarea 5 **Instrucciones:**

10

Usted va a escuchar a una mujer que habla sobre su experiencia acerca de los viajes. Escuche la audición dos veces. Después debe contestar a las preguntas (25-30). Seleccione la opción correcta (a / b / c).

Tiene 30 segundos para leer las preguntas.

PREGUNTAS

25. En la audición la mujer dice que a sus 31 años ya ha vivido en…

☐ a) dieciséis países.

☐ b) seis países.

☐ c) más de seis países.

26. La mujer afirma que conocer a tanta gente durante sus viajes…

☐ a) hace que ahora sea más tolerante y respetuosa con las opiniones de los otros.

☐ b) hace que no entienda por qué todos piensan de manera diferente.

☐ c) hace que crea que está equivocada en sus pensamientos.

27. En la audición la mujer habla de su experiencia viajando por Barcelona afirmando que…

☐ a) hizo surf en sus playas.

☐ b) paseó por sus calles y probó la comida típica.

☐ c) recuerda su mercado lleno de olores y colores.

28. La mujer aconseja a todas las personas que viajen por el mundo porque…

☐ a) es una forma muy divertida de aprender nuevos idiomas.

☐ b) es mejor que vivir siempre en el mismo lugar.

☐ c) a veces se puede hacer por poco dinero.

29. La mujer dice que a la hora de viajar…

☐ a) es muy importante contratar *tours* para ver lo más interesante de cada lugar.

☐ b) es muy importante no contratar *tours* y que cada persona se programe su viaje.

☐ c) no es importante programar el viaje, lo importante es viajar.

30. La mujer aconseja que para conocer un lugar…

☐ a) debemos contratar un guía turístico.

☐ b) es importante sacar muchas fotografías.

☐ c) debemos caminar por sus calles y hablar con la gente.

PRUEBA 3 EXPRESIÓN E INTERACCIÓN ESCRITAS

Duración de la prueba: **80 minutos**

Tarea 1

11

Instrucciones:

Usted está programando un viaje a Barcelona con sus amigos. Escuche un reportaje en el que se habla del precio del transporte público en España. Escriba una carta al director de un periódico local para expresar su rechazo en relación con los precios del billete de autobús. En la carta deberá:

- presentarse;
- explicar por qué le afecta a usted la subida del precio del billete de autobús;
- exponer las consecuencias que, en su opinión, provocará esta medida;
- comentar las razones de la subida de precios y proponer soluciones alternativas.

Número de palabras: **entre 150 y 180.**

Tarea 2   **Instrucciones:**

Elija una de las dos opciones que se ofrecen a continuación

OPCIÓN 1

Usted colabora con una revista de viajes y le han pedido que escriba un artículo sobre los destinos turísticos de España preferidos por los turistas internacionales.
En el artículo debe incluir y analizar la información que aparece en la siguiente tabla:

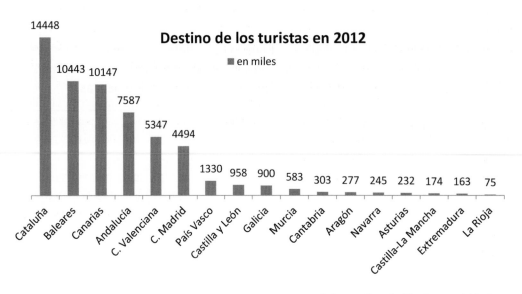

Información extraída de *www.iet.turismoencifras.es*

Redacte un texto en el que deberá:
- comentar los destinos turísticos favoritos de España en contraste con los que tienen menos visitantes.
- exponer posibles explicaciones para fundamentar la elección de los turistas;
- identificar y comentar la procedencia de los principales visitantes;
- destacar los datos que considere más relevantes;
- expresar su opinión sobre la información general recogida en el gráfico;
- elaborar una conclusión.

Número de palabras: **entre 150 y 180.**

OPCIÓN 2

A usted le apasiona viajar y ha encontrado la siguiente información en un periódico. Escriba un correo electrónico para reservar una plaza y así poder disfrutar de la experiencia. Para ello siga las pautas que se le indican a continuación.

TURISMO ASTRONÓMICO EN CHILE

Los aficionados al astroturismo no pueden dejar de visitar la zona norte de Chile, que reúne un tercio de los telescopios que hoy existen en el planeta y que se ha posicionado como polo mundial en esta materia, principalmente por las condiciones climáticas (la sequedad del aire ofrece cielos limpios, con más de 300 noches despejadas al año) y la estabilidad institucional de ese país.

Por estas razones se construirá en el cerro Armazones de Chile, a 3060 metros de altura, otro importante centro astronómico, el European Extremely Large Telescope (E-ELT), el telescopio más grande del mundo que permitirá la búsqueda de nuevos planetas y estrellas, así como también la captura de imágenes para poder descifrar si existe vida en otros lugares del universo.

No solo los científicos pueden disfrutar de los limpios cielos chilenos y la contemplación del universo, también en tu viaje a Chile podrás visitar los observatorios astronómicos turísticos en el Valle del Elqui en cercanías de La Serena y Ovalle.

En las ciudades cercanas a los observatorios hay agencias de turismo que se encargan de los "viajes estelares" e incluyen transporte, comida, el equipo necesario y visitas guiadas por astrónomos principiantes, además de charlas educativas sobre el universo y las galaxias.

Para terminar el día, puedes dormir en una cabaña equipada con un telescopio solo para ti y con una inmensa ventana en el techo, para así dormir literalmente bajo las estrellas.

Extraído de *www.todoviajesweb.com*

Redacte un texto en el que deberá:
- hacer una pequeña introducción sobre la importancia de la astronomía;
- comentar y valorar su interés por la astronomía y por esta experiencia en concreto;
- contar cómo cree que reaccionará el público ante una experiencia como la que se describe en la información anterior;
- elaborar una opinión personal sobre la iniciativa desarrollada en Chile.

Número de palabras: **entre 150 y 180.**

PRUEBA 4 EXPRESIÓN E INTERACCIÓN ORALES

Duración de la prueba: **15 minutos**
Tiempo de preparación: **15 minutos**

Tarea 1 Instrucciones:

Le proponemos un tema con algunas indicaciones para preparar una exposición oral. Tendrá que hablar durante 2 o 3 minutos sobre ventajas e inconvenientes de una serie de soluciones propuestas para una situación determinada. A continuación, conversará con el entrevistador sobre el tema.

Duración total de esta tarea: **4-5 minutos**

LAS VACACIONES DE VERANO YA NO SON LO QUE ERAN
Esther Ruiz

La crisis ha cambiado la forma de viajar de los jóvenes. Disponer de poco dinero y tiempo para las vacaciones les ha obligado a volverse mucho más planificadores y a tener que escoger el destino por su presupuesto y no por sus deseos. Estas son las principales conclusiones del II Barómetro de opinión "Las vacaciones de los jóvenes españoles" realizado por Ron Brugal a dos mil jóvenes españoles de 18 a 35 años.

Siete de cada diez jóvenes consultados afirman que se irán unos días de vacaciones, aunque tendrán que hacerlo con un presupuesto muy reducido: el 52% lo hará con menos de 300 euros, el 20% con menos de 500 euros, el 12% con menos de 700 euros, un 8% con menos de 1000 euros y solo un 9% invertirá más de 1000 euros en las vacaciones de este año. El 30% restante de jóvenes no dispone de presupuesto vacacional y tendrá que quedarse en casa. De estos jóvenes, además, casi la mitad lleva más de dos años sin disfrutar de unos días de descanso.

Extraído de *www.diariofemenino.com*

Los jóvenes deberían buscar las mejores ofertas para poder viajar de la forma más barata posible.

Los jóvenes deberían ahorrar más. Los jóvenes de hoy en día derrochan el dinero en cualquier cosa y por eso no tienen dinero para viajar.

Las agencias de viajes deberían facilitar las vacaciones de los jóvenes con buenos precios y muchos descuentos.

Yo me iría de vacaciones a casa de amigos o familiares para no gastar dinero en el alojamiento.

Yo no haría nada. Si los jóvenes no tienen dinero, no pueden ir de vacaciones.

Yo pediría el dinero prestado a mis padres, me iría de vacaciones y se lo devolvería poco a poco durante el año.

EXPOSICIÓN:

Ejemplo: *A la propuesta de irse de vacaciones a casa de un amigo le veo una ventaja muy clara…*

CONVERSACIÓN:

Una vez el candidato haya hablado de las propuestas de la lámina durante el tiempo estipulado (2 minutos), el entrevistador le hará algunas preguntas sobre el tema hasta cumplir con la duración de la tarea.

EJEMPLO DE PREGUNTAS DEL ENTREVISTADOR:

Sobre las propuestas

- De las propuestas dadas, ¿cuál le parece la mejor?

Sobre su realidad

- ¿Cree que en su país hay un problema porque los jóvenes no tienen dinero para disfrutar de sus vacaciones?

Sobre sus opiniones

- ¿Cree que poder viajar y descansar en vacaciones es algo accesorio o es realmente importante para usted? ¿Por qué?

Tarea 2

Instrucciones:

Usted debe imaginar una situación a partir de una fotografía y describirla durante unos dos minutos.

A continuación conversará con el entrevistador acerca de sus experiencias y opiniones sobre el tema de la situación. Tenga en cuenta que no hay una respuesta correcta: debe imaginar la situación a partir de las preguntas que se le proporcionan.

Duración total de esta tarea: **3-4 minutos**

VIAJE EN COCHE

Las dos personas de la fotografía están de viaje y están intentando ponerse de acuerdo en torno a un tema. Imagine la situación y hable de ella durante, aproximadamente, dos minutos. Estos son algunos aspectos que puede comentar:

- ¿Dónde cree que están estas personas? ¿Por qué están ahí?
- ¿Cuál es la relación entre estas dos personas? ¿Cómo lo sabe?
- ¿Cómo imagina que es cada una de estas personas? ¿Por qué?
- ¿Qué ha pasado? ¿Por qué piensa eso?
- ¿Qué están buscando estas mujeres? ¿Cómo lo sabe?
- ¿Qué cree que se están diciendo la una a la otra?
- ¿Qué piensa que ocurrirá después? ¿Cómo terminará la situación?

Una vez haya descrito la fotografía durante el tiempo estipulado (2 minutos), el entrevistador le hará algunas preguntas sobre el tema de la situación hasta cumplir con la duración de la tarea.

EJEMPLO DE PREGUNTAS DEL ENTREVISTADOR:

- *¿Le gusta pasar las vacaciones haciendo paseos en coche?´*
- *¿Qué ventajas y desventajas ofrece viajar en coche respecto de viajar en otro medio de transporte?*
- *¿Cree que viajar en coche sin conocer las carreteras es problemático? ¿Por qué?*
- *¿Cuáles cree que son los problemas más habituales que se dan en los viajes en coche?*
- *¿Usted ha tenido alguna vez una experiencia de viaje en coche? En caso de que sí, ¿ha experimentado alguna dificultad? En caso de que no haya vivido la experiencia, ¿le gustaría? ¿Por qué sí o no?*

area 3

Instrucciones:

Usted debe conversar con el entrevistador sobre los datos de una encuesta, expresando su opinión al respecto.

Duración total de esta tarea: **2-3 minutos**

EJEMPLO DE PROPUESTA: ¿DÓNDE VIAJAN LOS MEXICANOS?

Esta es una encuesta realizada por una empresa mexicana para conocer los hábitos de los turistas de ese y de otros países. El estudio titulado "Dime cómo viajas y te diré de dónde eres" revela datos importantes sobre el comportamiento de los mexicanos en relación con los viajes y las vacaciones. Responda a las respuestas según su criterio personal:

- **¿Cuántos días tienes de vacaciones?**

- **Tu estación favorita del año para viajar es...**
  - Verano:
  - Invierno:
  - Primavera:
  - Otoño:

- **¿Cuál es la principal razón por la que NO planeas vacaciones?**
  - Compromisos laborales:
  - Situación de la economía:
  - Compromisos familiares:

- **¿Qué tipo de viaje prefieres?**
  - Descanso:
  - Aventura:
  - Explorar una nueva ciudad:
  - Escape romántico:
  - Compras y/o parque de diversión:
  - Otro:

- **Cuando te tomas vacaciones, ¿logras desconectarte del trabajo?**
  - Sí:
  - No:

Fíjese ahora en los resultados de la encuesta entre los mexicanos:

- ¿En qué coinciden? ¿En qué se diferencian?
- ¿Hay algún dato que le llame especialmente la atención? ¿Por qué?

- **¿Cuántos días tienes de vacaciones?** 14

- **Tu estación favorita del año para viajar es...**
  - Verano: 42%
  - Invierno: 34%
  - Primavera: 13%
  - Otoño: 11%

- **¿Cuál es la principal razón por la que NO planeas vacaciones?**
  - Compromisos laborales: 40%
  - Situación de la economía: 37%
  - Compromisos familiares: 27%

- **¿Qué tipo de viaje prefieres?**
  - Descanso: 52%
  - Aventura: 7%
  - Explorar una nueva ciudad: 14%
  - Escape romántico: 13%
  - Compras y/o parque de diversión: 13%
  - Otro: 1%

- **Cuando te tomas vacaciones, ¿logras desconectarte del trabajo?**
  - Sí: 52%
  - No: 48%

Comente ahora con el entrevistador su opinión sobre los datos de la encuesta y compárelos con sus propias respuestas.

EJEMPLO DE PREGUNTAS DEL ENTREVISTADOR

- *¿Qué tipo de viaje prefiere? ¿Por qué? ¿Podría poner un ejemplo?*
- *¿Se identifica con las opciones de los mexicanos?*
- *¿Con qué opción está menos de acuerdo? ¿Por qué?*
- *¿Qué le sorprende de esta encuesta?*

Extraído de *http://www.merca20.com/*

PRUEBA 1 COMPRENSIÓN DE LECTURA

Tarea 1

1. B

"La Catedral de Notre-Dame de París cuenta con *doce millones de visitantes al año*".

No es el monumento más antiguo del mundo, sino que "[es] *una de las [catedrales] más antiguas* del mundo".

2. B

"la *Torre Eiffel* [...] diseñado y construido por el ingeniero *Gustave Eiffel* en 1889. *Este mismo arquitecto es el responsable de* otro de los monumentos más famosos del mundo [...]: *la Estatua de la Libertad*".

3. C

"Pero *Estados Unidos no solo tiene la Estatua de la Libertad en este llamativo listado. El Lincoln Memorial en Washington*, creado en memoria del expresidente Abraham Lincoln, también está dentro de los más codiciados del mundo [...]".

4. C

"*Siguiendo a la Catedral de Notre-Dame* en número de visitantes, sorprenden los *nueve millones de visitas anuales que recibe la Gran Muralla China*".

5. A

"España no se queda atrás. *El Palacio de la Alhambra recibe más de tres millones de visitas cada año* [...]".

6. C

"Finalmente, *Egipto e India* son otros de los países favoritos de los turistas que buscan monumentos".

"La Pirámide de Guiza, [...] es la pirámide más grande de Egipto [...]".

"El *Taj Mahal*, por su parte, tiene una sorprendente arquitectura, pero sobre todo es un símbolo de amor: las leyendas de la *India* cuentan que [...]".

Tarea 2

7. B

"Los *últimos días* de estancia se hicieron *más complicados. El clima cambió* y las tormentas eran frecuentes. La tienda de campaña se inundaba cada dos por tres y *nuestro humor cambió radicalmente*".

8. A

"[...] se me presentó una gran oportunidad: viajar con uno de mis *profesores de la Facultad de Historia* para hacer un *estudio etnográfico* en una pequeña región del norte de este país".

9. D

"En 2004 decidí *buscarme la vida lejos* de mi hogar".

10. C

"El *shock* fue muy *grande* porque para mí es una *cultura* verdaderamente *lejana*".

11. D

"A Truro le debo mi *despertar como viajero y mis ansias de conocer nuevos mundos* para compartir experiencias con gente nueva cada día".

12. C

"Ahorita recuerdo perfectamente *los olores* tan fuertes *cuando caminé por vez primera por las calles de Bangkok*".

13. A

"[...] una de las cosas que *más me gustó fue el té; bebía dos o tres vasos cada día*".

14. B

"Yo vivía en Sevilla *con mi novia*. En el verano de 2002 *decidimos* pasar *juntos* las vacaciones y *nos fuimos* con lo puesto a un *camping* de Mallorca".

15. C

"La verdad es que cuando pienso en los días que pasé en esta ciudad *me vienen a la mente muchas sensaciones contradictorias*".

16. D

"Me quede atrapado por los campos verdes y la calma con la que se vive en esta zona".

Tarea 3

17. C
18. A
19. G
20. D
21. E
22. F

Tarea 4

23. B

Es necesario usar la forma "han maravillado", del *pretérito perfecto*, pues el marco de tiempo en que se produce la acción ocurre "desde el pasado hasta nuestros días". Es decir, es un hecho del pasado que se extiende hasta el presente.

24. A

La conjunción "*y*" es la indicada para anteponer al último elemento de una secuencia, cuando el resto de los elementos enumerados van separados por comas. "Asimismo" también cumple función aditiva, pero suele utilizarse el comienzo de un párrafo que añade información al anterior.

25. B

"*Recientemente*" es un marcador de tiempo asociado con el pretérito perfecto ("ha descubierto"), pues hace referencia a una acción ocurrida en el pasado próximo.

26. C

El contexto nos sitúa en "la época de los mayas antiguos", un periodo de tiempo en el pasado, y nos comunica cómo funcionaba determinada tecnología en ese periodo. Al tratarse de una *descripción* referida al pasado, necesitamos usar el *pretérito imperfecto*.

27. C

El contexto hace referencia a la práctica de "rituales públicos" mayas, lo que nos entrega información sobre cierta periodicidad con que se hacían estos rituales. Se deja entrever, entonces, la presencia de un hecho habitual en el pasado, lo que requiere el uso del *pretérito imperfecto*. Hay dos alternativas en pretérito imperfecto: (1) "Tenían lugar" se refiere al verbo "tener lugar", que significa ubicarse, localizarse. (2) "Realizaban" se refiere a desarrollar o hacer.

El sentido de esta oración es ampliar información sobre "el análisis electroacústico de los rituales", haciendo referencia a que los mayas *hacían* o *realizaban* estos rituales.

28. C

En esta oración de relativo, necesitamos escoger el *pronombre relativo* adecuado para hacer referencia a un largo enunciado: "un análisis arqueoacústico de los rituales públicos que los mayas realizaban en el área de las plazas". Como vemos, este enunciado contiene numerosos sustantivos y verbos, lo que lo transforma en una idea o concepto complejo. Por esa razón utilizamos el pronombre *"lo cual"*, que cumple la misma función que *"los cuales"* y *"las cuales"*, pero haciendo referencia a ideas o *conceptos más amplios o extensos.*

29. A

La estructura *"tanto* las frecuencias producidas […], *como* su repercusión alrededor de la ciudad" es de tipo *comparativo de igualdad*. Lo anterior se contrasta con las fórmulas comparativas de superioridad "más…que" o inferioridad "menos… que".

30. B

Los verbos "exigir" y "desear" suelen ir acompañados por verbos en subjuntivo en la cláusula subordinada, pues cumplen una función de influencia sobre otro sujeto. Sin embargo, en este texto el verbo de la *cláusula subordinada* está en *indicativo*, por lo que la opción correcta es el verbo *"decir"*, que no pertenece al grupo de los verbos que requieren subjuntivo.

31. A

Esta oración pasiva necesita de la estructura *estar + participio*. La alternativa C es gerundio, por lo que queda descartada. Las opciones A y B son participios, "puesto" para el verbo poner y "podido" para el verbo "poder". En contexto, vemos que alguien "pone yeso" para recubrir los edificios y que no resulta coherente decir que alguien "puede yeso".

32. B

La preposición *"por"* marca quién es el sujeto de la acción, en este caso "los músicos, sacerdotes y oradores" que utilizaban las habitaciones.

33. A

Los tres adjetivos indefinidos que se ofrecen en las alternativas expresan una idea de cantidad indeterminada. "Ningún" es la forma apocopada de "ninguno" cuando antecede a un sustantivo masculino. Se refiere a la inexistencia de cosas o personas y se opone a *"algún"*, apócope de "alguno" ante un sustantivo masculino, que hace referencia a la existencia de cosas o personas indeterminadas. *"Cualquier"* se comporta de forma similar a *"algún"*, pero le añade una connotación de *indiferencia*. Esta es la forma apocopada de "cualquiera" cuando antecede a todo sustantivo, masculino o femenino.

34. C

La estructura "mucha *más* intensidad *que* […]" es de tipo *comparativo de superioridad*. Lo anterior se contrasta con las fórmulas comparativas de igualdad "tanto… como" y de inferioridad "menos… que".

35. A

De las 3 preposiciones ofrecidas en las alternativas, necesitamos una que atribuya determinada idea ("la música desempeñaba un papel fundamental") a una fuente específica ("fuentes arqueológicas", personas, libros, etc.). *"Según"* cumple esa función.

36. A

La estructura *"no solo… sino (también)"* es de tipo copulativa, pues indica la adición del primer elemento al segundo. En este caso, el conocimiento de esta cultura incluía un complejo sistema numérico, además de una "plena consciencia sobre la relación del sonido […]". Debemos apuntar que cuando la conjunción adversativa "sino (también)" va precedida del modo adverbial *"no solo"*, expresa la adición de otro u otros miembros (copulativa).

PRUEBA 2 COMPRENSIÓN AUDITIVA Y USO DE LA LENGUA

Tarea 1

1. B

"Mira, Jorge, *no te entiendo*. El mes pasado te morías porque llegaran las vacaciones y ahora parece que fueran una tortura".

2. C

"¡Un mes entero a Irlanda! Debes de estar *forrada*".

3. A

"¡Qué bueno, flaco, *al fin llegaste!* ¡El avión *se atrasó siglos*!".

4. C

"Está usted de suerte. Esta es la parada y yo *estoy esperando el mismo autobús*".

5. B

"Cada ciudad tiene sus cosas".

6. B

"Pfff… Es que entonces tengo que esperar dos horas… pero *si no queda otra*".

Tarea 2

7. A

NADIA: "Ya sabes que quiero conocer *Barcelona* y empaparme de Gaudí, quiero ir a *Valencia*, a *Madrid*, a *La Mancha* (la tierra de El Quijote) y, por supuesto, a toda *Andalucía*".

JACOBO: "Nadia, tú sabes perfectamente que *eso es imposible*. […] Eso sería *atravesar España de punta a punta*".

8. C

JACOBO: "Si vamos diez días, lo mínimo para estar con la familia son *cuatro o cinco días*".

NADIA: "[…] estaríamos unos *cuatro días* en Galicia".

9. A

NADIA: "Me has hablado tanto de tu país que *me muero por conocerlo*".

10. A

NADIA: "¡Ay, *qué pesar no ir*! [a algunas zonas de España] Pero tienes razón, es imposible, *no hay tiempo material* para todo".

11. A

JACOBO: "*Hace cuatro años que no voy a mi tierra. Echo mucho de menos* mi Galicia natal".

12. B

JACOBO: "Yo dejaría Cataluña y Valencia *para un próximo viaje* […] Y para otro La Mancha y otros lugares de Castilla y León*, que son preciosos".

Tarea 3

13. B

"Bueno, la verdad es que la historia que tiene la ciudad de Guatemala *data de dos mil años*, porque hay vestigios mayas dentro de la ciudad".

14. B

"[…] es una *ciudad estructurada* por la forma de hacer de los *arquitectos españoles* durante esa época".

15. C

"Guatemala no tiene mucha piedra para poder tallar y *la trajeron desde muy lejos* para hacer este Palacio Nacional".

16. A

"[…] ya tendremos tiempo en los próximos minutos en este viaje virtual por Guatemala de *recorrer vestigios mayas, lugares arqueológicos, que aquí cerca también hay*".

17. B

"[…] la herencia colonial, esos doscientos años de historia que se reflejan *en muchos lugares, en la plaza, cómo no, también en la catedral, por ejemplo, en las iglesias*".

18. A

"[…] *por la gran población que siempre ha tenido el país de Guatemala* dentro de Centroamérica pues, obviamente hubo una gran cantidad de diferentes representantes de la Iglesia Católica que fueron constituyendo parroquias".

Tarea 4

19. E

"[…] tomate un minuto para chequear que tus documentos y los de tu familia estén *vigentes*".

20. I

"¡Ah! Y antes de reservar *consulta qué cosas incluye la tarifa*: kilometraje ilimitado, seguros, impuestos y costes adicionales. *Así no te llevas sorpresas*".

21. C

"[…] los *permisos* para salir del país con *chicos de hasta 18 años* que viajan solos, con uno de los padres o con terceros […] hay que gestionarlos con tiempo suficiente".

22. J

"*es recomendable que contrates un servicio de asistencia al viajero* […] Algunos servicios protegen contra el robo, otros permiten cambiar el billete si llegas tarde al aeropuerto y otros cubren gastos de salud".

23. A

"Pedile al médico *recomendaciones preventivas* relacionadas con algunos destinos".

24. D

"haz el *check in* de tu vuelo *en internet*".

Tarea 5

25. B

"*A mis 31 años he vivido ya en seis países diferentes*, he visto los cinco continentes y he logrado el sueño de dar la vuelta al mundo".

26. A

"Por lo tanto, el viajar me ha ayudado a desarrollar la tolerancia, el respeto, la paciencia y la aceptación. Ha hecho abrir mi mente hacia nuevas formas de pensar y ver el mundo".

27. B

"[…] o *caminar en Barcelona*, España, la transitada Rambla, con sus estatuas humanas y *sus restaurantes llenos de deliciosas tapas*".

28. C

"*Mi consejo más grande* es que veas el mundo, que lo vivas, que lo huelas, que lo toques; *no siempre se necesita tanto dinero para hacerlo*".

29. B

"[…] *no lo hagas en esos tours* en donde va el grupo de japoneses con sus cámaras último modelo, *no lo hagas de forma programada*".

30. C

"[…] vive el mundo tal como es, métete a sus calles, habla con su gente local".

PRUEBA **1** COMPRENSIÓN DE LECTURA

Duración de la prueba: **70 minutos**
Número de ítems: **36**

Tarea 1 **Instrucciones:**

Usted va a leer un texto sobre un museo muy especial en Guatemala. Después, debe contestar a las preguntas (1-6).
Seleccione la respuesta correcta (a / b / c).

TEXTO

EL NUEVO MUSEO DE ARTE CONTEMPORÁNEO DE GUATEMALA ABRE SUS PUERTAS
Claudia Jo Ríos

Jessica Kairé y Stefan Benchoam, ambos artistas visuales guatemaltecos con reconocimiento internacional, presentaron ayer un espacio que se propone como el Nuevo Museo de Arte Contemporáneo (NuMu) de Guatemala. Después de una serie de repetidas conversaciones, el tema que más han repetido estos creadores es la falta de un espacio 'oficial' que exhiba y registre los movimientos de arte actual en ese país.

"Al inicio, por falta de recursos, consideramos crear un museo de carácter virtual y así asumir los altos costos que significan poner en marcha un proyecto de este tipo. Pero tuvimos la buena suerte de encontrarnos por casualidad con una señal que ponía 'se alquila' sobre un extraño espacio ubicado en la zona 10 de Ciudad de Guatemala. A partir de hoy, este espacio albergará al NuMu", indican los creadores de este proyecto.

La particularidad del espacio escogido es su tamaño y su forma: se trata de una estructura en forma de huevo, que mide dos metros de ancho y dos metros y medio de alto. Aunque el horario de visita es de 9:00 a 18:00 horas, esto no limita la posibilidad de apreciar las exposiciones en cualquier momento pues, aunque las obras están al interior del pequeño museo, es posible mirarlas asomándose por las ventanas, gracias a que sus luces se mantendrán siempre encendidas.

El espacio contará con el apoyo de diversos nombres reconocidos en el mundo del arte guatemalteco: algunas de las personalidades son Alfredo Ceibal, Pablo León de la Barra, Carlos Amorales, Emiliano Valdés, Naufus Ramírez-Figueroa y Carolina Caycedo, entre otros. Los artistas y curadores participantes tienen como requisito trabajar exclusivamente en el área del arte contemporáneo.

Por otra parte, la muestra que inaugurará el NuMu estará a cargo nada menos que de Federico Herrero, el reconocido artista costarricense que fue invitado a participar en el Pabellón Latinoamericano de la 53.ª edición de la Bienal de Venecia, evento al que aspiran miles de artistas en todo el mundo. "Federico cuenta con una gran trayectoria, lo que ayudará a consolidar este proyecto en el ámbito del arte contemporáneo internacional", comentan Kairé y Benchoam.

El NuMu tiene como objetivo desarticular los viejos paradigmas en el arte y generar nuevas formas de entenderlo. Su arquitectura única, la flexibilidad con la que se administra y, por supuesto, la calidad de cada propuesta que exhiba, le dará el carácter para ser reconocido como un proyecto serio, que refleja la cultura guatemalteca en torno a los movimientos de arte actuales. Para sus artistas fundadores, este museo ofrece una nueva forma de consumo de arte contemporáneo, potenciando la cultura de los museos en el contexto local.

Extraído de *http://www.elperiodico.com.gt*

PREGUNTAS

1. En lo que más insisten los fundadores del museo es…

- [ ] a) en su reconocimiento internacional como artistas.
- [ ] b) en la falta de recursos para el arte en Guatemala.
- [x] c) en la ausencia de lugares que difundan el arte contemporáneo en Guatemala.

2. El museo NuMu…

- [ ] a) es un museo de carácter virtual.
- [ ] b) es extraño por su ubicación.
- [x] c) tiene una arquitectura única.

3. Las obras se pueden apreciar…

- [ ] a) entre las 9:00 y las 18:00 horas.
- [x] b) las 24 horas del día.
- [ ] c) solo de noche, cuando las luces están encendidas.

4. Algunos artistas de Guatemala que apoyan este proyecto son…

- [x] a) Alfredo Ceibal y Carolina Caycedo.
- [ ] b) Federico Herrero.
- [ ] c) Jessica Kairé y Stefan Benchoam.

5. ¿Cuál es uno de los principales objetivos del Nuevo Museo de arte Contemporáneo?

- [x] a) Cambiar las formas tradicionales de comprender el arte.
- [ ] b) Lograr una completa flexibilidad en los modos de administración.
- [ ] c) Ser reconocido como un museo serio.

6. La primera muestra que se exhibirá en el NuMu…

- [ ] a) ha participado también en la Bienal de Venecia.
- [x] b) es creación de un artista de Costa Rica.
- [ ] c) es creación de artistas contemporáneos guatemaltecos.

Tarea 2

Instrucciones:

Usted va a leer cuatro textos en los que cuatro artistas cuentan cómo fueron sus primeras experiencias en el mundo del arte y cómo se transformaron en artistas.

Relacione las preguntas (7-16) con los textos (A, B, C y D).

PREGUNTAS

		A Sara	B Eduardo	C Alejandra	D Argelia
7.	¿Quién dice que su idea sobre el arte ha ido cambiando con el tiempo?				
8.	¿Quién dice que su primer contacto con el arte fue por medio de un familiar?				
9.	¿Para quién fue difícil decidir dedicarse al arte?				
10.	¿Quién dice que el arte tiene una función de cambio social?				
11.	¿Quién llegó al arte debido a una enfermedad?				
12.	¿Quién identifica una gran relación entre los sentimientos y la expresión artística?				
13.	¿Quién siente una fuerte relación entre arte y naturaleza?				
14.	¿Quién dice que todos los artistas visuales deberían saber dibujar muy bien?				
15.	¿Quién dudó entre dedicarse al arte o estudiar una carrera relacionada con las ciencias?				
16.	¿Quién tiene una fascinación por los colores desde la infancia?				

TEXTO

A. Sara Catena

Desde niña me ha fascinado el mundo de los colores; su textura y cómo estos pueden manipularse para deleitar la vista. Siempre he encontrado en la pintura y en las manualidades la vía de escape idónea para expresar mis sentimientos y para transformar en arte los espacios donde antes no había nada. El hecho de crear es algo verdaderamente emocionante para mí, y supongo que son mis propios sentimientos los que me orientan y me guían para materializarlo. Hay infinidad de cosas en las cuales me inspiro y que me sirven para expresar la alegría de la vida… Por un lado me inspiro en mi yo más íntimo para crear y sentir el disfrute de todos aquellos que intervienen a lo largo de todo el proceso creativo.

Extraído de http://www.nuzart.com/blog

B. Eduardo Tokeshi

Fue una decisión bastante compleja. Entré al arte por descarte, porque no pude ser arquitecto, músico o poeta. El asma me llevó al arte pues lo único que podía hacer era dibujar. Mi primer material fue el papel de despacho de la bodega de mi abuela, quien orgullosa envolvía el arroz y los fideos con los dibujos de su nieto (risas). Alguien debería hacer un estudio de la relación que hay entre la enfermedad y la creación. Para mí, la base es el dibujo porque es la única pulsión que puede graficar el pensamiento. Quizás pertenezco a la última generación de artistas que aún sabe dibujar (risas). El arte es la idea, ¿y la destreza técnica? ¿Es mera artesanía? Por más conceptual que uno sea, es necesario saber dibujar.

Extraído de http://peru21.pe

C. Alejandra España

Es algo que tiene que ver con mi infancia. Mi papá falleció cuando yo tenía 9 años, pero tuvimos una relación muy cercana. Él era pintor. Yo creo que desde ahí ya venía un acercamiento directo con el arte. Además, él estaba muy unido con la naturaleza, entonces para mí siempre iban de la mano las visitas al campo con las fotografías y con la contemplación de la naturaleza, vinculada con el arte. Mi papá pintaba paisajes, tenía un taller y hacía desnudos. A mí me gusta mucho estar en contacto con la naturaleza, al igual que todo lo relacionado con la creatividad y la sensibilidad de las artes plásticas. Así que sí lo dudé. Cuando salí de la escuela, me pregunté: "¿biología o arte?", pero después pensé que podía vincular el arte con la biología, que era una noción más profunda dentro de mí.

Extraído de http://leernotaalpie.blogspot.com

D. Argelia Bravo

Creo que eso no es una cuestión de decisión, sino más bien una cuestión de necesidad y convicción. Por supuesto que mi punto de vista ha variado en el transcurso de los años. Cuando yo comencé a estudiar mi interés en el arte no era el mismo que el de ahora. Con el tiempo se ha incrementado mi interés y necesidad de desarrollar y producir desde las artes visuales. Actualmente, creo y parto de la idea de que las artes visuales, aún y cuando no van a cambiar al mundo, sí pueden servir como estrategia de cambio, transgresión y subversión en el campo social.

Extraído del semanario cultural Todos adentro, n.º 392

Tarea 3

Instrucciones:

Lea el siguiente texto, del que se han extraído seis fragmentos. A continuación lea los ocho fragmentos propuestos (A-H) y decida en qué lugar del texto (17-22) hay que colocar cada uno de ellos.

Hay dos fragmentos que no tiene que elegir.

TEXTO

UN LUGAR LEJOS DE LA LITERATURA
Ana María Shua

Hay cientos de versiones y adaptaciones de la obra de los hermanos Grimm. **17**_____. Jacob y Wilhelm Grimm nacieron en 1785 y 1786 en una familia tradicional de la región de Hesse, en una época en que Alemania, dividida en muchos pequeños estados, era una ilusión y un deseo.

Su padre murió muy joven. Para ayudar a su familia, los dos hermanos estudiaron leyes en Marburg, los dos obtuvieron puestos de bibliotecarios en distintas ciudades, los dos, muy pronto, se inclinaron por los estudios de literatura antigua y medieval alemana.

Durante casi toda su vida, los hermanos Grimm vivieron juntos. Desde muy joven, Wilhelm sufrió asma y una enfermedad cardíaca. **18**_____. ¿Por qué Jacob nunca pudo formar su propia familia? ¿Estaba enamorado de su cuñada? ¿No pudo nunca despegarse del amor a su madre? ¿Fue un homosexual reprimido por su severa educación calvinista? Los dos escribieron autobiografías. **19**_____.

Querían que sus cuentos fueran puros, simples, no contaminados por la "literatura". Desdeñaban las versiones elaboradas, con marca de autor. **20**_____.

Los Grimm, tan inteligentes y eruditos no podrían desconocer que los mismos cuentos circulaban oralmente por todo el continente eurasiático en mil versiones. Perrault había publicado *Los cuentos de mamá Oca* en el siglo XVII. Desde principios del siglo XVII circulaba la versión de Galland de *Las mil y una noches*, aunque solo a mediados del siglo XIX aparece la traducción, mucho más rica y más fiel, de Sir Richard Burton.

Eurasia es un solo continente. Y los cuentos son grandes viajeros. Llevados y traídos por el mundo, con los fardos de los mercaderes y las mochilas de los soldados, con las plegarias de los peregrinos y las armas de los cruzados, con los barcos de los descubridores y las flechas de los indígenas, los cuentos se transmiten atravesando la humanidad de parte a parte. **21**_____. Suman particularidades locales, amplían episodios o los eliminan. Si la imprenta no logró hacer desaparecer el sistema de transmisión oral, tampoco los medios.

En todas partes los puristas se rasgan las vestiduras, indignados con las transformaciones que Walt Disney impuso a los cuentos de los hermanos Grimm. Chicos y grandes conocen hoy *Cenicienta, Blancanieves, La bella durmiente* (*La espina de la rosa* en la versión Grimm) a través de las películas de Disney o las series de la tele en lugar de las versiones "originales". **22**_____. No son alemanes, italianos ni árabes. Viven, viajan, crecen, se transforman, se cuentan de todas las maneras posibles. Son tan eternos, tan frágiles y efímeros como la humanidad.

Extraído de http://cultura.elpais.com

FRAGMENTOS

A. Y sin embargo, fue Wilhelm el que se casó y tuvo tres hijos.

B. Aunque la literatura alemana es muy rica en este sentido.

C. Pero, curiosamente, ninguna que nos cuente su vida.

D. Y sin embargo fue su propia intervención la que le dio a esos cuentos la perfección que los hizo famosos.

E. Pero los cuentos populares no tienen versiones originales.

F. Pero todo el que escribe sobre su propia vida, engaña, omite, transforma, fantasea: hace ficción.

G. Los dos enseñaron en la Universidad de Gotinga.

H. Por el camino se transforman y se enriquecen, varían, mezclan y combinan rasgos de culturas muy distintas.

Tarea 4

Instrucciones:

Lea el texto y rellene los huecos (23-36) con la opción correcta (a / b / c).

TEXTO

LA LITERATURA EN LA ERA DIGITAL
Andrés Ibáñez

¿De qué manera influye en la literatura la revolución informática que está transformando nuestra sociedad?

Esta pregunta es una de las favoritas _____**23**_____ los últimos tiempos. Se supone que la "revolución" de internet, de las "nuevas tecnologías", de los nuevos modos de comunicación, _____**24**_____ la literatura de forma radical.

Mucha gente se ríe al pensar en los libros "de papel", que ven ya como cosa del pasado.

_____**25**_____ en los blogs. En la autoedición. En los libros electrónicos. En la literatura colectiva. En el hipertexto. ¿De qué forma influirá todo esto en la nueva creación? ¿Cómo _____**26**_____ la literatura de la era digital?

Permítanme, con toda humildad, que exponga mi _____**27**_____. Permítanme, para hacerlo, repetir una vez más la pregunta inicial. ¿De qué manera influye la revolución de la informática y las comunicaciones que estamos viviendo en la literatura?

Respuesta: de ninguna manera.

Comprendo _____**28**_____ no es esta respuesta la que muchos desean oír. Esta respuesta no parece moderna. Carece de ese carácter dinámico, alegre y ligeramente cínico que a todos nos encanta en esta época.

La tecnología no tiene _____**29**_____ nada que ver con la literatura. Los soportes, las máquinas, los algoritmos, no tienen nada que ver con la creación literaria. La literatura es _____**30**_____ antigua, y siempre ha sido más o menos lo mismo que es hoy en día y lo mismo que será dentro de doscientos años. Es evidente que hay algo llamado historia de la literatura, y que cambian los estilos, el lenguaje, el tipo de historias. Pero lo que la literatura es en esencia, es decir, el uso artístico del lenguaje de la imaginación, eso no cambiará.

¿Sería posible afirmar que el paso de la literatura oral a la escrita, o que la aparición de la imprenta, por ejemplo, las dos grandes revoluciones tecnológicas de la literatura, _____**31**_____ un efecto fundamental en el arte literario? Yo creo que no. Lo cierto es que, si uno se pone a pensarlo, esto resulta casi asombroso.

La supuesta literatura oral de Homero no tiene en realidad _____**32**_____ carácter oral. ¿Hay alguna diferencia sustancial entre *La Ilíada*, *La Eneida* y la *Jerusalén liberada* que pueda atribuirse, aparte de los siglos que separan a las tres obras, al hecho de que la primera perteneciera a una cultura donde no se _____**33**_____, la segunda a una en la que se escribía a mano y la tercera a una donde existía la imprenta? Las obvias diferencias son _____**34**_____ existen entre la Grecia arcaica, el Imperio romano y el Renacimiento tardío en Italia. Nada atribuible a las diferencias tecnológicas.

Las máquinas son importantes _____**35**_____ muchas cosas, pero no para la creación literaria, una actividad en la que no tienen papel alguno. Cambian los soportes. El rollo de pergamino, el libro encuadernado, el texto digital. Meras anécdotas.

La vida de la literatura, su misterio, los nuevos enigmas a los que tiene que enfrentarse, están _____**36**_____ otro sitio.

Extraído de *http://www.fronterad.com*

OPCIONES

23. a) en   b) por   c) con

24. a) cambiaría   b) cambiará   c) cambiara

25. a) Pensamos   b) Pensemos   c) Pensaremos

26. a) será   b) estará   c) parecerá

27. a) punto de mira   b) punto de vista   c) punto de apoyo

28. a) que   b) por   c) en

29. a) rápidamente   b) absolutamente   c) nuevamente

30. a) mucha   b) mucho   c) muy

31. a) han tenido   b) habían tenido   c) hubieran tenido

32. a) alguno   b) ninguno   c) ningún

33. a) escribía   b) escribiría   c) haya escrito

34. a) cuales   b) las que   c) que

35. a) por   b) para   c) a

36. a) a   b) de   c) en

PRUEBA 2 COMPRENSIÓN AUDITIVA Y USO DE LA LENGUA

Duración de la prueba: **40 minutos**

Número de ítems: **30**

Tarea 1

Instrucciones:

12-17

Usted va a escuchar seis conversaciones breves. Escuche cada conversación dos veces. Después debe contestar a las preguntas (1-6). Seleccione la opción correcta (a / b / c).

Tiene 30 segundos para leer las preguntas.

PREGUNTAS

Conversación 1

1. A Luisa no le gusta la obra de teatro porque…

☐ a) es muy aburrida.

☐ b) la protagonista no le gusta.

☐ c) no entiende de teatro.

Conversación 2

2. El hombre dice que se alegra de visitar el museo porque…

☐ a) la pintura abstracta es su favorita.

☐ b) ha aprovechado la oportunidad para ver la exposición.

☐ c) ha ido acompañado de su amigo.

Conversación 3

3. Del diálogo se puede suponer que…

☐ a) el hombre conoce perfectamente la biblioteca.

☐ b) al hombre le gusta mucho la literatura policiaca.

☐ c) al hombre no le interesa la literatura policiaca.

Conversación 4

4. Lucas opina que la última novela de Álvaro Pombo…

☐ a) es muy buena.

☐ b) es muy aburrida.

☐ c) está pasada de moda.

Conversación 5

5. ¿Qué hace finalmente el hombre?

☐ a) Paga y entra al museo.

☐ b) El precio le parece excesivo y decide no visitar el museo.

☐ c) Se enfada con la taquillera y discute con ella.

Conversación 6

6. Van Gogh es el pintor favorito de Pedro porque…

☐ a) los colores que utiliza en sus cuadros son muy vivos.

☐ b) su pintura transmite sentimientos ocultos.

☐ c) le parece una persona muy misteriosa.

área 2 | **Instrucciones:**

18

Usted va a escuchar una conversación entre una pareja de amigos, Marta y Miguel, en la que hablan de sus gustos literarios. Indique si los enunciados (7-12) se refieren a Marta (A), a Miguel (B) o a ninguno de los dos (C). Escuche la conversación dos veces.

Tiene 20 segundos para leer los enunciados.

PREGUNTAS

		A Marta	B Miguel	C Ninguno de los dos
0.	Últimamente ha leído literatura española.	X		
7.	Uno de sus escritores favoritos es Javier Cercas, autor de *Soldados de Salamina*.			
8.	Escribe poesía para expresar sus sentimientos.			
9.	Cree que don Quijote es un personaje literario asombroso.			
10.	Ha escrito un libro de cuentos.			
11.	Le gustaría vivir de la literatura.			
12.	Uno de sus temas favoritos es el amor.			

Tarea 3 **Instrucciones:**

19

Usted va a escuchar parte de una entrevista al escritor Mario Vargas Llosa. Escuche la entrevista dos veces. Después debe contestar a las preguntas (13-18). Seleccione la respuesta correcta (a / b / c).

Tiene 30 segundos para leer las preguntas.

PREGUNTAS

13. El entrevistador afirma que van a hablar de…

☐ a) la última novela de Mario Vargas Llosa.

☐ b) toda la obra de Vargas Llosa.

☐ c) de la literatura en general.

14. Según el entrevistado, la publicación de la colección literaria de la que hablan…

☐ a) supone dar unidad y coherencia a las obras reunidas.

☐ b) es muy importante para sus lectores.

☐ c) refleja su pasión por el mundo de la literatura.

15. En la entrevista, Mario Vargas Llosa afirma que…

☐ a) aprendió a leer en Bolivia a los 8 años.

☐ b) aprendió a leer a los 5 años en Perú.

☐ c) aprendió a leer en Bolivia a los 5 años.

16. Según el entrevistado, si tuviera que recomendar una obra suya a un lector, recomendaría…

☐ a) la colección completa de novelas.

☐ b) las novelas más divertidas.

☐ c) las novelas que más le costó escribir.

17. Vargas Llosa se inspira para escribir sus novelas en…

☐ a) los recuerdos de su infancia.

☐ b) la comunicación con la realidad de todos los días.

☐ c) las historias que le cuentan sus amigos y familiares.

18. En la entrevista Vargas Llosa afirma que cuando él era joven…

☐ a) la cultura servía para despertar el espíritu crítico de las personas.

☐ b) la cultura servía como elemento de distracción.

☐ c) la cultura servía para que las preocupaciones sociales se olvidaran.

area 4 | Instrucciones:

20

Usted va a escuchar a seis personas que dan consejos para transformarse en un buen artista. Escuche la audición dos veces.

Seleccione el enunciado (A-J) que corresponde al tema del que habla cada persona (19-24). Hay diez enunciados incluido el ejemplo. Seleccione solamente seis.

Ahora escuche el ejemplo:

Persona 0

La opción correcta es el enunciado G

0	A	B	C	D	E	F	G	H	I	J

Tiene 20 segundos para leer los enunciados.

ENUNCIADOS

A Es muy recomendable difundir tu arte usando las nuevas tecnologías como internet.

B Para tu desarrollo profesional, no es bueno tener como punto de referencia el trabajo de otros artistas.

C La constancia y el tiempo dedicado a la formación y el perfeccionamiento del oficio de artista son elementos fundamentales.

D Hay que tomarse el tiempo de probar y de buscar qué temas o técnicas son los que más te apasionan.

E Un artista siempre debe hacer críticas constructivas a otros artistas.

F No existe un único medio de difusión válido para un artista. Cualquier canal puede ser beneficioso si te sientes a gusto en él.

G Ser un buen artista requiere inspiración, pero también una rutina de trabajo.

H Es recomendable estudiar cursos de educación regular que enseñen las diferentes técnicas de las disciplinas artísticas.

I Compararse con otros artistas es una buena forma de crecer en la profesión.

J Siempre es bueno saber escuchar la opinión de los demás.

	PERSONA	ENUNCIADO
	Persona 0	G
19	Persona 1	
20	Persona 2	
21	Persona 3	
22	Persona 4	
23	Persona 5	
24	Persona 6	

Tarea 5   **Instrucciones:**

21

Usted va a escuchar a un hombre hablando sobre el cuadro *El grito*, de Edvard Munch. Escuche la audición dos veces. Después debe contestar a las preguntas (25-30). Seleccione la opción correcta (a / b / c).

Tiene 30 segundos para leer las preguntas.

PREGUNTAS

25. En la audición, el hombre afirma que existen cuatro versiones del cuadro. La más famosa se encuentra en…

☐   a) el Museo Munch de Oslo.

☐   b) la Galería Nacional de Noruega.

☐   c) pertenece a un particular.

26. El hombre afirma que las diferencias entre los cuadros…

☐   a) son mínimas.

☐   b) se pueden apreciar con facilidad.

☐   c) son lo suficientemente importantes.

27. En la audición, se afirma que el cuadro se hizo más famoso debido a…

☐   a) varios robos.

☐   b) un robo.

☐   c) nunca ha sido robado.

28. Según la audición, la fuente de inspiración para el cuadro fue…

☐   a) una momia.

☐   b) la muerte de la madre del autor.

☐   c) la difícil vida de su autor.

29. En la audición, el hombre afirma que Laura, la hermana del pintor…

☐   a) falleció de tuberculosis.

☐   b) fue ingresada en un psiquiátrico.

☐   c) tuvo una infancia muy complicada.

30. Algunos atribuyen el color naranja del cielo a…

☐   a) el color del cielo al anochecer.

☐   b) el estado de ánimo del pintor.

☐   c) la erupción del volcán Krakatoa.

PRUEBA 3 EXPRESIÓN E INTERACCIÓN ESCRITAS

Duración de la prueba: **80 minutos**

Tarea 1

22

Instrucciones:

Usted está interesado en visitar el Museo Guggenheim de Bilbao. Escuche parte de un reportaje en el que se detalla la nueva colección que podrá disfrutar el público durante los próximos meses. Escriba una carta al museo solicitando más información sobre la nueva exposición e interesándose por el arte contemporáneo. En la carta deberá:

- presentarse;
- explicar por qué le interesa el arte contemporáneo;
- exponer las condiciones en las que le interesaría visitar el Museo Guggenheim;
- comentar el tipo de obras de arte que se expondrán en la nueva colección.

Número de palabras: **entre 150 y 180.**

Tarea 2 **Instrucciones:**

Elija una de las dos opciones que se ofrecen a continuación

OPCIÓN 1

Usted colabora en un portal web sobre arte. Su editor le ha pedido que escriba un artículo sobre el tipo de público que visita los principales museos españoles.
En el artículo debe incluir y analizar la información que aparece en los siguientes gráficos:

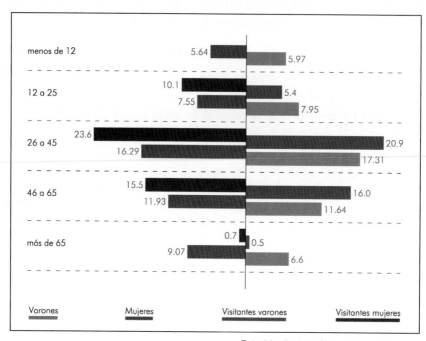

Extraído de *http://www.mcu.es/museos*

Redacte un texto en el que deberá:
- comentar las edades más frecuentes de los visitantes a los museos, en contraste con los grupos de edad que menos asisten a este tipo de atracciones culturales.
- exponer posibles explicaciones para fundamentar la elección de estos grupos de diferentes edades;
- identificar y comentar el género (masculino y femenino) de los principales visitantes;
- destacar los datos que considere más relevantes;
- expresar su opinión sobre la información general recogida en el gráfico;
- elaborar una conclusión.

Número de palabras: **entre 150 y 180.**

OPCIÓN 2

Usted escribe en un blog sobre teatro. Ayer asistió a una obra que se estrenó en su ciudad y debe escribir una crítica. A continuación puede ver la información extraída del programa que repartieron en la sala.

FRIDA, ENTRE LO ABSURDO Y LO FUGAZ
Escrita por Carla Liguori y Javier Raffa

Fecha: 10 de junio
Hora: 20:30
Lugar: Teatro La Comedia
Compañía: De eso se trata creaciones artísticas
Sinopsis: *Frida, entre lo absurdo y lo fugaz* nos propone, a través de un formato multidisciplinario, un viaje por la apasionante vida de la pintora mexicana Frida Kahlo. El guion, ágil e intimista, nos permite alejarnos del mito para aproximarnos con naturalidad a la Frida real y a los acontecimientos que la marcaron, como la particular y apasionada historia de amor entre ella y el famoso muralista mexicano Diego Rivera. La música, también creada especialmente para este proyecto, aborda ritmos que combinan elementos clásicos de la música latinoamericana y nuevos sonidos, creando un universo sonoro muy original y pintoresco. El contenido multimedia se presenta sobre el escenario en tres planos diferentes, lo que provoca un sorprendente impacto visual, pero también nos da la oportunidad de conocer la obra de la pintora y el contexto personal y social en que esta fue realizada. Con más de cuarenta artistas en escena entre actores, cantantes, bailarines y acróbatas, *Frida, entre lo absurdo y lo fugaz*, es una propuesta innovadora que nos hará reflexionar sobre el dolor, el destino, la vida y la muerte.

Extraído de *http://www.plateanet.com*

Redacte un texto en el que deberá:
- hacer una pequeña introducción sobre la importancia de asistir al teatro;
- comentar y valorar su experiencia en la función de esta obra;
- valorar la interpretación de los actores y músicos;
- contar cómo reaccionó el público que asistió al espectáculo;
- elaborar una opinión personal sobre la obra de teatro.

Número de palabras: **entre 150 y 180.**

PRUEBA ④ EXPRESIÓN E INTERACCIÓN ORALES

Duración de la prueba: **15 minutos**
Tiempo de preparación: **15 minutos**

Tarea 1 | **Instrucciones:**

Le proponemos un tema con algunas indicaciones para preparar una exposición oral. Tendrá que hablar durante 2 o 3 minutos sobre ventajas e inconvenientes de una serie de soluciones propuestas para una situación determinada. A continuación, conversará con el entrevistador sobre el tema.

Duración total de esta tarea: **4-5 minutos**

LAS ARTES PLÁSTICAS EN TELEVISIÓN
Guillermo Martí Ceballos

Si examinamos con atención la programación de algunos canales de televisión, encontramos programas (pocos) dedicados a algunas vertientes artísticas como el cine, el teatro, la música y la literatura; en algunos de estos programas de entretenimiento –tipo *magazine*– se realizan entrevistas a actores o músicos y también a algunos personajes que carecen de cualquier tipo de interés pero, sorprendentemente, casi nunca se realiza una entrevista a un artista plástico. No existe, que yo sepa, ningún programa dedicado a hablar de arte, a conocer la vida de los grandes artistas de la historia de la pintura, que haga un recorrido por las diferentes galerías de arte y un seguimiento de las exposiciones que se realizan en nuestro país, que entreviste a los artistas, adentrándose en sus talleres y dé a conocer su manera de pensar y trabajar.

Extraído de *http://laemociondelarte.blogspot.com.es*

El Gobierno debería obligar a las televisiones públicas a tener un espacio dedicado al arte.

Las televisiones podrían utilizar las horas de menor audiencia para programas culturales y de arte.

Los telespectadores deberían exigir a las televisiones programas de arte, escribiéndolo en la sección de "opiniones" de sus páginas web.

Los programas culturales y de arte deberían ser más importantes que el resto de programas de entretenimiento.

Si los telespectadores vieran más programas de arte quizá las televisiones los incluirían en sus programaciones.

No deberían ponerse programas de arte y cultura en la televisión, para aprender ese tipo de cosas está la escuela.

EXPOSICIÓN:

Ejemplo: *A la propuesta de que el Gobierno debería obligar a las televisiones públicas a tener un espacio dedicado al arte le veo una ventaja muy clara…*

CONVERSACIÓN:

Una vez el candidato haya hablado de las propuestas de la lámina durante el tiempo estipulado (2 minutos), el entrevistador le hará algunas preguntas sobre el tema hasta cumplir con la duración de la tarea.

EJEMPLO DE PREGUNTAS DEL ENTREVISTADOR:

Sobre las propuestas

- De las propuestas dadas, ¿cuál le parece la mejor?

Sobre su realidad

- ¿Cree que en su país las televisiones incluyen en su programación contenidos de arte interesantes?

Sobre sus opiniones

- ¿Cree que es importante que haya programas de arte y cultura en televisión? ¿Por qué?

Tarea 2 — Instrucciones:

Usted debe imaginar una situación a partir de una fotografía y describirla durante unos dos minutos.

A continuación conversará con el entrevistador acerca de sus experiencias y opiniones sobre el tema de la situación. Tenga en cuenta que no hay una respuesta correcta: debe imaginar la situación a partir de las preguntas que se le proporcionan.

Duración total de esta tarea: **3-4 minutos**

UN TRABAJO ESPECIAL

El hombre de la fotografía está en su lugar de trabajo y en un momento muy especial. Imagine la situación y hable de ella durante, aproximadamente, dos minutos. Estos son algunos aspectos que puede comentar:

- ¿Dónde cree que está el personaje? ¿Por qué?
- ¿Cuál será la profesión de este hombre? ¿Cómo lo sabemos?
- ¿Cómo imagina que es esta persona? ¿Por qué?
- ¿Qué cree que está pasando? ¿Por qué?
- ¿Cómo se siente el hombre en este momento? ¿Por qué?
- ¿Qué está pensando el hombre?
- ¿Qué cree que va a ocurrir después? ¿Cómo va a terminar la situación?

Una vez haya descrito la fotografía durante el tiempo estipulado (2 minutos), el entrevistador le hará algunas preguntas sobre el tema de la situación hasta cumplir con la duración de la tarea.

EJEMPLO DE PREGUNTAS DEL ENTREVISTADOR:

- *¿Le gusta ir al teatro? ¿Qué tipo de espectáculos son sus favoritos?*
- *¿Puede recordar cuándo fue la última vez que asistió a un espectáculo en un teatro? Descríbala.*
- *¿Ha ido alguna vez a un circo? ¿Qué opina del espectáculo de los payasos?*
- *¿Cree que es sacrificado el trabajo de un payaso de circo?*
- *¿Cuáles cree que son los problemas más habituales que enfrentan las personas que trabajan para hacer reír a los demás?*
- *¿Ha actuado ante público alguna vez?*
- *¿Cómo cree que es la sensación antes de salir al escenario?*

area 3   **Instrucciones:**

Usted debe conversar con el entrevistador sobre los datos de una encuesta, expresando su opinión al respecto.

Duración total de esta tarea: **2-3 minutos**

EJEMPLO DE PROPUESTA: ¿CÓMO LEEN LOS ESPAÑOLES?

Este cuestionario forma parte del estudio "Hábitos de lectura y compra de libros en España 2012", desarrollado por el Gobierno de España y la Federación de Editores de España. A través de esta encuesta es posible conocer los hábitos de lectura de los españoles, que revelan interesantes resultados sobre el tema de la lectura digital. Responda a las preguntas según su criterio personal:

---

1. ¿Cuántos libros hay en su biblioteca de casa?
- Menos de 10:   - 21 a 100 libros:
- Ninguno: - 101 a 200 libros:
- 11 a 20 libros: - Más de 200 libros:

2. ¿Lee en formato digital?
- Sí: - No:

3. ¿Qué soportes lee en formato digital?
- Libros: - Cómics:
- Revistas: - Webs/Blogs:
- Periódicos:

4. ¿En qué soporte digital lee?
- Ordenador:
- Móvil/Agenda electrónica:
- E-reader:

5. ¿Tiene un lector de libros electrónicos?
- Sí: - No:

6. ¿Qué dispositivo de lectura digital usa?
- Kindle de Amazon: - Samsung Galaxy Tab:
- Sony Reader: - Otras tabletas:
- Papyre: - Otros:
- Otros ebooks: - No recuerda la marca:
- iPad de Apple:

Fíjese ahora en los resultados de la encuesta entre los españoles:

---

1. ¿Cuántos libros hay en su biblioteca de casa?
Menos de 10: 9,2%   21 a 100 libros: 44,3%
Ninguno: 4%   101 a 200 libros: 14,5%
11 a 20 libros: 9,9%   Más de 200 libros: 22,1%

2. ¿Lee en formato digital?
Sí: 58%   No: 42%

3. ¿Qué soportes lee en formato digital?
Libros: 11,7%   Cómics: 3,9%
Revistas: 7,3%   Webs/Blogs: 46,9
Periódicos: 38%

4. ¿En qué soporte digital lee?
Ordenador: 55,8%
Móvil/Agenda electrónica: 12,9%
E-reader: 6,6%

5. ¿Tiene un lector de libros electrónicos?
Sí: 9,7%   No: 90,3%

6. ¿Qué dispositivo de lectura digital usa?
Kindle de Amazon: 14%   Samsung Galaxy Tab: 4%
Sony Reader: 6%   Otras tabletas: 2%
Papyre: 8%   Otros: 10%
Otros ebooks: 7%   No recuerda la marca: 18%
iPad de Apple: 34%

Comente ahora con el entrevistador su opinión sobre los datos de la encuesta y compárelos con sus propias respuestas:

- ¿En qué coinciden? ¿En qué se diferencian?
- ¿Hay algún dato que le llame especialmente la atención? ¿Por qué?

EJEMPLO DE PREGUNTAS DEL ENTREVISTADOR

- ¿Le gusta leer? ¿Qué cosas lee? ¿Podría poner algunos ejemplos?
- ¿Prefiere leer en formato impreso o digital? ¿Cuál le parece mejor? ¿Por qué?
- ¿Está de acuerdo con la opinión de los españoles? ¿En qué coincide con las respuestas?
- ¿Con qué opción está menos de acuerdo? ¿Por qué? ¿Qué le sorprende de esta encuesta?

PRUEBA **1** COMPRENSIÓN DE LECTURA

Tarea 1

1. C

"el *tema que más han repetido* estos creadores es la *falta de un espacio 'oficial'* que exhiba y registre los *movimientos de arte actual en ese país*".

2. C

"*La particularidad del espacio* escogido es su *tamaño y su forma*: se trata de una estructura en forma de huevo, que mide dos metros de ancho y dos metros y medio de alto".

3. B

"*Aunque el horario de visita es de 9:00 a 18:00 horas*, esto no limita la posibilidad de *apreciar las exposiciones en cualquier momento* pues, aunque las obras están al interior del pequeño museo, *es posible mirarlas asomándose por las ventanas, gracias a que sus luces se mantendrán siempre encendidas*".

4. A

"*El espacio contará con el apoyo de diversos nombres* reconocidos en el mundo *del arte guatemalteco*: algunas de las personalidades son *Alfredo Ceibal*, Pablo León de la Barra, Carlos Amorales, Emiliano Valdés, Naufus Ramirez-Figueroa y *Carolina Caycedo*, entre otros".

5. A

"El NuMu tiene como *objetivo desarticular los viejos paradigmas en el arte y generar nuevas formas de entenderlo*".

6. B

"la *muestra que inaugurará el NuMu estará a cargo* nada menos que *de Federico Herrero, el reconocido artista costarricense* que fue invitado a participar en el Pabellón Latinoamericano de la 13.ª edición de la Bienal de Venecia".

Tarea 2

7. D

"Por supuesto que *mi punto de vista ha variado en el transcurso de los años*".

8. C

"*Mi papá* falleció cuando yo tenía 9 años, pero tuvimos una *relación muy cercana. Él era pintor.* Yo creo que *desde ahí ya venía un acercamiento directo con el arte*".

9. B

"Fue una *decisión bastante compleja.* Entré al arte por descarte [...]".

10. D

"Actualmente, creo [...] que *las artes visuales*, aún y cuando no van a cambiar al mundo, *sí pueden servir como estrategia de cambio, transgresión y subversión en el campo social*".

11. B

"*El asma me llevó al arte* pues lo único que podía hacer era dibujar". [...] "Alguien debería hacer un estudio de la *relación que hay entre la enfermedad y la creación*".

12. A

"Siempre he encontrado en la *pintura y en las manualidades la vía de escape idónea para expresar mis senti-*

mientos" [...] "*El hecho de crear* es algo verdaderamente emocionante para mí, y supongo que *son mis propios sentimientos los que me orientan* y me guían para materializarlo".

13. C

"*Para mí siempre iban de la mano* las visitas al campo con las fotografías y *con la contemplación de la naturaleza, vinculada con el arte*". [...] "A mí me gusta mucho estar en *contacto con la naturaleza*, al igual que todo lo relacionado con la *creatividad* y la sensibilidad de las *artes plásticas*".

14. B

"El arte es la idea, ¿y la destreza técnica? ¿Es mera artesanía? Por más conceptual que uno sea, *es necesario saber dibujar*".

15. C

"Así que *sí lo dudé.* Cuando salí de la escuela, *me pregunté: '¿biología o arte?'*, pero después pensé que podía vincular el arte con la biología, que era una noción más profunda dentro de mí".

16. A

"*Desde niña me ha fascinado el mundo de los colores*; su textura y cómo estos pueden manipularse para deleitar la vista".

Tarea 3

17. C

18. A

19. F

20. D

21. H

22. E

Tarea 4

23. A

La preposición *"en"* introduce el sintagma preposicional que tiene un valor temporal: *"en los últimos tiempos"*.

24. B

Necesitamos el *futuro simple de indicativo "cambiará"* ya que la oración comienza con la secuencia "se supone que", y la idea que expresa el texto es la de una acción que se desarrollará casi con toda certeza. En estos supuestos el futuro expresa esa idea de certidumbre.

25. B

El uso del *presente de subjuntivo "pensemos"* en este caso tiene un valor de sugerencia, próximo en otros contextos a lo que podría entenderse como un imperativo. La idea se refuerza debido a su posición al inicio de la oración.

26. A

Con la utilización del verbo *"ser"*, por oposición a *"estar"* o *"parecer"*, se pregunta de manera absoluta por la situación de la literatura en la era digital, sin hacer referencia, por tanto, a estados o apariencias/apreciaciones personales, para lo que utilizaríamos las otras dos opciones.

27. B

La secuencia *"punto de vista"* hace referencia a la opinión personal que se tiene sobre un tema en particular. Con esta expresión el autor introduce la subjetividad lógica que conlleva una valoración individual y parcial.

28. A

El verbo *"comprender"* se construye con la conjunción *"que"* cuando se pone en relación con otra oración (oración compuesta) que funciona como un complemento complejo (subordinada). Es importante tener en cuenta que la palabra *"que"* en español relaciona oraciones de forma compleja y, aunque es una palabra invariable (no cambia nunca), puede desempeñar distintas funciones.

29. B

"Absolutamente" es un adverbio, como todas las palabras que en español terminan en *–mente*. La opción correcta en este caso está relacionada con el significado de la secuencia completa: *"no tener (absolutamente) nada que ver con"*. *"Absolutamente"* refuerza la idea expresada en relación con la ausencia de parentesco, parecido o relación entre dos ideas, personas u objetos.

30. C

La palabra *"muy"* es un adverbio que se coloca delante de un adjetivo en el texto: *"muy antigua"* para expresar un grado superlativo de significación.

31. A

El uso del *pretérito perfecto de indicativo "han tenido"* relaciona dos hechos del pasado (el paso de la literatura oral a la escrita y la invención de la imprenta) con la situación presente de la literatura. Es importante recordar que este tiempo verbal se utiliza en español para hablar de acciones que tiene su origen en el pasado pero que extienden su influencia hasta el presente.

32. C

La palabra *"ningún"* es un apócope (forma corta) del adjetivo o pronombre indefinido *"ninguno"*. A pesar de ser la misma palabra su uso cambia en función de su organización en la oración. *"Ningún"* se coloca antes de un nombre, como en el texto *"ningún carácter"*, mientras que *"ninguno"* no se construye con un sustantivo debido a su condición de sustituto del mismo (pronombre).

33. A

El uso del *pretérito imperfecto de indicativo "escribía"* está relacionado con la naturaleza de la acción "escribir". Es una acción pasada no finalizada (en el pasado). En gramática este tipo de acciones se conocen con el nombre de "durativas".

34. B

"Las que" es un pronombre relativo. En el texto acompaña a "diferencias" y el uso del artículo determinado *"las"* se explica en relación con la colocación y orden oracionales. Es importante recordar que el artículo concuerda en género y número con su antecedente (la palabra a la que se refiere).

35. B

La preposición *"para"* indica finalidad por oposición a *"por"* que se utiliza cuando expresamos la causa, razón o motivo.

36. C

La preposición *"en"* indica lugar en la secuencia *"en otro sitio"*. Además se refuerza la idea de localización por la proximidad del verbo *"estar"*, ya que uno de sus usos es precisamente este: localización geográfica.

PRUEBA 2 COMPRENSIÓN AUDITIVA Y USO DE LA LENGUA

Tarea 1

1. A

"¡Esta obra *me parece un tostón*! Deberíamos haber ido al cine, mira que te lo dije…".

2. B

"Me alegro de haber venido al museo y *no dejar pasar esta exposición*".

3. C

"Ah… *no tengo ni idea; supongo que sí* porque ahora ese tipo de literatura está de moda".

4. A

"la última novela de Álvaro Pombo *es una pasada*".

5. A

"Bueno, *está bien*, pero la *primera y la última*, lo juro".

6. B

"sabe *captar* como nadie los *sentimientos ocultos en los objetos* o que están *en los paisajes*".

Tarea 2

7. B

MIGUEL: "¿Has leído algo de *Javier Cercas*? Creo que *es uno de los mejores narradores en la actualidad*… me gustan mucho sus libros, en especial *Soldados de Salamina*".

8. B

MIGUEL: "A mí me gusta más *escribir poesía*; creo que *puedo expresar mejor mis sentimientos*".

9. A

MARTA: "cuanto más leía, más simpático me parecía *don Quijote* hasta que *me conquistó totalmente*. Es un personaje literario fascinante".

10. C

11. A

MARTA: "y *ganarme la vida con la literatura* ya sería lo máximo…".

12. B

MIGUEL: "Hablo sobre la vida, sobre la muerte, *el amor*…".

Tarea 3

13. B

"[…] queríamos hablar, *no de una novedad editorial concreta, sino un poco por su obra completa*, por esta biblioteca que está publicando Alfaguara".

14. A

"[…] y que de alguna manera se resume, se integra, *adopta cierta unidad y coherencia en esas obras reunidas*, ¿no?".

15. C

"Siempre he dicho que creo que lo más importante que me pasó en la vida fue *aprender a leer*; yo recuerdo mucho, *vivíamos en Bolivia, yo tenía cinco años, a esa edad empecé a leer*".

16. C

"Si tuviera que escoger una de mis novelas para recomendarla, pues probablemente *recomendaría alguna de las novelas que más trabajo me costó escribir* como *Conversación en la catedral, La guerra del fin del mundo, La fiesta del chivo*…".

17. B

"[…] a mí me gusta tener por lo menos un pie sobre esa realidad y eso significa el periodismo; creo que es una manera de mantener *esa comunicación con el mundo cotidiano que para mí es la materia prima de mi trabajo de escritor*, ¿no?".

18. A

"Se ve mucho menos a la cultura como la veíamos en mi generación ¿no es cierto?, cuando éramos jóvenes… *como un elemento para despertar la conciencia crítica del conjunto de la sociedad*".

Tarea 4

19. D

"Todo será mucho más fácil si *dedicas el tiempo y la energía necesarios* para mejorar como artista, trabajando en un *medio de expresión con el que disfrutes y en un tema que te apasione*".

20. C

"la mejor manera de que *aprendás una nueva habilidad* o de que *mejorés la habilidad que ya tenés* es a través de la *práctica regular*".

21. H

"Las *clases de arte pueden ayudarte* a resolver problemas que no hayas podido resolver por ti mismo" […] "Puedes encontrar *cursos disponibles* para todo tipo de habilidades y nivel *en las universidades, centros comunitarios, centros de arte locales y otros* numerosos lugares".

22. J

"*Una crítica constructiva sirve para mejorar* tus obras de arte". […] "Aprende a *identificar las críticas que son válidas* y usa esa información para que te enfoques a corregir tus errores".

23. F

"*La forma en que en que tú quieras mostrar tu arte* y a quién lo quieras mostrar es de *tu elección*" […] "*Elige el canal que te resulte más cómodo*".

24. B

"*No te compares* demasiado *con los otros artistas*". […] "En vez de compararte con otro, síguele la pista a tus progresos".

Tarea 5

25. B

"*Existen cuatro versiones de esta pintura; la más famosa se encuentra en la Galería Nacional de Noruega*, siendo completada en 1893".

26. A

"*Las diferencias entre estos cuadros son muy pequeñas*, por lo cual, lo que les explicaremos a continuación es válido para todas ellas".

27. A

"La popularidad de la obra se incrementó al ser objeto de *varios robos de gran repercusión*".

28. C

"*La fuente de inspiración* para este grito se halla, según los expertos, *en la atormentada vida del artista*".

29. B

"En la década de 1890 *a su hermana Laura*, su favorita, le diagnosticaron un *trastorno bipolar, siendo internada en un psiquiátrico*".

30. C

"El cielo parece líquido y está arremolinado igual que el resto del fondo. *Algunos han atribuido el color de este cuadro a la erupción del volcán Krakatoa*".

PRUEBA ① COMPRENSIÓN DE LECTURA

Duración de la prueba: **70 minutos**
Número de ítems: **36**

Tarea 1   **Instrucciones:**

Usted va a leer un texto donde un joven deportista nos cuenta sus proyectos futuros.
Después, debe contestar a las preguntas (1-6).
Seleccione la respuesta correcta (a / b / c).

TEXTO

SOLIDARIDAD DESDE UNA TABLA DE *KITEBOARDING*
Eloy Vera

El dominicano Ariel Corniel tiene por delante dos metas: la primera, cosechar los mejores resultados en *kiteboarding* en el Mundial que se disputa en Fuerteventura (Islas Canarias, España) y, la segunda, poner en marcha una fundación con la que ayudar a los niños más necesitados de su país.

Ariel Corniel tiene 21 años y la mayoría de ellos los ha dedicado a moverse en el mar con una tabla y un cometa, atraído por el deporte del *kiteboarding*. En 1999 descubrió esta modalidad deportiva en la playa de Cabarete, en República Dominicana, cuando era apenas un niño. "Me resultó un deporte muy apasionado y no me quedó otra que aprenderlo", explica en una entrevista a Efe.

Bajo una de las carpas del Mundial de *windsurf* y *kiteboarding*, que estos días se celebra en Fuerteventura, recuerda cómo a los 13 años empezó a participar en competiciones nacionales y dos años después ganó la Copa Mundial en Brasil.

Desde entonces, ha recorrido unos 50 países aunque siempre regresa a Fuerteventura, isla española que fue durante dos años y medio su lugar de entrenamiento y donde vive su entrenador personal, Luis de Dios.

A pesar de que ahora ha establecido su residencia en Alemania y que asiste anualmente a una media de 14 competiciones internacionales, en su agenda siempre reserva, al menos, tres fechas para poder viajar hasta tierras canarias.

Aunque siempre ha destacado en las pruebas de *freestyle* con las que ha entrado en acción hoy miércoles, este año en Fuerteventura se ha convertido en todo un descubrimiento en *slalom*, donde ha quedado en cuarto lugar.

Entre sus objetivos está seguir compitiendo hasta los 25 o 26 años y "poner mi nombre entre los más nombrados", comenta el dominicano. "Una vez que me retire, quiero dedicarme a trabajar para la empresa de *kite* o ser manager o diseñador", asegura. Otro de sus proyectos para el próximo año es crear una fundación con su nombre destinada a ayudar a las familias más necesitadas de su país, en especial de La Ciénaga, una zona castigada por la pobreza.

La fundación se perfila como un instrumento con el que poder ayudar a los pobres y, sobre todo, a los niños, aportándoles el material necesario para que hagan deporte y puedan ir a la escuela. Para Ariel el fin último de la asociación es que los niños dominicanos "tomen el camino bueno y se alejen de las drogas y el alcohol".

Desde el extremo sur de Fuerteventura el dominicano reflexiona: "Si tienes una meta, síguela, y no te dejes llevar por el amigo, eso te ayudará a seguir adelante".

Extraído de *http://www.diariolibre.com*

PREGUNTAS

1. Ariel Corniel es de:

☐ a) Alemania.

☒ b) República Dominicana.

☐ c) España.

2. Uno de los objetivos de Corniel es:

☒ a) unir deporte y solidaridad.

☐ b) continuar compitiendo en *kitesurfing* para toda su vida.

☐ c) enseñar este deporte a los niños.

3. El primer contacto de Ariel con su deporte favorito…

☐ a) empezó a los 21 años.

☐ b) se inició a los 13 años.

☒ c) comenzó en 1999.

4. Este deportista ha vivido en…

☐ a) más de 50 países.

☒ b) República Dominicana, España y Alemania.

☐ c) Brasil, España y Alemania.

5. El proyecto solidario de Ariel Corniel consiste en…

☐ a) la inauguración de una fundación dedicada a los niños pobres de Fuerteventura.

☐ b) la puesta en marcha de una fundación llamada *Ariel Corniel*.

☒ c) ayudar a menores en riesgo social de República Dominicana.

6. Después de cumplir 26 años, Ariel…

☒ a) se retirará de las competiciones de *kiteboarding*.

☐ b) luchará por ser uno de los campeones más famosos del *kiteboarding*.

☐ c) trabajará en una empresa de *kite* en La Ciénaga.

Tarea 2 **Instrucciones:**

Usted va a leer cuatro textos en los que cuatro deportistas recuerdan cuándo ganaron su primera medalla olímpica.

Relacione las preguntas (7-16) con los textos (A, B, C y D).

PREGUNTAS

		A Jefferson	B Laura	C Luis	D Hermenegildo
7.	¿Quién asumió una nueva responsabilidad después de su triunfo?				
8.	¿Quién estaba muy tenso en la competición final?				
9.	¿Quién tenía dificultades económicas cuando recibió la medalla?				
10.	¿Quién tuvo un obstáculo durante la competición?				
11.	¿Quién dice que se siente orgulloso de representar a su país y su cultura en las Olimpiadas?				
12.	¿Quién cree que el factor de la casualidad o suerte influyó en su triunfo?				
13.	¿Quién ha cambiado sus ideas sobre la competencia y el deporte a lo largo del tiempo?				
14.	¿Quién se propone ganar la medalla de oro en el futuro?				
15.	¿Quién considera importante soñar para lograr las metas?				
16.	¿Quién está agradecido por el apoyo de sus familiares?				

TEXTO

A. Jefferson Pérez, atleta de Ecuador

Tuve muchas bendiciones, porque cuando recibí mi primera medalla en el Campeonato Mundial de 1992, lo hice con mis zapatos hechos pedazos y mi uniforme guardado desde hace dos años; con un entrenador que tenía ingresos bajos y el médico que trabajaba conmigo voluntariamente. Cuando escuchaba entonar el himno nacional y veía por primera vez la bandera en lo más alto del podio en unas Olimpiadas por TV, sentí curiosidad de saber ¿qué pensaba en ese instante? Fue genial ver a todas las personas en el estadio de pie escuchando respetuosamente mi himno, mi origen, mi identidad, mi gente… el silencio en la pista atlética se rompió cuando llegué primero a la meta. Ese fue el momento más sublime.

Extraído de *http://www.vivedeporte.com*

B. Laura Sánchez, clavadista de México

Recuerdo que, antes de tirarme al agua, me temblaba todo el cuerpo. Estar en una final olímpica te pone nerviosa y contenta. Estar en mis terceros Juegos Olímpicos era para disfrutar cada salto y ahora estoy feliz de estar en este momento. Esta primera medalla olímpica me sabe a gloria. Era la que me faltaba, estoy muy feliz porque hemos trabajado muy fuerte mi entrenador y yo para el resultado. Han sido años y lesiones y buscar posiciones… El hecho de llevarme un bronce lo cambia todo. Y más cuando los clavados dependen del azar, nadie sabe lo que pasará. En la competición tuve el angelito. Las competidoras chinas son muy fuertes y precisas y nosotros sabíamos que el primer y el segundo lugar eran para ellas. El tercer lugar era el peleado. Es un sueño, lo logré, es una satisfacción personal. Soñé con una medalla olímpica y todo dependía de cómo hacer la competencia. Soñé y soñar me ayudó muchísimo a obtener esta posición.

Extraído de *http://juegosolondres.blogspot.com*

C. Luis Doreste, regatista de España

Yo creo que lo que más me cambió la vida fue la Olimpiada de Los Ángeles. Allí conseguí mi primera medalla olímpica, un oro, junto a Roberto Molina. Fue un gran paso para el deporte canario. El conseguir aquel primer puesto se convertía en una responsabilidad de seguir estando arriba, de demostrar que no había sido por casualidad y que detrás de este triunfo había mucho trabajo. Me tomé el deporte mucho más en serio de lo que ya me lo había tomado. Los Ángeles marcó mi carrera como deportista. Hoy, tras 40 años navegando, el planteamiento es diferente que cuando hacía vela olímpica, pero siempre salgo con la misma ambición e ilusión de ganar. Aunque competir y ganar es importante, ahora quiero disfrutar del mar.

Extraído de *http://www.laprovincia.es/deportes*

D. Hermenegildo Cristóbal, canoísta de México

Al ganar mi primera medalla olímpica me sentí muy bien, muy feliz, pues la verdad estuvo muy difícil. Apenas pude conseguirla debido a las olas que había en el mar, pero cuando vi que se cayó uno de los que estaban remando pensé que tenía que levantarme y darle para adelante. Yo la verdad es que iba por la medalla de primer lugar, pero no se pudo, porque las olas estaban a favor de derecha y no las podía dominar, lo que me descontroló mucho. Esta medalla es para mis padres, Hermenegildo y Ángela, porque ellos me dieron la vida y ellos me dan fuerza y ánimos para que siga en las competencias. Aspiro algún día ser también un campeón mundial. Yo sé que está muy difícil, pero creo que es algo posible y le voy a echar ganas.

Extraído de *http://www.cambiodemichoacan.com.mx*

Tarea 3 Instrucciones:

Lea el siguiente texto, del que se han extraído seis fragmentos. A continuación lea los ocho fragmentos propuestos (A-H) y decida en qué lugar del texto (17-22) hay que colocar cada uno de ellos.

Hay dos fragmentos que no tiene que elegir.

TEXTO

HISTORIA DEL DEPORTE ESPAÑOL

Las competiciones deportivas de alto nivel comenzaron en España a partir del año 1903, **17.** _____C_____.

Si bien Gaspar Melchor de Jovellanos elaboró en el siglo XVIII un Plan de Educación Pública en el que figuraba el ejercicio físico, **18.** _____H_____. Aquel año se abrió en Madrid el Real Instituto Militar Pestalozziano donde se practicaba la gimnasia, la equitación, la esgrima y otros aparatos diseñados por Francisco Amorós, creador del instituto. **19.** _____E_____. Nacen el ciclismo y los clubes de fútbol.

Durante la segunda mitad del siglo XIX aparecen los primeros gimnasios privados, las primeras sociedades ciclistas y las primeras competiciones.

En 1889 se funda el primer equipo de fútbol, el Recreativo de Huelva, y siete años después, la Federación de Ciclismo. **20.** _____A_____.

A principios del siglo XX comienzan las competiciones deportivas, como la primera copa de España de fútbol en 1903. **21.** _____D_____.

En 1912, se funda el Comité Olímpico Español. Los resultados obtenidos en los Juegos Olímpicos no fueron durante años especialmente brillantes por un desarrollo deportivo deficiente y por la popularidad del fútbol, que eclipsaba a otras disciplinas.

22. _____G_____. Esta situación varió con las Olimpiadas de Barcelona, ya que se destinaron recursos a deportistas y federaciones antes inexistentes.

Extraído de *http://marcaespana.es/es/educacion-cultura-sociedad*

FRAGMENTOS

A. También se inauguró el gimnasio de la Academia de Artillería de Segovia.

B. El deporte no era muy popular en España a principios de siglo.

C. aunque el deporte comenzó a tomar relevancia a partir del siglo XVIII y XIX, cuando aparecieron los primeros gimnasios.

D. Pero el verdadero auge del fútbol llega tras la medalla de plata en los Juegos Olímpicos de Amberes 1920

E. Durante los siguientes años aparecen continuamente sociedades deportivas en fútbol, natación, atletismo o *hockey*.

F. El fútbol no fue un auténtico fenómeno de masas en los primeros años de existencia en nuestro país.

G. La Ley del Deporte de 1990 atribuyó al Estado un papel protagonista en la organización del deporte de base y contribuyó a los éxitos españoles.

H. los orígenes de la Gimnástica y la Educación Física se sitúan en torno a 1806.

Tarea 4 Instrucciones:

Lea el texto y rellene los huecos (23-36) con la opción correcta (a / b / c).

TEXTO

EL CÉSPED
Mario Benedetti

El césped. Desde la tribuna es un tapete verde. Liso, regular, aterciopelado, estimulante. Desde la tribuna _____**23**_____ crean que, con semejante alfombra, es imposible errar un gol y mucho menos errar un pase. Los jugadores corren como sobre patines o como figuras de *ballet*. Quien es derrumbado seguramente cae _____**24**_____ un colchón de plumas, y si se toma, doliéndose, un tobillo, es porque el gesto forma parte de una pantomima mayor. Además, cobran mucho dinero simplemente _____**25**_____ divertirse, abrazarse y treparse unos sobre otros cuando el que queda bajo ese sudoroso conglomerado _____**26**_____ el gol decisivo. O no decisivo, es lo mismo. Lo bueno es treparse unos sobre otros mientras los rivales regresan a sus puestos, taciturnos, amargos, cabizbajos, cada uno con su barata soledad a cuestas. Desde la tribuna es _____**27**_____ disfrutable el racimo humano de los vencedores como el drama particular de cada vencido. Por supuesto, _____**28**_____ espectadores avispados siempre saben cómo hacer la jugada maestra y no acaban de explicarse, y sobre todo de explicarlo a sus vecinos, por qué este o aquel jugador no logra hacerla. Y cuando el árbitro _____**29**_____ el penal, el espectador avispado también intuye hacia qué lado irá el tiro, y un segundo después, cuando el balón brinca ya en las redes, no alcanza a comprender cómo el golero no lo supo. O acaso sí lo supo y con toda deliberación _____**30**_____ al otro palo, en un alarde de masoquismo o estupidez congénita. Desde la tribuna es tan fácil. Se conoce la historia y la prehistoria. O sea que se poseen elementos suficientes como para comparar la inexpugnable eficacia de aquel antiguo golero del pasado _____**31**_____ la torpeza del actual, que no acierta nunca y es _____**32**_____ una y mil veces. Recuerdo borroso de una época en que había un *centre-half* y un *centre-forward*, cada uno bien plantado en su comarca propia y capaz de distribuir el juego en serio y no jugando a jugar, como ahora, ¿no? El espectador veterano sabe que cuando el fútbol _____**33**_____ en balompié y la *ball* en pelota y el *dribbling* en finta y el *centre-half* en volante y el *centre-forward* en alma en pena, todo se vino abajo y esa es la explicación de que muchos lleven al estadio sus radios a transistores, _____**34**_____ al menos quienes relatan el partido ponen un poco de emoción en las estupendas jugadas que imaginan. Bueno, para eso les pagan, ¿verdad? Para imaginar estupendas jugadas y está bien. Por eso, cuando alguien ha hecho un gol y _____**35**_____ de los abrazos y pirámides humanas el juego se reanuda, el locutor idóneo sigue colgado de la "o" de su goooooooool, que en realidad es una jugada suya, subjetiva, personal, y no exactamente _____**36**_____ delantero que se limitó a empujar con la frente un centro que, entre todas las otras, eligió su cabeza. Y cuando el locutor idóneo llega por fin al desenlace de la "ele" final de su goooooooool privado, ya el árbitro ha señalado un *orsai* (…).

Fragmento del cuento "El césped", incluido en el libro *Despistes y franquezas* (1989), de Mario Benedetti

OPCIONES

23. a) a lo mejor b) quizá c) obviamente

24. a) bajo b) sobre ✗ c) encima +de

25. a) por b) para c) a

26. a) hará ? b) hacía c) hizo ·

27. a) tanto b) más c) tan

28. a) ningunos b) algunos c) todos

29. a) sancione b) sanciona c) sancionará

30. a) tiró b) lanzó c) se arrojó ?

31. a) a b) con c) para

32. a) esquivando b) esquivada ? c) esquivado

33. a) se convirtió b) se hizo c) se volvió

34. a) ya que b) para que c) de modo que

35. a) durante b) antes c) después

36. a) por el b) del c) para el

sobre = over
encima = on top

PRUEBA 2 COMPRENSIÓN AUDITIVA Y USO DE LA LENGUA

Duración de la prueba: **40 minutos**
Número de ítems: **30**

Tarea 1 Instrucciones:

🎧
23-28

Usted va a escuchar seis conversaciones breves. Escuche cada conversación dos veces. Después debe contestar a las preguntas (1-6). Seleccione la opción correcta (a / b / c).

Tiene 30 segundos para leer las preguntas.

PREGUNTAS

Conversación 1

1. ¿Cómo piensa Lucía ganar la próxima partida de ajedrez?

☐ a) Teniendo más paciencia.
☐ b) Practicando más.
☐ c) Cambiando de fichas.

Conversación 2

2. Los hombres piensan que el jugador de fútbol del que hablan…

☐ a) se comporta de forma individualista.
☐ b) no hace caso a su entrenador.
☐ c) es el mejor jugador del equipo.

Conversación 3

3. En el diálogo se llega a la conclusión de que *baldado* significa:

☐ a) Enfermo.
☐ b) Agotado.
☐ c) Descansado.

Conversación 4

4. ¿Qué opina Ricardo ante la propuesta de Jaime de ir a jugar a los bolos?

☐ a) Está entusiasmado con la idea.
☐ b) Muestra indiferencia.
☐ c) No le gusta la idea.

Conversación 5

5. Según el hombre, ¿cuánto tiempo es necesario hacer deporte?

☐ a) Dos horas exactas al día.
☐ b) Dos horas o más al día.
☐ c) Menos de dos horas al día.

Conversación 6

6. En sus partidas de cartas…

☐ a) se juegan dinero.
☐ b) se apuestan una invitación para comer.
☐ c) juegan con legumbres.

rea 2   **Instrucciones:**

29

Usted va a escuchar una conversación entre una pareja de amigos, Marta y Quique, en la que hablan sobre sus deportes favoritos. Indique si los enunciados (7-12) se refieren a Marta (A), a Quique (B) o a ninguno de los dos (C). Escuche la conversación dos veces.

Tiene 20 segundos para leer los enunciados.

PREGUNTAS

		A Marta	B Quique	C Ninguno de los dos
0.	El campeonato de fútbol está especialmente ajustado esta temporada.	X		
7.	No le gusta el tenis.			
8.	Los deportes de grupo son más interesantes.			
9.	El fútbol es aburrido.			
10.	En Fórmula 1 el coche es lo más importante.			
11.	Juega al fútbol.			
12.	Lo difícil es que el grupo esté unido.			

Tarea 3 **Instrucciones:**

30

Usted va a escuchar parte de una entrevista a Patricia Ramírez, psicóloga especializada en el mundo del deporte. Escuche la entrevista dos veces. Después debe contestar a las preguntas (13-18). Seleccione la respuesta correcta (a / b / c).

Tiene 30 segundos para leer las preguntas.

PREGUNTAS

13. El entrevistador afirma que los lunes…

☐ a) es el día para hablar de los partidos de fútbol.

☐ b) es el día para jugar partidos de fútbol.

☐ c) es el día en el que los futbolistas descansan.

14. La entrevistadora afirma que la psicología es un aspecto…

☐ a) muy conocido en el mundo del deporte.

☐ b) totalmente desconocido en el mundo del deporte.

☐ c) poco conocido en el mundo del deporte.

15. Patricia Ramírez afirma que los psicólogos deportivos trabajan, entre otros aspectos,…

☐ a) las emociones necesarias para competir.

☐ b) la tolerancia.

☐ c) la velocidad.

16. La entrevistada afirma que normalmente su método de trabajo consiste en…

☐ a) hablar de manera individual con los jugadores.

☐ b) hablar con todo el grupo al mismo tiempo.

☐ c) ver y comentar películas con los deportistas.

17. Cuando habla del trabajo con los niños, la psicóloga afirma que…

☐ a) lo importante a estas edades es que aprendan a competir.

☐ b) lo importante a estas edades es que se diviertan practicando deporte.

☐ c) lo importante a estas edades es educarlos en valores.

18. Patricia Ramírez asegura que…

☐ a) todas las rutinas, rituales y obsesiones que tienen los deportistas son malos.

☐ b) las rutinas son malas pero que tengan amuletos es bueno.

☐ c) son positivos los rituales que proporcionan un orden al deportista.

area 4

Instrucciones:

31

Usted va a escuchar a seis personas que dan consejos para llevar una vida saludable incluyendo la práctica deportiva. Escuche la audición dos veces.

Seleccione el enunciado (A-J) que corresponde al tema del que habla cada persona (19-24). Hay diez enunciados incluido el ejemplo. Seleccione solamente seis.

Ahora escuche el ejemplo:

Persona 0
La opción correcta es el enunciado G

0	A	B	C	D	E	F	G	H	I	J

Tiene 20 segundos para leer los enunciados.

ENUNCIADOS

A El invierno no reduce las posibilidades de ejercitarte.

B Sería conveniente evaluar los riesgos de caminar como actividad física, especialmente los relacionados con el daño a las articulaciones.

C Es necesario tanto el precalentamiento como el ejercicio posterior a cada práctica física.

D Beber agua fresca antes, durante y después del ejercicio es muy importante.

E Con menos de una hora de ejercitación al día, en un régimen constante y sostenido, nuestro corazón estará agradecido.

F Se deben consumir líquidos durante todo el proceso de ejercitación.

G La práctica de ejercicio diario aporta salud al cuerpo y a la mente.

H Buenos zapatos y ropa adecuada son dos elementos esenciales para complementar la práctica de caminar.

I Las agujetas se logran mediante el estiramiento del cuerpo en la fase posterior el ejercicio.

J La elección del tipo de actividad física a realizar debe hacerse de forma consciente e informada.

	PERSONA	ENUNCIADO
0	Persona 0	G
19	Persona 1	
20	Persona 2	
21	Persona 3	
22	Persona 4	
23	Persona 5	
24	Persona 6	

Tarea 5 **Instrucciones:**

32

Usted va a escuchar a un hombre hablando sobre el juego tradicional español de "Los bolos huertanos". Escuche la audición dos veces. Después debe contestar a las preguntas (25-30). Seleccione la opción correcta (a / b / c).

Tiene 30 segundos para leer las preguntas.

PREGUNTAS

25. En la audición se afirma que los bolos huertanos se practican en una región de España…

⬜ a) desde el siglo v.

⬜ b) desde el siglo xv.

⬜ c) desde antes del siglo xv.

26. El hombre afirma que tradicionalmente el juego de los bolos huertanos…

⬜ a) es practicado solo por hombres.

⬜ b) es practicado por hombres y mujeres.

⬜ c) es practicado por toda la familia.

27. Según la audición, el campo de juego de los bolos huertanos…

⬜ a) es de hierba.

⬜ b) es de tierra.

⬜ c) es de arena.

28. En la audición se afirma que cada equipo de bolos huertanos está formado por…

⬜ a) tres jugadores.

⬜ b) tres jugadores y los reservas.

⬜ c) tres jugadores, los reservas y los encargados de contar los puntos.

29. En la audición se dice que el juego comienza con un sorteo en el que se lanza una moneda al aire para decidir…

⬜ a) el tiempo de juego.

⬜ b) el orden de los participantes.

⬜ c) quién coloca los bolos y decide la forma de lanzar.

30. Según la audición, ¿cuándo se celebra "El partido de las selecciones"?

⬜ a) En los últimos días de la primavera.

⬜ b) En los primeros días de la primavera.

⬜ c) En los primeros días del verano.

PRUEBA 3 EXPRESIÓN E INTERACCIÓN ESCRITAS

Duración de la prueba: **80 minutos**

area 1 **Instrucciones:**

33

Usted está interesado en realizar una ruta en bicicleta por diferentes lugares de la geografía española. Escuche el inicio de un programa de radio en el que se habla de los aspectos positivos que conlleva usar la bicicleta en otoño. Escriba un correo electrónico a sus amigos para convencerlos de que hacer una ruta por España en esta época del año es una magnífica idea. En el correo electrónico deberá indicar, entre otras cosas:

- el motivo por el que escribe;
- explicar por qué le interesa hacer una ruta en bicicleta;
- exponer las ventajas de hacer una ruta en bicicleta en otoño;
- comentar las posibilidades a la hora de decidir una ruta que incluya playa, montaña o ciudad.

Número de palabras: **entre 150 y 180.**

Tarea 2	**Instrucciones:**

Elija una de las dos opciones que se ofrecen a continuación

OPCIÓN 1

Usted colabora en un blog sobre deportes y va a escribir un artículo sobre las personas que practican deportes en Bogotá (Colombia) y las motivaciones que tienen para hacerlo.
En el artículo debe incluir y analizar la información que aparece en los siguientes gráficos:

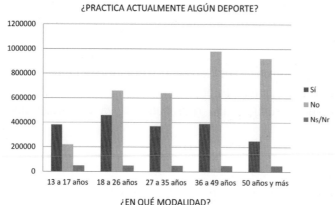

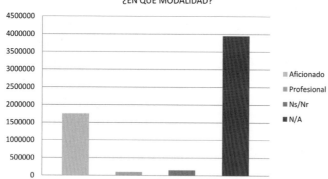

Información extraída de
http://www.alcaldiabogota.gov.co

*N/A: Ninguna de las [respuestas] anteriores

Redacte un texto en el que deberá:
- comentar las edades más frecuentes de los practicantes de deportes, en contraste con los grupos de edad que menos hacen este tipo de actividades;
- exponer posibles explicaciones para fundamentar la elección de estos grupos de diferentes edades;
- identificar y comentar los motivos más recurrentes por los que las personas deciden practicar deportes;
- destacar los datos que considere más relevantes;
- expresar su opinión sobre la información general recogida en el gráfico;
- elaborar una conclusión.

Número de palabras: **entre 150 y 180.**

OPCIÓN 2

Usted escribe en un semanario sobre deportes. Ayer asistió al primer campeonato de ajedrez submarino, que se realizó en una localidad de la costa española, y debe escribir un artículo comentando el evento. A continuación puede ver la información que los organizadores del campeonato difundieron en su página web.

UNA PARTIDA DE AJEDREZ BAJO EL AGUA

Cuatro metros bajo el agua, dos submarinistas y una tablero de ajedrez, quizás parezca el argumento de una película, pero se trata del I Torneo Europeo de Ajedrez Submarino en los cristalinos fondos de la playa de Carchuna, en Granada.

Desde hace varios años el Camping Don Cactus organiza torneos de ajedrez "pasados por agua". Desde la piscina del *camping* hasta el *jacuzzi* han sido los escenarios en los que los ajedrecistas locales han competido, hasta que el año pasado nació el reto de hacerlo bajo las aguas del Mediterráneo, frente al *camping*. El autor de la idea fue Álvaro García, responsable del *camping*, quien finalmente ha materializado el reto el 15 de agosto.

Los primeros ajedrecistas en participar en este nuevo concepto han sido Jorge Fernández Montoro y Sergio Soto Pérez, ambos con un increíble y larguísimo historial de trofeos.

Ambos oponentes tuvieron que ponerse en las manos de la Escuela de Buceo Dárdanus para poder aprender los fundamentos del buceo y poder realizar la partida ataviados con trajes de neopreno y botellas de aire comprimido, siempre bajo la supervisión de los buceadores profesionales.

En este primer torneo submarino de ajedrez, que ya cuenta con seguidores alrededor del mundo, se ha llegado a un empate técnico. Al finalizar, ambos ajedrecistas locales han coincidido en señalar que la combinación de un deporte de tanta concentración con un entorno tan singular y único, ha convertido esta partida en una experiencia totalmente distinta y que ya están deseando repetir.

Extraído de *http://www.ideal.es/granada*

Redacte un texto en el que deberá:
- hacer una pequeña introducción sobre la originalidad y novedad del torneo;
- comentar y valorar su experiencia como asistente a la competición;
- valorar el desempeño de los jugadores;
- contar cómo reaccionó el público que asistió al torneo;
- elaborar una opinión personal y algunas proyecciones sobre el futuro del ajedrez submarino.

Número de palabras: **entre 150 y 180.**

PRUEBA 4 EXPRESIÓN E INTERACCIÓN ORALES

Duración de la prueba: **15 minutos**
Tiempo de preparación: **15 minutos**

Tarea 1 Instrucciones:

Le proponemos un tema con algunas indicaciones para preparar una exposición oral. Tendrá que hablar durante 2 o 3 minutos sobre ventajas e inconvenientes de una serie de soluciones propuestas para una situación determinada. A continuación, conversará con el entrevistador sobre el tema.

Duración total de esta tarea: **4-5 minutos**

NIÑOS Y JÓVENES NO PRACTICAN SUFICIENTE DEPORTE

Según un estudio de su país, solo un 42% de los escolares entre 6 y 16 años realiza cinco o más horas de actividad físico-deportiva a la semana. Este tiempo de práctica no alcanza los niveles óptimos de acuerdo a lo recomendado por la Organización Mundial de la Salud (OMS).

Dicho informe revela que menos de la mitad (un 47%) de la población escolar realiza actividades físico-deportivas durante el tiempo de recreo.

Los padres deberían practicar deporte con sus hijos para que así empiecen a tener hábitos saludables desde pequeños.

Hacer algún deporte debería ser obligatorio durante toda la vida escolar de un niño. De esta forma nos aseguramos de que practican deporte hasta que son adultos.

Los deportistas famosos podrían hacer campañas en los colegios e institutos para que el deporte sea más popular entre la gente joven.

La publicidad debería insistir en la importancia del deporte en nuestras vidas. También la información sobre deporte en televisión e internet debería ser mayor.

Estaría bien que los políticos dieran ejemplo a los niños y todos practicaran deporte.

El trabajo de los profesores en la escuela es muy importante. Deberían educar a los niños para que entiendan que el deporte y la vida saludable son esenciales.

EXPOSICIÓN:

Ejemplo: *Sobre lo de que los padres deberían practicar deporte con sus hijos, opino que es una de las cosas más importantes porque…*

CONVERSACIÓN:

Una vez el candidato haya hablado de las propuestas de la lámina durante el tiempo estipulado (2 minutos), el entrevistador le hará algunas preguntas sobre el tema hasta cumplir con la duración de la tarea.

EJEMPLO DE PREGUNTAS DEL ENTREVISTADOR:

Sobre las propuestas
- De las propuestas dadas, ¿cuál le parece la mejor?
Sobre su realidad
- ¿Cree que en su país los jóvenes practican suficiente deporte?
Sobre sus opiniones
- ¿Cree que es importante que los deportistas famosos hagan campañas de publicidad para fomentar el deporte entre los jóvenes? ¿Por qué?

| Tarea 2 | **Instrucciones:** |

Usted debe imaginar una situación a partir de una fotografía y describirla durante unos dos minutos.

A continuación conversará con el entrevistador acerca de sus experiencias y opiniones sobre el tema de la situación. Tenga en cuenta que no hay una respuesta correcta: debe imaginar la situación a partir de las preguntas que se le proporcionan.

Duración total de esta tarea: **3-4 minutos**

UNA EXCURSIÓN AL AIRE LIBRE

Las personas de la fotografía están de paseo durante el fin de semana. Imagine la situación y hable de ella durante, aproximadamente, dos minutos. Estos son algunos aspectos que puede comentar:

- ¿Qué imagina que está pasando en la foto? ¿Por qué?
- ¿En qué lugar cree que están estas personas? ¿Cómo lo sabe?
- ¿Quiénes son estos personajes? ¿Qué relación piensa que hay entre ellos?
- ¿Qué piensa que están haciendo estas tres personas? ¿Cómo lo sabe?
- ¿Cómo imagina las personalidades de estas personas? ¿Por qué?
- ¿Qué piensa que están diciendo los personajes? ¿Por qué?
- ¿Cómo cree que va a terminar la situación? ¿Qué va a ocurrir después?

Una vez haya descrito la fotografía durante el tiempo estipulado (2 minutos), el entrevistador le hará algunas preguntas sobre el tema de la situación hasta cumplir con la duración de la tarea.

EJEMPLO DE PREGUNTAS DEL ENTREVISTADOR:

- *¿Le gusta hacer deporte al aire libre? ¿Qué tipo de actividades prefiere?*
- *¿Prefiere hacer actividades al aire libre solo o acompañado? ¿Por qué?*
- *¿Considera positivo hacer actividades deportivas al aire libre en familia o con amigos? ¿Cuáles son los beneficios?*
- *¿Ha ido alguna vez de excursión en familia o en grupo? ¿Podría describir la situación?*

Instrucciones:

Usted debe conversar con el entrevistador sobre los datos de una encuesta, expresando su opinión al respecto.

Duración total de esta tarea: **2-3 minutos**

EJEMPLO DE PROPUESTA: HÁBITOS DEPORTIVOS DE LOS ESPAÑOLES

Este cuestionario forma parte del estudio "Encuesta sobre los hábitos deportivos en España 2010", realizada por el Centro de Investigaciones Sociológicas y el Consejo Superior de Deportes de España.

A través de esta encuesta es posible conocer las preferencias y hábitos deportivos de los españoles, que revelan interesantes resultados sobre las tendencias de la actualidad. En primer lugar, lea la tabla que tiene a continuación donde aparecen numerosos deportes. Puntúe cada deporte del 1 al 4, donde 4 es muy practicado en su país y 1 nada practicado. Después compare los resultados con la encuesta realizada en España:

1. No se practica	2. Se practica muy poco	3. Bastante practicado	4. Muy practicado

DEPORTES MÁS PRACTICADOS %					
Gimnasia mantenimiento		Baloncesto		Deportes de invierno	
Fútbol		Tenis		Pesca	
Natación		Atletismo		Tiro y caza	
Ciclismo		Pádel		Artes marciales	
Carrera pie / running / footing		Montañismo / senderismo / excursionismo		Musculación / culturismo / halterofilia	

Fíjese ahora en los resultados de la encuesta entre los españoles:

DEPORTES MÁS PRACTICADOS %					
Gimnasia mantenimiento	35,0	Baloncesto	7,7	Deportes de invierno	4,4
Fútbol	27,5	Tenis	6,9	Pesca	2,9
Natación	22,4	Atletismo	6,0	Tiro y caza	2,4
Ciclismo	19,4	Pádel	5,9	Artes marciales	2,2
Carrera pie / running / footing	12,9	Montañismo / senderismo / excursionismo	8,6	Musculación / culturismo / halterofilia	4,3

Extraído de *http://www.csd.gob.es/csd*

Comente ahora con el entrevistador su opinión sobre los datos de la encuesta y compárelos con sus propias respuestas:

- *¿En qué coinciden? ¿En qué se diferencian?*
- *¿Hay algún dato que le llame especialmente la atención? ¿Por qué?*

EJEMPLO DE PREGUNTAS DEL ENTREVISTADOR

- *¿Le gusta hacer deportes? ¿Qué deportes hace?*
- *¿Con qué frecuencia practica estas actividades?*
- *¿Está de acuerdo con las preferencias deportivas de los españoles? ¿En qué coincide con las respuestas?*
- *¿Con qué opción está menos de acuerdo? ¿Por qué?*
- *¿Qué similitudes o diferencias identifica entre las preferencias de los españoles y los de otros países que usted conozca? ¿Qué explicación puede existir para estas diferencias o similitudes?*
- *¿Qué le sorprende de esta encuesta?*

PRUEBA **1** COMPRENSIÓN DE LECTURA

Tarea 1

1. B

"Entre sus objetivos está seguir compitiendo hasta los 25 o 26 años y "poner mi nombre entre los más nombrados", *comenta el dominicano*".

2. A

"Ariel Corniel tiene por delante *dos metas*: la primera, cosechar los mejores resultados en *kiteboarding* en el Mundial que se disputa en Fuerteventura (Islas Canarias, España) *y, la segunda, poner en marcha una fundación con la que ayudar a los niños más necesitados de su país*".

3. C

"Ariel Corniel tiene 21 años y la mayoría de ellos los ha dedicado a moverse en el mar con una tabla y un cometa, atraído por el deporte del *kiteboarding*. *En 1999 descubrió esta modalidad deportiva* en la playa de Cabarete, en República Dominicana con apenas siete años".

4. B

"En 1999 descubrió esta modalidad deportiva en la playa de Cabarete, en *República Dominicana* con apenas siete años", [...] "[Ariel] ha recorrido unos 50 países [solo los ha visitado. No ha vivido en ellos] aunque *siempre regresa a Fuerteventura, isla española que fue durante dos años y medio su lugar de entrenamiento*" [...] "A pesar de que *ahora ha establecido su residencia en Alemania* [...]".

5. C

"Para Ariel el fin último de la asociación es que los *niños dominicanos "tomen el camino bueno y se alejen de las drogas y el alcohol*".

6. A

"Entre sus objetivos está *seguir compitiendo hasta los 25 o 26 años* [...] '*Una vez que me retire*, quiero dedicarme a trabajar para la empresa de *kite* o ser manager o diseñador', asegura".

Tarea 2

7. C

"*El conseguir aquel primer puesto se convertía en una responsabilidad de seguir estando arriba*, de demostrar que no había sido por casualidad y que detrás de este triunfo había mucho trabajo".

8. B

"Recuerdo que *me temblaba todo el cuerpo. Estar en una final olímpica te pone nerviosa* y contenta".

9. A

"[...] *cuando cogí mi primera medalla* en el Campeonato Mundial de 1992, *lo hice con mis zapatos hechos pedazos* y mi uniforme guardado desde hace dos años; *con un entrenador que tenía ingresos bajos y el médico que trabajaba conmigo voluntariamente*".

10. D

"[...] cuando vi que *se cayó uno de los que estaban remando* pensé que tenía que levantarme y darle para adelante. Yo la verdad es que *iba por la medalla de primer lugar, pero no se pudo, porque las olas estaban a favor de derecha y no las podía dominar*".

11. A

"*Fue genial ver a todas las personas en el estadio de pie escuchando respetuosamente mi himno, mi origen, mi identidad, mi gente*... el silencio en la pista atlética se rompió cuando llegué primero a la meta. Ese fue el momento más sublime".

12. B

"El hecho de llevarme un bronce lo cambia todo. Y más cuando *los clavados son un azar, nadie sabe lo que pasará. En la competición tuve el angelito*. Es un sueño, lo logré, es una satisfacción personal".

13. C

"*Hoy, tras 40 años navegando, el planteamiento es diferente que cuando hacía vela olímpica*, pero siempre salgo con la misma ambición e ilusión de ganar. *Aunque competir y ganar es importante, ahora quiero disfrutar del mar*".

14. D

"Yo la verdad es que *iba por la medalla de primer lugar, pero no se pudo* [...]. Aspiro a algún día ser también un campeón mundial. Yo sé que está muy difícil, pero creo que es algo posible y le voy a echar ganas".

15. B

"Es un sueño, lo logré, es una satisfacción personal. *Soñé con una medalla olímpica y todo dependía de cómo hacer la competencia. Soñé y soñar me ayudó muchísimo a obtener esta posición*".

16. D

"*Esta medalla es para mis padres*, Hermenegildo y Ángela, *porque ellos me dieron la vida y ellos me dan fuerza y ánimos para que siga en las competencias*".

Tarea 3

17. C	**20. E**
18. H	**21. D**
19. A	**22. G**

Tarea 4

23. B

"*Quizá*" es un marcador de probabilidad y duda que puede ir seguido por verbos en indicativo o subjuntivo. "A lo mejor" cumple la misma función, aunque siempre debe ir seguido por indicativo. Por el contrario, "obviamente" no marca probabilidad ni duda, sino certeza, por lo que debe ir seguido por verbos en indicativo. Considerando que el verbo que sigue al marcador es "crean" (*subjuntivo* del verbo "creer"), la única opción viable es la B.

24. B

Considerando el contexto en que los jugadores caen derrumbados en lo que parece un colchón de plumas, caer "bajo" ese colchón no tiene el sentido de una caída blanda y suave. Sí tendrían sentido las preposiciones "sobre" y "encima", las cuales tienen un significado muy similar. La única diferencia es que "encima" necesita ir seguida de la preposición "de", mientras que *"sobre" no requiere preposición*. Por esa razón, la opción correcta es la B.

25. A

La referencia clave en este caso es el verbo *"cobrar"* que suele ir acompañado por la preposición *"por"* a diferencia del verbo "pagar", que iría seguido por "para". La preposición "por", aparte de estar asociada usualmente el verbo mencionado, tiene sentido aquí en tanto que *marcador causal*. Si invertimos la idea poniendo el énfasis en la consecuencia, necesitaremos un conector consecutivo, como por ejemplo "para".

Finalmente, la opción restante (la preposición "a") no genera sentido alguno en el contexto propuesto.

26. C

Atendiendo a las alternativas propuestas, debemos optar entre: (a) futuro simple, (b) pretérito imperfecto y (c) pretérito indefinido. Partamos por constatar que *"hacer el gol decisivo" es un hecho único, una acción específica ocurrida en un momento específico*. Esto nos lleva a descartar el pretérito imperfecto, que marcaría o bien una descripción secundaria (en el pasado) en torno a otra acción principal o bien un hecho repetitivo del pasado. En cuanto al uso del futuro, si quisiéramos referirnos a una acción posterior, la presencia del marcador temporal "cuando" nos exigiría la utilización del presente de subjuntivo en lugar del futuro simple. La alternativa restante sería la *"c"*, el *pretérito indefinido "hizo"*, que sí *funcionaría para referir el desarrollo de una acción central y única*.

27. C

Este fragmento nos ofrece una *estructura comparativa*. La presencia del marcador *"como"* antes del segundo elemento en comparación nos guía hacia una *comparación de igualdad*, con lo que descartamos entonces la alternativa "b", en que "más" indicaría comparación de superioridad. Las alternativas "a" y "c" pueden funcionar como marcadores comparativos de igualdad, y ambas trabajan acompañadas del marcador "como". La diferencia entre ambas es que *"tan" suele acompañar la presencia de adjetivos* ("Luis es *tan bajo como* yo") mientras "tanto" acompaña la comparación de sustantivos ("El equipo A *tiene tantos jugadores como* el equipo B"). Considerando que nuestro marcador de *comparación antecede al adjetivo "comparable"*, constatamos que la alternativa correcta es la *"c"*.

28. B

Considerando que el pronombre "ninguno" y el adjetivo "ningún" solo existen en su forma singular (masculina o femenina), descartamos de inmediato la opción "a", pues lo que tenemos, además, son "jugadores" en plural. La opción "c" podría ser viable si fuera seguida por un artículo ("todos los espectadores"), pero ante la ausencia del artículo posterior, sabemos que *la opción "b" es la correcta: "algunos espectadores avispados"*.

29. B

El *marcador temporal "cuando"* nos permite referirnos a cualquier momento (pasado, presente o futuro). Todo dependerá del verbo que lo siga y del que lo acompañe en la segunda parte de la oración. Si vamos a referirnos al futuro, un verbo conjugado en futuro después de "cuando" nunca será una alternativa viable (con lo que descartamos la alternativa "c"). En este caso, el verbo debería conjugarse en presente de subjuntivo ("sancione") y el verbo de la segunda parte de la oración sí se conjugaría en futuro. Sin embargo, considerando que *el verbo de la segunda parte de la oración está en presente ("intuye")*, la alternativa "a" ("sancione") no resulta factible. *La única opción coherente es la alternativa "b"*, pues presenta un *verbo en presente que tiene concordancia con el verbo en presente en la segunda parte de la oración*: "Y cuando el árbitro *sanciona* el penal, el espectador avispado también *intuye* hacia qué lado..."

30. C

Esta oración hace referencia al movimiento que hace el portero para atajar el balón en un intento, en este caso, fallido. Aquello que es "lanzado", "tirado" o "arrojado" (los tres verbos funcionan como sinónimos en este caso), entonces, es el "golero". Esta persona sería quien *ejecuta y al mismo tiempo recibe la acción*, lo que nos pone en presencia de una *acción reflexiva*. De las tres opciones, la única que se presenta acompañada del *pronombre reflexivo "se" es la "c"*, por eso *"se arrojó" es la alternativa correcta*.

31. B

Este fragmento nos presenta la *comparación* que hace el narrador *entre dos goleros* (porteros): *el actual y otro del pasado*, que hacía mucho mejor su trabajo. *El verbo "comparar" suele ir asociado a la preposición "con"*, que se ubica entre los dos elementos comprados. Entre las opciones propuestas, solo *"comparar con" es una opción viable, por lo que la respuesta correcta es la "b"*.

32. C

Al describir *al portero actual del equipo*, el narrador propone que "no acierta nunca" y que *los jugadores del equipo contrario lo esquivan siempre ("una y mil veces")*. Sin embargo, en lugar de decir que los jugadores del equipo contrario lo esquivan, la oración omite el sujeto de la acción, utilizando para ello una *oración pasiva*. Específicamente, se utiliza aquí la *estructura pasiva ser + participio*. De este modo, vemos que la alternativa "a" no funciona, pues al finalizar el verbo en "ando" nos pone en presencia de un gerundio, no de un participio, lo que no nos permite construir una oración pasiva. Para hacerlo, debemos identificar el *verbo ser* (*el golero es... una y mil veces*) y luego conjugar el *verbo siguiente en participio manteniendo la concordancia con el agente*, que en este caso es *el golero*, en su forma *singular y masculina*. Esto nos permite seleccionar la *alternativa "c" como correcta* ("esquivado"), en tanto la "b", aunque participio, se refiere a un agente femenino.

33. A

Si bien *las tres alternativas son sinónimos* que hacen referencia *a la transformación de una cosa* (en este caso, del "fútbol*") en otra* ("balompié"), *solo una de ellas requiere ir seguida por la preposición "en"*, que aparece en el texto. Así, decimos que *"el fútbol se convirtió en balompié"* (*alternativa "a"*), en tanto diríamos que "el fútbol se hizo balompié" y que "el fútbol se volvió balompié", estas dos últimas sin la preposición "en" que tenemos en el texto.

34. A

En este caso estamos en presencia de dos conectores consecutivos ("para que" y "de modo que") y un conector causal ("ya que"). Considerando que la cadena causal propone como *causa que el relato de los locutores pone más emoción al partido* y, como *consecuencia, que los asistentes llevan sus radios al estadio, necesitamos un conector asociado a la causa*, puesto que el espacio en blanco antecede directamente a la causa. Así, *la opción correcta será el conector causal "ya que"*.

35. C

La elección entre una de estas tres preposiciones *debe ser hecha en función de la cronología* narrada, a saber: *alguien ha hecho un gol + hay abrazos y pirámides humanas + el juego se reanuda*. Teniendo claridad sobre la estructura temporal de la narración, será simple seleccionar la *preposición "después" como correcta*.

36. B

La contracción "del", conformada por la preposición "de" + el artículo "él", está en directa *relación con la expresión "la jugada suya"* (la jugada del locutor), que "no es exactamente [la jugada] del delantero". Como opción de estilo se decide elidir la palabra "jugada" para evitar repeticiones, pero la estructura sintáctica sigue siendo la misma y, por lo tanto, *requiere de la misma preposición ("de")*: no de las preposiciones sugeridas en las otras alternativas.

PRUEBA 2 COMPRENSIÓN AUDITIVA Y USO DE LA LENGUA

Tarea 1

1. C

"Bueno, creo que es más bien una cuestión de suerte... *En la próxima partida, ¿puedo tener yo las blancas?*".

2. A

"Sí, la verdad es que *se olvida de que sus compañeros están en el campo*".

3. B

HOMBRE2: "Sí, claro. Ten cuidado porque si pones exceso de peso *llegarás a casa baldado y no será bueno para tu espalda*".

HOMBRE1: "No me importa, *prefiero machacarme* bien hoy *y descansar durante todo el fin de semana*".

4. C

"¿A los bolos? *¡Vamos, no fastidies! ¡Vaya diversión!*".

5. B

"Un cuerpo sano y tonificado necesita *dos horas como mínimo*".

6. C

"Sí, corro ese riesgo, *aunque jugando con lentejas* el único peligro es invitaros a todos a una comida…".

Tarea 2

7. C

QUIQUE: "¡Estás hecha una verdadera psicóloga eh! Creo que no nos vamos a poner nunca de acuerdo *porque otro de mis deportes favoritos es el tenis*… (Risas)".

MARTA: "Ah… ¿sabes qué? *Que el tenis sí me gusta. Aunque sea un deporte individual me parece divertido*…".

8. A

MARTA: "Pues yo sigo pensando que *los deportes de equipo son mucho más interesantes*…".

9. B

QUIQUE: "Ah… pues no sé, bueno… no sigo mucho el fútbol, ¿sabes? Prefiero deportes un poco más intensos… *el fútbol se me acaba haciendo un poco pesado, la verdad*".

10. A

MARTA: "¿La Formula 1? ¿Unos coches dando vueltas y más vueltas durante horas al mismo circuito? Eso sí que me parece aburrido de verdad. Además, no sé si considerarlo como un deporte… *todo depende del coche que tenga el piloto*…".

11.C

12.A

MARTA: "…en los deportes de equipo *es muy importante que el grupo se lleve bien y que consigan ser más que compañeros*… que se ayuden… *eso es muy complicado* y cuando se consigue tiene mucho mérito porque son todos muy diferentes entre sí…" .

Tarea 3

13. A

"Sí, los *lunes son el día estrella para comentar las jornadas, se habla de partidos… la clasificación* y, cómo no, del rendimiento de los jugadores".

14. C

"Sin embargo, nos gustaría… hoy nos gustaría centrarnos *en un aspecto todavía poco conocido*. En un mundo tan competitivo *cada vez son más los equipos que optan por contar con un psicólogo en su plantilla*; un compañero de vestuario para compartir los buenos y los malos momentos".

15. A

"[…] los psicólogos deportivos nos ocupamos de las variables psicológicas relacionadas con el deporte de alto rendimiento […]*entre ellas está* la concentración, la atención, cómo controlar el mensaje que te das a ti mismo, *el tipo de emoción que necesitas para competir* […]" .

16. B

"*Yo lo que hago siempre es una charla grupal*, tanto en el fútbol como en balonmano y en baloncesto".

17. C

"[…] *con los niños se trabajan pues otro tipo de valores diferentes*: la cohesión, el trabajo en equipo, *educar en valores, que aprendan que todo se consigue solamente con esfuerzo* […]".

18. C

"[…]todos *los rituales que nos dan un orden*, por ejemplo, yo llego al campo y me gusta salir primero a ver el terreno y me gusta entrar con el pie derecho ¿vale? Y hay gente que se santigua… Bueno pues *son rituales que dependen de mí; me van dando un orden, me preparan para competir*".

Tarea 4

19. E

"Para entrenar tu aparato cardiovascular, haz actividad física de intensidad moderada durante una media hora al día. El ejercicio físico debe ser realizado de forma habitual […]".

20. J

"Los ejercicios implican el desarrollo de una o varias cualidades físicas básicas […] que tenés que tener siempre presentes al tomar cualquier decisión. Incluso tu propia personalidad o carácter influyen en la elección que hagas de un determinado ejercicio físico".

21. H

"Caminar es una actividad muy saludable […] lleva zapatos apropiado con suelas gruesas y flexibles para amortiguar. La ropa también debe ser apropiada".

22. A

"¿Pero qué pasa si hace frío […]? […] Afortunadamente, en la actualidad existen diversos sistemas para hacer ejercicio en casa […]".

23. C

"Hay que preparar el cuerpo antes para adaptarlo a la actividad física. […] Comienza la actividad con calentamiento y estiramiento […] Luego, para terminar la actividad, es recomendable que camines o trotes a muy baja intensidad durante 5 a 10 minutos".

24. F

"Es muy importante beber antes del ejercicio, para que inicies la actividad bien hidratado. Toma bebidas con alto aporte de sales durante el ejercicio […] Bebe después de la actividad, también, para reponer el líquido perdido".

Tarea 5

25. B

" El juego de los bolos huertanos se viene practicando en la huerta de Murcia *desde el siglo XV hasta nuestros días*".

26. A

"[…] trozo de terreno llamado 'carril' dedicado solamente a este juego, *practicado en su totalidad por hombres* al aire libre en contacto directo con la huerta".

27. B

"Los campos de juego donde se practica, con una longitud de 38 metros de largo y cinco metros de ancho, *deberán ser duros, de tierra apisonada, completamente planos (sin clase alguna de hierba)*, cerrados por una valla en sentido vertical".

28. B

"[…] competitivos partidos llevados a cabo *por los equipos formados por tres jugadores con los reservas*, un 'empinador', el delegado y el árbitro designado".

29. C

"El partido se inicia con el sorteo, lanzando una moneda al aire *para ver a quién le corresponde poner los bolos y tirar de la forma establecida*".

30. A

"Una vez concluida la liga regular, *en los últimos días de la florida primavera y antes del verano*, la costumbre indica la celebración de una partida muy especial […] *partido denominado 'El partido de selecciones'*".

PRUEBA **1** COMPRENSIÓN DE LECTURA

Duración de la prueba: **70 minutos**
Número de ítems: **36**

Tarea 1 Instrucciones:

Usted va a leer un texto sobre los desafíos y cambios de la televisión en la actualidad. Después, debe contestar a las preguntas (1-6).
Seleccione la respuesta correcta (a / b / c).

TEXTO

LOS RETOS DE LA NUEVA TELEVISIÓN
Rosario G. Gómez y Ania Elorza

El director del FesTVal, Joseba Fiestras, no pasa por alto el gran reto que existe hoy en día en la industria televisiva con respecto a las nuevas tecnologías. "Los chavales no ven la televisión como antes", explica y añade que "hay un nuevo lenguaje que no tiene un solo camino; hay que estar pendiente". De este modo, deja abierta la puerta a las webseries, que en España aún no tienen una gran implantación, y se refiere también a "las segundas pantallas, la transmedia, las nuevas formas de relatar y las series directamente creadas para internet".

Aunque muchos contenidos se elaboran pensando solo en la televisión, cada vez tienen mayor peso las segundas pantallas (internet, móviles, tabletas). Plataformas como Yomvi, lanzada por Canal +, permiten ver los programas en todo tipo de dispositivos y cuando el usuario elija. Además, el uso de las redes sociales ha hecho que un determinado tipo de espectadores (sobre todo jóvenes) que habían dado la espalda a las emisiones lineales, hayan vuelto a conectarse a la televisión en directo. Esta es la manera de estar encadenados a dos de los países más grandes del mundo: Facebook y Twitter. "La mayor oleada de comentarios en redes sociales está relacionada con los contenidos televisivos, sobre todo con los espacios de telerrealidad", constatan los responsables de las áreas multimedia de las principales cadenas de televisión.

La expansión de las pantallas es imparable. Algunos estudiosos pronostican que dentro de algunas décadas todo el mundo, al menos en las sociedades avanzadas, vivirá con cuatro o incluso cinco pantallas. Y los contenidos tendrán que adaptarse a la nueva forma de consumirlos. Tenderán a ser productos transmedia: historias multiplataforma (ideadas para cine, televisión, internet, redes sociales) y multiformato. Al respecto, los expertos en nuevas tecnologías Christian Molina y Pep Salazar explican las claves: "Se trata de generar experiencias personalizadas, en las que cada usuario pueda ser el protagonista absoluto de esa historia. Pasa de ser espectador a fan". Detrás de esta percepción, aseguran, hay un trabajo muy complejo, pues "el usuario cree que es él el que marca el rumbo de la historia, pero en realidad todo está diseñado por los guionistas".

Crear proyectos transmedia no es fácil. "Es como una inmersión del espectador dentro de una historia", explican Molina y Salazar. Estos productos tienen sus reglas: el usuario debe ser activo, sumergirse en un mundo ficticio y en una experiencia que se vea enriquecida en cada una de las plataformas. "Se trata de crear universos narrativos y llevar una historia inventada a la vida real", apuntan.

Extraído de *http://cultura.elpais.com*

PREGUNTAS

1. Joseba Fiestras…

☐ a) no se siente a la altura del reto que constituyen las nuevas tecnologías en el ámbito televisivo.

☐ b) no está preocupado por los desafíos que presentan las nuevas tecnologías para el mundo de la televisión.

☒ c) toma en consideración los desafíos actuales para la industria de la televisión.

2. Las webseries…

☐ a) son un nuevo género televisivo de gran impacto en España.

☒ b) constituyen una de las alternativas de innovación televisiva, en la opinión de Fiestras.

☐ c) no deben ser implantadas aún en España.

3. Las segundas pantallas son…

☐ a) un tema cada vez más difícil para la televisión.

☒ b) plataformas alternativas a la televisión para el consumo de programas.

☐ c) un tema alarmante para Joseba Fiestras.

4. Respecto a los jóvenes, el artículo afirma que…

☒ a) han experimentado un regreso a la televisión gracias a las redes sociales.

☐ b) han dado la espalda a la televisión debido a las redes sociales.

☐ c) han rechazado constantemente las emisiones televisivas.

5. En las próximas décadas…

☐ a) la expansión de las pantallas será imparable.

☐ b) todo el mundo tendrá entre 4 y 5 pantallas.

☒ c) habrá un incremento significativo de pantallas, especialmente en las sociedades más desarrolladas.

6. Los productos transmedia…

☒ a) requieren un intenso trabajo por parte de los creadores.

☐ b) transforman al simple usuario en un espectador de televisión.

☐ c) permiten que el consumidor maneje a su antojo y controle todos los contenidos televisivos.

Tarea 2 **Instrucciones:**

Usted va a leer cuatro textos en los que cuatro directores de cine cuentan cómo fueron sus inicios en esa profesión.

Relacione las preguntas (7-16) con los textos (A, B, C y D).

PREGUNTAS

		A Raúl Ruiz	B Fran Mateu	C Beto Gómez	D Federico García
7.	¿Quién cree que la persistencia y la fuerza son fundamentales para trabajar en cine?				
8.	¿Quién recuerda su vida previa al cine como una época muy agitada y productiva?				
9.	¿Quién trabajó en diferentes ocupaciones antes de hacer cine?				
10.	¿Quién comenzó su carrera cinematográfica en un momento de renovación del cine internacional?				
11.	¿Quién considera el reconocimiento internacional como un hito que marca sus inicios en el cine?				
12.	¿Quién espera que su reciente película marque realmente sus inicios como director?				
13.	¿Quién tuvo dificultades en sus inicios como director?				
14.	¿Quién empezó a trabajar en cine para difundir realidades sociales injustas?				
15.	¿Quién dice que el cine le ha gustado toda la vida?				
16.	¿Quién dice que sus deseos por ser director de cine no surgieron en la niñez?				

TEXTOS

A. Raúl Ruiz

Me empecé a interesar por el teatro muy joven, a los 15 o 16 años, saliendo ya de la escuela secundaria y empecé a escribir, a veces a montar obras de teatro y trabajé muchísimas obras de teatro entre los 15 y los 20 años. Un trabajo bastante intenso. Y hacia los 20 años empecé a encontrar gente que hacía cine. Esos son los años de la irrupción de la *Nueva Ola*, del *Cine Independiente Americano* y del *Nuevo Cine Latinoamericano*. Sobre todo, en esos momentos, del *Nuevo Cine Argentino*, que trataba de subvertir las reglas de la industria cinematográfica y de crear no solo una industria nacional de cine independiente, sino crear un movimiento estético radicalmente distinto del cine que se conocía hasta ese entonces.

Extraído de http://milinviernos.com

B. Fran Mateu

En realidad, en estos momentos estoy en mis inicios del cine y de la dirección. Después de hacer muchos ejercicios de rodaje, *Historia muerta* ha sido el primer corto, de muy bajo presupuesto. Confío en que este trabajo simbolice básicamente eso, el inicio. Y respecto a querer ser director, no fue algo precoz, aunque siempre había disfrutado del cine, sobre todo del género fantástico y del terror. No puedo negar que Fritz Lang, Hitchcock, Murnau, Dreyer o Tourneur fuesen una motivación fundamental para querer acceder a ese mundo y querer contar historias que me motiven para poder utilizar el lenguaje cinematográfico que he aprendido estos años y que espero seguir aprendiendo.

Extraído de www.klownsasesinos.com

C. Beto Gómez

Mis inicios fueron a mediados de los noventas. Y una de las cosas que percibí es que cuesta trabajo hacer equipo, al menos en la experiencia de mis dos primeras películas. Cuando yo hacía cosas aquí en Guadalajara, era muy difícil entrar y encontrar gente que quisiera meterse en la locura del cine. Conocía poca gente, y cuando hice mi primera película me di cuenta de que no eran capaces ni de prestarme una claqueta, y existía ese rollo muy caníbal de decir "no lo va a lograr". Es duro, y al final de cuentas los más fuertes son los que se van quedando. Porque creo que cuando empiezas, al menos en México, no tienes ni el dinero, ni el equipo, ni las cuestiones técnicas, lo único que tienes es tu cabezonería y pasión o tu propia ingenuidad y eso es lo que te hace fuerte.

Extraído de www.elojoquepiensa.net

D. Federico García

El principio de todo fue mi interés por la fotografía, por la imagen. Tenía mi propio laboratorio y equipos que yo mismo fabricaba. Luego ejercí el periodismo como jefe de prensa del Ministerio de Energía y Minas, hasta que sucedió un hecho que me llevó a realizar mi primer registro en cine: me refiero al descubrimiento del Petróleo en Pabayacu-Cuzco, en los años 70. Fui a cubrir ese hecho y me di cuenta de que mientras el país celebraba los chorros de petróleo, los verdaderos héroes, los obreros, vivían en condiciones de abandono y enfermedad. Dimos a conocer esta situación registrándola con una cámara de 16 mm: a este trabajo lo llamé *Los Trocheros*. Otro de mis primeros trabajos y que me abrió el campo al cine grande, por ganar un premio de la crítica en Moscú, fue *Kunturwachana* (*Donde nacen los cóndores*), que trata sobre cómo los comuneros llevaban a cabo el proceso de reforma agraria en ese entonces.

Extraído de http://trincheradelcine.blogspot.com

Tarea 3   Instrucciones:

Lea el siguiente texto, del que se han extraído seis fragmentos. A continuación lea los ocho fragmentos propuestos (A-H) y decida en qué lugar del texto (17-22) hay que colocar cada uno de ellos.

Hay dos fragmentos que no tiene que elegir.

TEXTO

¿LAS 100 MEJORES PELÍCULAS IBEROAMERICANAS DE TODOS LOS TIEMPOS?
Hernán Montecinos

Ha sido publicada la primera encuesta mundial sobre "Los 100 mejores títulos del cine iberoamericano", convocada por el portal de información cinematográfica "noticine.com". La particularidad de esta encuesta es que participaron en ella, tanto especialistas del ramo, léanse críticos, profesionales del cine, periodistas, organizadores de festivales, así como también el público en general; **17.** _____H_____.

En su resultado final la película cubana *Memorias del subdesarrollo* (1968), del realizador Tomás Gutiérrez Alea ocupó el primer lugar de las preferencias, seguida por la hispano-mexicana *El laberinto del fauno* y la mexicana *Los olvidados*, de Luis Buñuel.

18. _____A_____; simplemente una película excepcional, la mejor de las 100 películas que acapararon las preferencias. **19.** _____B_____, al ubicar las mejores películas según un criterio de gusto o popularidad que no es lo mismo que calidad. Más distorsión se produce aún cuando comprobamos que varias películas que deberían figurar en un lugar de preferencia en el listado, ni siquiera aparecen mencionadas en el *ranking*.

20. _____F_____: una exageración, un despropósito, en desmedro de otras mejores que se ubican en lugares menos privilegiados.

21. _____D_____; algo así como querer mezclar peras con manzanas. Claro, porque si bien es cierto que todas pueden ser comparadas, tomando en consideración los mismos elementos para ser calificadas (argumento, guion, dirección, fotografía, estética, actuaciones, etc.), no es lo mismo comparar una película que pertenezca al género drama con el del género de la comedia, o al género histórico, épico, musical, documental, animación, terror, etc. **22.** _____C_____.

Estimo que fue demasiado pretencioso, por parte de los organizadores, exhibir los resultados finales como "las mejores 100 películas iberoamericanas de todos los tiempos". Por el tipo de convocatoria, y más aún, a la luz de sus resultados, este *ranking* más bien definió el mayor gusto de los lectores antes que la calidad misma de estas. Sin duda, entiendo que, sin pretenderlo, los organizadores, no tuvieron a la vista lo que hay detrás de esta sutileza, un dato no menor que desvirtúa el propósito de la encuesta.

Extraído de *http://critica.cl/cine*

FRAGMENTOS

A. Sin duda, en mi opinión, la favorecida en la encuesta (*Memorias del subdesarrollo*) ha sido todo un acierto.

B. Sin embargo, no podría decir lo mismo del resto, cuyo orden en el listado representa una distorsión.

C. Desde este punto de vista sería más acertado hacer que los *rankings* persiguieran las mejores películas en cada uno de sus géneros.

D. Pero quizá el mayor error de este tipo de *ranking*, en mi opinión, es el que se quiera meter a todas las películas dentro de un mismo saco.

E. La mayoría de las películas elegidas no representa realmente el cine iberoamericano.

F. A decir verdad muchos reparos se le pueden hacer al listado, empezando por el 2.º lugar para *El laberinto del fauno*.

G. creo que el público no especializado no entiende de cine como para opinar de las mejores películas.

H. aficionados de todo el mundo, vía correo electrónico y por votación directa.

Tarea 4   **Instrucciones:**

Lea el texto y rellene los huecos (23-36) con la opción correcta (a / b / c).

TEXTO

EL HALLAZGO
Sergio Ramírez

– Amigo, ¿no le han dicho a Ud. que _____**23**_____ mucho a G. P.?

Él se sonrió de mala gana. No le gustó la comparación y apenas contestó.

– No, nunca me habían dicho...

Y siguió limpiando los vasos del bar y _____**24**_____ en el estante.

– Jodido, pero sí es exacto, ¿verdad que es exacto?

El tipo le examinaba minuciosamente y llamó a los demás parroquianos para constatar su dicho. Uno de ellos sacó sus anteojos y _____**25**_____ los colocó con cuidado y al cabo de un rato todos afirmaban que sí era cierto, con sonrisas de descubrimiento, como si el fenómeno _____**26**_____ permanecido entre ellos durante tanto tiempo y hasta ahora alguien diera en el clavo.

No había duda de que el hombre era idéntico a G. P. Como si dos gotas de agua. Y a un mozo de bar a quien alguien una vez _____**27**_____ dice así de pronto que entre él y G. P. no hay más diferencia que entre dos y par, necesariamente le pone en un problema […]. Pero en el bar aquel, después del gran descubrimiento, todos los visitantes asiduos fueron haciendo su parte, _____**28**_____ reconstruir en el mozo de bar las formas de G. P. […]

– Si no es G. P. en persona, ¡que me _____**29**_____ un rayo!

El tal G. P. comenzó a acosar al mozo y le _____**30**_____ hasta en el fondo de los vasos que limpiaba, al abrir las llaves de la cerveza, en las botellas, en la superficie de las bandejas, al volverse para el lado del espejo. Alguna vez le había _____**31**_____ actuar en una de sus películas, retratado en alguna revista, pero lo mismo que a Karl Malden o a Pedro Infante, sin _____**32**_____ especialidad. Simplemente le conocía. Pero la cosa es que ahora decían que él era exacto a G. P. y eso no era así nomás. Cada día los parroquianos lo acosaban más con el tal parecido y alguien le pidió hasta que _____**33**_____ para ver si era cierto. […]

Y así las cosas, comenzaron a hacerle vivir –primero en forma pequeñita– su vida de G. P. Le comenzó como un gusanito tierno dentro de su yo. Los primeros síntomas los tuvo cuando al salir de su casa _____**34**_____ el trabajo se quedaba grandes ratos frente al espejo observándose el rostro pulgada a pulgada probándose tímidamente su nueva personalidad. Su G. P. se acentuó cuando temiendo ser visto _____**35**_____ metía furtivamente a los cines que pasaban películas de G. P.

Y estalló definitivamente cuando buscaba ansiosamente los programas de cine para encontrar cintas de G. P. Y _____**36**_____ sus fotos, revistas de cine que hablaran de él, usaba su peinado o sus peinados, estudiaba sus ademanes y ensayaba cada una de sus sonrisas.

Fragmento del cuento "El hallazgo" (1963), en *Perdón y olvido* (2009), de Sergio Ramírez

OPCIONES

23. a) parece   b) se ve   c) se parece
24. a) acomodando   b) acomodándolos   c) acomodado
25. a) les   b) le   c) se
26. a) hubiera   b) había   c) habría
27. a) lo   b) se   c) le
28. a) para   b) a pesar de   c) debido a
29. a) cae   b) caiga   c) cayera
30. a) ve   b) veía   c) vio
31. a) querido   b) hecho   c) visto
32. a) alguna   b) ningún   c) ninguna
33. a) sonriera   b) sonría   c) sonríe
34. a) para   b) a   c) desde
35. a) la   b) se   c) le
36. a) colecciona   b) coleccionaba   c) coleccionó

PRUEBA **2** COMPRENSIÓN AUDITIVA Y DE USO DE LA LENGUA

Duración de la prueba: **40 minutos**
Número de ítems: **30**

Tarea 1 **Instrucciones:**

34-39

Usted va a escuchar seis conversaciones breves. Escuche cada conversación dos veces. Después debe contestar a las preguntas (1-6). Seleccione la opción correcta (a / b / c).

Tiene 30 segundos para leer las preguntas.

PREGUNTAS

Conversación 1

1. Según Pablo, ¿qué tipo de películas no le gustan a su amiga?

 ☐ a) Las películas románticas.

 ☐ b) El cine de autor.

 ☐ c) El cine de acción.

Conversación 2

2. El padre está molesto con su hijo porque…

 ☐ a) no quiere ver programas educativos en la televisión.

 ☐ b) siempre quiere ver el canal 6.

 ☐ c) siempre está haciendo *zapping*.

Conversación 3

3. Juan quiere ir al cine con su mujer…

 ☐ a) para que descanse porque está muy ocupada.

 ☐ b) porque Amenábar es su director favorito.

 ☐ c) para pensar y opinar juntos sobre la película.

Conversación 4

4. ¿Qué siente Lucas cada vez que enciende la tele?

 ☐ a) Está feliz porque le encanta la programación.

 ☐ b) Frustración porque hay demasiados programas que no le interesan.

 ☐ c) Indiferencia porque no quiere ver nada en concreto.

Conversación 5

5. ¿Qué tipo de programas ve la madre en televisión?

 ☐ a) Documentales sobre medicina.

 ☐ b) Programas románticos.

 ☐ c) Programas sobre la vida privada de las personas famosas.

Conversación 6

6. Una de ellas piensa que Dicaprio…

 ☐ a) es un actor muy malo.

 ☐ b) es un actor que no destaca por encima de los demás.

 ☐ c) es un actor que ha hecho varias películas no muy buenas.

area 2 | **Instrucciones:**

40

Usted va a escuchar una conversación entre una pareja de amigos, Lucía e Iker, en la que hablan de sus gustos televisivos y cinematográficos. Indique si los enunciados (7-12) se refieren a Lucía (A), a Iker (B) o a ninguno de los dos (C). Escuche la conversación dos veces.

Tiene 20 segundos para leer los enunciados.

PREGUNTAS

	A. Lucía	B. Iker	C. Ninguno de los dos
0. En una película hay tensión porque siempre tienes ganas de llegar al final.	X		
7. Se ríe mucho con los juegos del lenguaje y las situaciones sin sentido.			
8. Le gusta mucho el cine de miedo.			
9. Nunca ve *thrillers* porque le parecen todos iguales.			
10. Con las series de televisión se tarda demasiado tiempo en conocer la resolución de los problemas.			
11. Una de las cosas más difíciles es provocar la risa en otras personas.			
12. No le apetece ver una película en estos momentos.			

Tarea 3

41

Instrucciones:

Usted va a escuchar parte de una entrevista al actor español Javier Bardem. Escuche la entrevista dos veces. Después debe contestar a las preguntas (13-18). Seleccione la respuesta correcta (a / b / c).

Tiene 30 segundos para leer las preguntas.

PREGUNTAS

13. Como afirma el entrevistador, Javier Bardem y él están hablando en…

☐ a) una montaña.

☐ b) la terraza de un bar.

☐ c) el edificio más alto de España.

14. ¿Tiene Javier Bardem miedo a las alturas?

☐ a) Sí.

☐ b) Sí, pero solo si no hay ningún tipo protección.

☐ c) No, nunca.

15. En este momento de su vida Javier Bardem…

☐ a) reflexiona sobre el pasado, sus éxitos y fracasos.

☐ b) mira con ilusión al futuro para ver en qué puede mejorar.

☐ c) tiene demasiado trabajo para pensar en su trayectoria como actor.

16. Para Javier Bardem el éxito…

☐ a) consiste en hacer tu trabajo lo mejor que puedas.

☐ b) está relacionado con el lujo, los viajes y las fiestas.

☐ c) es que los demás te digan siempre que haces tu trabajo muy bien.

17. Según el entrevistador, el éxito de Javier Bardem hace que…

☐ a) sea dueño de una gran fortuna.

☐ b) sea conocido en todo el mundo.

☐ c) pueda decidir qué proyectos le interesan.

18. En su vida como actor Javier Bardem…

☐ a) a veces ha hecho cosas que no le gustaban.

☐ b) ha trabajado siempre en lo que le ha gustado.

☐ c) él siempre ha trabajado en lo que le ofrecían.

área 4 | Instrucciones:

42

Usted va a escuchar a seis personas que dan consejos para ser seleccionados en los *casting* de televisión. Escuche la audición dos veces.

Seleccione el enunciado (A-J) que corresponde al tema del que habla cada persona (19-24). Hay diez enunciados incluido el ejemplo. Seleccione solamente seis.

Ahora escuche el ejemplo:

PERSONA 0

La opción correcta es el enunciado G

0	A	B	C	D	E	F	G	H	I	J

Tiene 20 segundos para leer los enunciados.

ENUNCIADOS

A La honestidad es fundamental.

B Sea cual sea el tipo de *casting* al que te presentas, es esencial el ingenio y la agilidad.

C No resulta aconsejable insistir para conocer la decisión de los jurados.

D En general lo más recomendable en un *casting* es ser auténticos y realistas al darnos a conocer.

E Si se elige contar una mentira en el *casting*, lo mejor es esperar hasta el final del concurso para revelar la verdad.

F Identificar tu huella personal, aquello que te distingue de los demás, puede ayudarte a ser seleccionado.

G No existen consejos generales o absolutos que puedan asegurar al cien por cien tu éxito en un *casting*.

H Es aconsejable manejar la frustración ante una respuesta negativa, no rendirse y volverlo a intentar en otra ocasión.

I No es recomendable sentir nervios ni antes ni después del *casting*.

J Superar la vergüenza y atreverse a darlo todo en el escenario es un punto muy valorado por los jurados de un *casting*.

	PERSONA	ENUNCIADO
	Persona 0	G
19	Persona 1	
20	Persona 2	
21	Persona 3	
22	Persona 4	
23	Persona 5	
24	Persona 6	

Tarea 5 **Instrucciones:**

43 Usted va a escuchar a una mujer hablando sobre el director de cine español Luis Buñuel. Escuche la audición dos veces. Después debe contestar a las preguntas (25-30). Seleccione la opción correcta (a / b / c).

Tiene 30 segundos para leer las preguntas.

PREGUNTAS

25. La narradora habla de uno de los problemas de salud más conocidos de Luis Buñuel:

☐ a) No podía hablar bien.

☐ b) Era cojo.

☐ c) Tenía problemas de audición.

26. En su estancia en París, Buñuel fue bien recibido por los surrealistas debido…

☐ a) a que era muy simpático y les cayó bien.

☐ b) a que hizo una película que les gustó mucho.

☐ c) a que tenía mucho dinero para hacer cine.

27. Buñuel viajó a México donde trabajó haciendo cine a causa de…

☐ a) que quería conocer el mundo.

☐ b) la Guerra Civil española.

☐ c) unas vacaciones.

28. Luis Buñuel conocía perfectamente el mundo del cine porque había trabajado como…

☐ a) asistente de dirección, productor, guionista y actor.

☐ b) guionista, actor y decorador.

☐ c) director, actor, guionista y operador de cámara.

29. Buñuel consiguió el primer Óscar para un director español en el año…

☐ a) 1982

☐ b) 1974

☐ c) 1972

30. Según Luis Buñuel, ¿qué es el misterio?

☐ a) Lo más importante en la vida.

☐ b) Lo que hace que el hombre se haga preguntas.

☐ c) La característica fundamental del arte.

PRUEBA 3 EXPRESIÓN E INTERACCIÓN ESCRITAS

Duración de la prueba: **80 minutos**

area 1

Instrucciones:

44

Usted está interesado en participar en un concurso en el que se regalarán dos entradas para ir al cine a ver la película española *Los ojos de Julia*. Después de escuchar el tráiler de la película, escriba un correo electrónico al cine organizador del evento para entrar en el sorteo. El email deberá incluir:

- presentarse;
- explicar por qué le gusta ir al cine;
- explicar qué tipo de película cree que es *Los ojos de Julia*: acción, comedia, etc.
- exponer las razones por las que cree que debe ganar las entradas;
- comentar brevemente las ventajas e inconvenientes relacionadas con ver las películas en la sala de cine o en casa.

Número de palabras: **entre 150 y 180**.

Tarea 2 **Instrucciones:**

Elija una de las dos opciones que se ofrecen a continuación.

OPCIÓN 1:

Usted colabora en una revista de actualidad internacional. Su editor le ha pedido que escriba un artículo sobre la influencia de los medios *on-line* en el consumo de películas de los españoles. En el artículo debe incluir y analizar la información que aparece en el siguiente gráfico, que indica la variación de las ganancias económicas del mercado cinematográfico *on-line* en los últimos años en España.

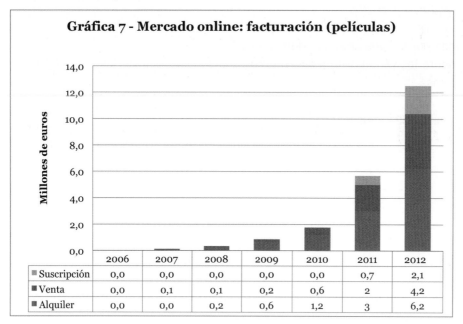

Gráfica 7 - Mercado online: facturación (películas)

	2006	2007	2008	2009	2010	2011	2012
Suscripción	0,0	0,0	0,0	0,0	0,0	0,7	2,1
Venta	0,0	0,1	0,1	0,2	0,6	2	4,2
Alquiler	0,0	0,0	0,2	0,6	1,2	3	6,2

Extraído *de http://cine-hollywood-europa.blogspot.com*

Redacte un texto en el que deberá:
- comentar la variación de las ganancias generadas por el mercado de cine *on-line* en España en los últimos años;
- exponer posibles explicaciones para fundamentar esas variaciones, pensando en los consumidores de estos productos;
- destacar los datos que considere más relevantes;
- expresar su opinión sobre la información general recogida en el gráfico;
- elaborar una conclusión.

Número de palabras: **entre 150 y 180.**

OPCIÓN 2:

Usted escribe en un blog sobre cine. Ayer asistió al *avant première* de una película que se estrenará pronto y debe escribir una crítica sobre la misma. A continuación puede ver la información extraída del volante que repartieron en la sala.

"SÉPTIMO"

Dirección: Patxi Amezcua
País: España
Año: 2013
Género: Thriller
Actuación: Ricardo Darín, Belén Rueda, Luis Ziembrowski, Jorge D'Elía, Osvaldo Santoro.
Estreno en España: noviembre de 2013
Sinopsis: Como cada día, Marcelo recoge a sus hijos en el piso de su exmujer. Como cada día juegan a "a ver quién llega antes": ellos bajan por las escaleras, él en el ascensor, un divertimento que a su expareja no le gusta. Pero cuando un día Marcelo llega el primero al piso de abajo los niños no están. No están en ningún sitio. El miedo empieza a aflorar cuando una llamada telefónica los catapulta al horror: un secuestrador pone precio a la liberación de sus hijos. Marcelo tendrá que asumir la fragilidad de su mundo y decidir hasta dónde está dispuesto a llegar para recuperarlos.

Extraído de *http://www.labutaca.net*

Redacte un texto en el que deberá:
- hacer una pequeña introducción sobre la importancia de asistir al cine;
- comentar su opinión sobre el género *thriller*;
- comentar y valorar su experiencia en el estreno de esta película;
- valorar la interpretación de los actores;
- contar cómo reaccionó el público que asistió al espectáculo;
- elaborar una opinión personal sobre la película.

Número de palabras: **entre 150 y 180.**

PRUEBA 4 EXPRESIÓN E INTERACCIÓN ORALES

Duración de la prueba: **15 minutos**
Tiempo de preparación: **15 minutos**

Tarea 1

Instrucciones:

Le proponemos un tema con algunas indicaciones para preparar una exposición oral. Tendrá que hablar durante 2 o 3 minutos sobre ventajas e inconvenientes de una serie de soluciones propuestas para una situación determinada. A continuación, conversará con el entrevistador sobre el tema.

Duración total de esta tarea: **4-5 minutos**

El precio de las entradas para ir al cine o al teatro ha subido demasiado en los últimos años. Este hecho provoca que el número de espectadores que regularmente acuden a este tipo de eventos haya disminuido considerablemente en su ciudad. Las personas prefieren consumir cine o música sin moverse de casa porque es mucho más barato.

Las entradas para el cine y el teatro deberían ser muy baratas siempre para que todas las personas puedan pagarlas.

Si los actores y actrices no cobraran tanto por hacer una película las entradas para el cine serían más asequibles.

Todos deberíamos dejar de ir al cine o al teatro hasta que las entradas fuesen más baratas. Sería una protesta colectiva.

Ir al cine, al teatro o a un concierto forma parte de la educación cultural de un país. Sería un grave problema dejar que poco a poco la gente dejara de ir. Es el gobierno el que debería hacer algo.

Si los precios del teatro o el cine son tan caros es porque hacer una película o montar una obra de teatro es muy caro. Yo creo que deberían dejarse así.

La mejor idea es ver las películas en casa. Además de no pagar la entrada puedes comer lo que quieras y hacer ruido.

EXPOSICIÓN:

Ejemplo: *En cuanto a que la mejor idea es ver películas en casa le veo una ventaja muy clara…*

CONVERSACIÓN:

Una vez el candidato haya hablado de las propuestas de la lámina durante el tiempo estipulado (2 minutos), el entrevistador le hará algunas preguntas sobre el tema hasta cumplir con la duración de la tarea.

EJEMPLO DE PREGUNTAS DEL ENTREVISTADOR:

Sobre las propuestas
- De las propuestas dadas, ¿cuál le parece la mejor?
Sobre su realidad
- ¿Cree que en su país las entradas de cine y de teatro tienen un precio excesivo?
Sobre sus opiniones
- ¿Opina que es importante que todas las personas que así lo deseen puedan pagarse una entrada de cine? ¿Por qué?

Tarea 2 **Instrucciones:**

Usted debe imaginar una situación a partir de una fotografía y describirla durante unos dos minutos.

A continuación conversará con el entrevistador acerca de sus experiencias y opiniones sobre el tema de la situación. Tenga en cuenta que no hay una respuesta correcta: debe imaginar la situación a partir de las preguntas que se le proporcionan.

Duración total de esta tarea: **3-4 minutos**

UNA SITUACIÓN MOLESTA

Las personas de la fotografía están en el cine y aparentemente ha surgido un inconveniente. Imagine la situación y hable de ella durante, aproximadamente, dos minutos. Estos son algunos aspectos que puede comentar:

- ¿Quiénes son estos personajes? ¿Cuál piensa que es la relación entre ellos?
- ¿Dónde piensa que están estas personas? ¿Qué están haciendo?
- ¿Cuál será el problema que ha surgido? ¿Cómo lo sabemos?
- ¿Cómo imagina que es la personalidad del hombre que está al centro de la fotografía? ¿Por qué?
- ¿Cómo se siente el hombre en este momento? ¿Por qué?
- ¿Cómo se sienten las demás personas en este momento? ¿Por qué?
- ¿Qué cree que va a ocurrir después? ¿Cómo va a terminar la situación?

Una vez haya descrito la fotografía durante el tiempo estipulado (2 minutos), el entrevistador le hará algunas preguntas sobre el tema de la situación hasta cumplir con la duración de la tarea.

EJEMPLO DE PREGUNTAS DEL ENTREVISTADOR:

- *¿Le gusta ir al cine? ¿Qué tipo de películas son sus favoritas?*
- *¿Puede recordar cuándo fue la última vez que asistió al cine? Descríbalo.*
- *¿Alguna vez usted o algún conocido han vivido en el cine una situación similar a la de la foto?*
- *¿Cómo se sintió cuando ocurrió esa experiencia?*
- *¿Cómo se resolvió el problema?*
- *¿Por qué ocurren estas situaciones incómodas en el cine?*
- *¿Cuál debería ser la actitud del resto del público cuando eso ocurre?*

Tarea 3

Instrucciones:

Usted debe conversar con el entrevistador sobre los datos de una encuesta, expresando su opinión al respecto.

Duración total de esta tarea: **2-3 minutos**

EJEMPLO DE PROPUESTA: INFLUENCIA DE LA TELEVISIÓN EN LOS JÓVENES MEXICANOS

Este cuestionario forma parte del estudio "Encuesta Cultura Política de los Jóvenes en México 2012", desarrollado para el Instituto Federal Electoral de México. Da a conocer los hábitos televisivos de los jóvenes mexicanos y la influencia de la televisión en su vida cotidiana. Responda a las preguntas según su criterio personal:

1. ¿Qué tipo de programación ve con más frecuencia en la televisión?			
Telenovelas		Análisis político	
Noticieros		Cómicos	
Deportivos		Series	
Reality shows y programas de concurso		Otro	
Culturales		No veo	

¿Le da más confianza o no le da confianza?			
2. Noticias en televisión		**3.** Programas de opinión en Televisión	
Le da más confianza		Le da más confianza	
No le da confianza		No le da confianza	
No sabe		No sabe	

Fíjese ahora en los resultados de la encuesta entre los jóvenes mexicanos:

1. ¿Qué tipo de programación ve con más frecuencia en la televisión?			
Telenovelas	33,90%	Análisis político	0,40%
Noticieros	23,00%	Cómicos	3,30%
Deportivos	16,60%	Series	8,80%
Reality shows y programas de concurso	2,50%	Otro	4,90%
Culturales	3,40%	No veo	1,10%

¿Le da más confianza o no le da confianza?			
2. Noticias en televisión		**3.** Programas de opinión en Televisión	
Le da más confianza	52,80%	Le da más confianza	46,20%
No le da confianza	43,10%	No le da confianza	48,10%
No sabe	3,70%	No sabe	5,00%

Extraído de *http://culturadelalegalidad.org.mx*

Comente ahora con el entrevistador su opinión sobre los datos de la encuesta y compárelos con sus propias respuestas:

- ¿En qué coinciden? ¿En qué se diferencian?
- ¿Hay algún dato que le llame especialmente la atención? ¿Por qué?

EJEMPLO DE PREGUNTAS DEL ENTREVISTADOR:

- *¿Ve televisión? ¿Con qué frecuencia?*
- *¿Qué tipo de programación prefiere? ¿Podría poner algunos ejemplos?*
- *¿Qué otras actividades suele hacer mientras ve televisión?*
- *¿Cuáles son las razones por las cuales usted ve televisión? (entretenimiento, información, compañía, etc.)*
- *¿Con qué opción está menos de acuerdo? ¿Por qué?*
- *¿Qué le sorprende de esta encuesta?*

PRUEBA ① COMPRENSIÓN DE LECTURA

Tarea 1

1. C

"El director del FesTVal, Joseba Fiestras, *no pasa por alto el gran reto* que existe hoy en día en la industria televisiva con respecto a las nuevas tecnologías".

2. B

"De este modo, [Fiestras] *deja abierta la puerta a las webseries*, que en España aún no tienen una gran implantación".

3. B

"Aunque muchos contenidos se elaboran pensando solo en la televisión, *cada vez tienen mayor peso las segundas pantallas* (internet, móviles, tabletas). Plataformas como Yomvi, lanzada por Canal +, *permiten ver los programas en todo tipo de dispositivos y cuando el usuario elija*".

4. A

"Además, *el uso de las redes sociales ha hecho que* un determinado tipo de espectadores (sobre todo *jóvenes*) que habían dado la espalda a las emisiones lineales, *hayan vuelto a conectarse a la televisión en directo*".

5. C

"*La expansión de las pantallas es imparable*. Algunos estudiosos pronostican que *en 2020* todo el mundo, *al menos en las sociedades avanzadas, vivirá con cuatro o incluso cinco pantallas*".

6. A

"[…] *hay un trabajo muy complejo*, pues "el usuario cree que es él el que marca el rumbo de la historia, pero en realidad *todo está diseñado por los guionistas. Crear proyectos transmedia no es fácil*".

Tarea 2

7. C

"Es duro, y *al final de cuentas los más fuertes son los que se van quedando*. Porque creo que cuando empiezas […] *lo único que tienes es tu cabezonería y pasión* o tu propia ingenuidad y *eso es lo que te hace fuerte*".

8. A

"Me empecé a *interesar por el teatro muy joven*, a los 15 o 16 años, saliendo ya de la escuela secundaria y *empecé a escribir, a veces a montar obras de teatro y trabajé muchísimas obras de teatro entre los 15 y los 20 años. Un trabajo bastante intenso. Y hacia los 20 años empecé a encontrar gente que hacía cine*".

9. D

"*El principio de todo fue mi interés por la fotografía*, por la imagen. […] *Luego ejercí el periodismo* como jefe de prensa del Ministerio de Energía y Minas, hasta que sucedió un hecho que me llevó a realizar mi primer registro en cine:".

10. A

"*Esos son los años de la irrupción de la Nueva Ola, del Cine Independiente Americano y del Nuevo Cine Latinoamericano*. Sobre todo, en esos momentos, del *Nuevo Cine Argentino*, que trataba de *subvertir las reglas de la industria cinematográfica* y de crear no solo una industria nacional de cine independiente, sino *crear un movimiento estético radicalmente distinto del cine que se conocía hasta ese entonces*".

11. D

"Otro de mis primeros trabajos y que *me abrió el campo al cine grande, por ganar un premio de la crítica en Moscú, fue Kunturwachana* (*Donde nacen los cóndores*) […]".

12. B

"*Historia Muerta ha sido el primer corto*, de muy bajo presupuesto. *Confío en que este trabajo simbolice básicamente eso, el inicio*".

13. C

"*Mis inicios* fueron a mediados de los noventa. Y una de las cosas que *percibí es que cuesta trabajo hacer equipo* […] *era muy difícil entrar y encontrar gente* que quisiera meterse en la locura del cine. *Conocía poca gente*, y cuando hice mi primera película me di cuenta de que *no eran capaces ni de prestarme una claqueta*, y existía ese rollo muy caníbal de *decir 'no lo va a lograr'*."

14. D

"[…] *sucedió un hecho que me llevó a realizar mi primer registro en cine*: me refiero al descubrimiento del Petróleo en Pabayacu-Cuzco, en los años 70. *Fui a cubrir ese hecho y me di cuenta de que* mientras el país celebraba los chorros de petróleo, los verdaderos héroes, *los obreros, vivían en condiciones de abandono y enfermedad. Dimos a conocer esta situación registrándola con una cámara* de 16 mm: a este trabajo lo llamé *Los Trocheros*".

15. B

"[…] *siempre había disfrutado del cine*, sobre todo del género fantástico y del terror".

16. B

"Y *respecto a querer ser director, no fue algo precoz* […]".

Tarea 3

17. H	**20. F**
18. A	**21. D**
19. B	**22. C**

Tarea 4

23. C

El verbo pronominal *"parecerse"*, en su acepción de *similitud*, siempre va *seguido de la preposición "a"* entre los dos objetos comparados.

24. B

El *verbo "acomodar"* está planteado como el *segundo elemento enumerado* entre las acciones que el personaje "siguió haciendo", por lo que *debe mantener la misma forma del primer elemento: "limpiando"*. Esta elección del gerundio nos lleva a descartar la alternativa "c", que está en participio. A la hora de escoger entre las dos opciones restantes, si escogemos "acomodando", necesitaríamos saber *qué es lo que el personaje está acomodando*. Esa ausencia de *objeto directo* se resuelve con la alternativa "b", pues *"acomodándolos"* incluye dentro de sí el pronombre "los", que se refiere a "los vasos del bar".

25. C

En este caso, el *pronombre "se"* marca la presencia de un *verbo reflexivo*, es decir, el personaje *se pone los anteojos a sí mismo*.

26. A

La fórmula *"como si"* indica una comparación de carácter hipotético o irreal entre los elementos presentados. Por su carácter hipotético, *la fórmula "como si" suele ir seguida por verbos en pasado de subjuntivo*, siendo el imperfecto de subjuntivo el más común, tal como *"hubiera"*: la única de las tres alternativas que aparece conjugada en pasado de subjuntivo.

27. C

Aunque la oración del texto está estructurada de forma particular, la idea central sería que: "alguien pone al mozo en problemas cuando le dice (al mozo) que no hay diferencias entre él y un personaje importante (como G.P)". De este modo, es posible identificar que *el verbo "decir" debe ir antecedido por el pronombre de objeto indirecto "le", para marcar quién recibe la acción*. Así, como ya sabemos quién ejecuta la acción de "decir" (alguien) y qué cosa "dice" (objeto directo: "que entre él y G.P no hay más diferencia...", la única información restante sería saber quién recibe la acción. La alternativa "a" no es viable, pues representa un pronombre de objeto directo, y la alternativa "b" sí podría funcionar, aunque el pronombre indefinido "se" solo se usa cuando va acompañado de un pronombre de objeto directo (se+lo/la/los/las), lo que no ocurre aquí.

28. A

Para mantener el sentido del párrafo *necesitamos una cláusula final*, es decir, un conector que indique cuál es la finalidad de la acción. En este caso, *la finalidad u objetivo de "todos los visitantes" es "reconstruir en el mozo de bar las formas de G. P."*.

Atendiendo a *las alternativas, solo una de ellas ("para") es una cláusula final*. Las alternativas "b" y "c" representan cláusulas adversativa y causal, respectivamente, por lo que no aportan un sentido coherente al párrafo.

29. B

La exclamación "¡que me caiga un rayo!", con el verbo "caer" conjugado en presente de subjuntivo, es una *oración independiente que expresa deseos a través del uso de la palabra "que"*. Este uso tendría un *significado similar a la expresión "ojalá que"*. Al tratarse de una expresión de deseos, sabemos que necesitamos usar subjuntivo y descartamos el uso del indicativo, con lo que eliminamos la alternativa "a". En las alternativas restantes tenemos dos formas del subjuntivo (presente e imperfecto), pero elegiremos el presente de subjuntivo ("caiga") pues es la forma más común y aceptada de las oraciones independientes con "que".

30. B

Es necesario utilizar el *pasado imperfecto del verbo "ver" ("veía")*, pues se están narrando una *serie de acciones que el personaje comenzó a realizar en el pasado de manera rutinaria* luego de presentarse la acción principal, marcada en la forma del pretérito (G. P. comenzó a acosar al mozo).

31. C

Todas las alternativas están correctamente conjugadas en participio (para formar así una estructura de pluscuamperfecto de indicativo), por lo que tenemos que *fijarnos en el significado de cada una de ellas y elegir la que otorgue más coherencia* al párrafo. La alternativa "a" no tendría sentido gramatical, dada la presencia del pronombre "le". "Hecho" y "visto" sí pueden funcionar con el pronombre "le", pues son verbos que pueden incluir objeto indirecto (alguien que recibe la acción). En el caso de "hacer", la expresión "le había hecho actuar" tiene sentido si la idea es que alguien provoca que otra persona actúe. Sin embargo, ese no es el sentido del párrafo, pues no hay nadie provocando en otros la acción de actuar, con lo que se descarta la alternativa "b" y *seleccionamos la alternativa "a" al constatar que "el mozo había visto actuar a G. P. en una de sus películas" tiene total sentido*.

32. C

Las *tres alternativas* ofrecen *adjetivos indefinidos*, por lo que hay que escoger pensando en la coherencia de la expresión. Considerando que *"especialidad" es femenina*, descartamos la alternativa "b" que es un adjetivo indefinido en forma masculina. Al fijarnos en las opciones restantes, vemos que "alguna" tiene un significado de "próximo a uno" y marca la existencia de la cosa referida. Por el contrario, *"ninguna" es la negación de la existencia de la cosa referida*. De esta forma, guiándonos por la *preposición "sin" ubicada antes del espacio en blanco, vemos que se está negando la existencia de "especialidad", por lo que debemos seleccionar la alternativa "c"*.

33. A

"Pedir" es uno de los múltiples verbos que indican influencia sobre las acciones de otra persona (tal como "querer", "aconsejar", "ordenar", entre otros). Este tipo de *verbos de influencia suelen ir acompañados por verbos en subjuntivo*. El tipo de subjuntivo dependerá del tiempo verbal en que está conjugado el verbo principal (en este caso "pedir"). Si aparece en presente, entonces necesitamos presente de subjuntivo. Pero *si el verbo principal está conjugado en pasado, necesitaremos el segundo verbo en imperfecto de subjuntivo*, tal como en este caso, en que el *verbo "pidió" va acompañado del verbo "sonriera"*.

34. A

En esta oración, *necesitamos seleccionar una preposición que indique que el personaje "sale desde su casa para (hacia) el trabajo". La única alternativa que establece la casa como lugar de origen es la primera, donde "de" funciona del mismo modo que "desde"*. Atendiendo a las otras alternativas, "salir *a* su casa" indicaría salir "en dirección a su casa", lo que estaría en contradicción con la expresión "para el trabajo", que ya indica que la dirección es hacia el trabajo. En cuanto a "por", la única opción coherente de "salir *por* su casa" es que el personaje utilice la casa como un medio a través del cual se llega al destino, lo que no resulta coherente con la idea del texto.

35. B

Para escoger el pronombre adecuado tenemos que *pensar en el objeto directo* de la oración o, en otras palabras, responder a la pregunta *"¿qué cosa era metida (furtivamente) a los cines?"*. Si el sujeto está hablando de un objeto femenino, podría escoger la opción "a", pero la oración no tiene ningún objeto de estas características. *La opción más lógica es que "el sujeto entre a los cines", ante lo cual nos hallamos ante una expresión reflexiva, que requiere la forma "se" de la opción correcta*. Finalmente, el pronombre "le" requiere la presencia de un receptor de la acción, en su forma de objeto indirecto, lo que no ocurre en este caso.

36. B

Considerando el contexto, *este párrafo está describiendo diferentes acciones que el protagonista desarrollaba en el pasado de forma constante o rutinaria*. Esto nos lleva a escoger el *pretérito imperfecto* como el tiempo verbal más adecuado *(alternativa "b")*. La idea se refuerza si atendemos al significado del verbo "coleccionar", que implica un trabajo paso a paso que se sostiene y se repite a lo largo del tiempo, lo que confirma que no se trata de una acción específica del pasado, es decir, no debería conjugarse en pretérito indefinido.

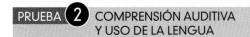

PRUEBA 2 COMPRENSIÓN AUDITIVA Y USO DE LA LENGUA

Tarea 1

1. C

"Si yo confío en ti, lo que pasa es que tengo miedo a aburrirme porque *a ti no te van ni los tiros ni las persecuciones...*".

2. A

"Bueno, ahora miro... pero *también tendrás que ver de vez en cuando algún documental*, ¿no? *La televisión no solo sirve para divertirse*".

3. A

"Mujer, yo pensé que *ir al cine* te serviría para *desconectar*".

4. B

"Cada vez que enciendo la televisión me entran *ganas de tirarla por la ventana*".

5. C

Mujer1: Mamá, ¿otra vez viendo los *programas del corazón?* [...]

Mujer2: ¡Ay! Hija, déjame ver lo que me dé la gana [...] *estos programas son estupendos para no pensar en nada*".

6. B

Mujer2: Chica, ya estoy cansada de que salga en todos los lados. Además me *parece un actor del montón*; guapo, sí, pero *como actor del montón*...

Mujer1: Ay, pero, ¿qué dices? Es un chico guapísimo y un gran actor".

Tarea 2

7. A

Lucía: "disfruto mucho riéndome de todo y de todos. *Las situaciones absurdas me parecen las más cómicas*... ¡Ah! Y los *juegos de palabras* también...".

8. B

Iker: "[...] lo que pasa es que *a mí me gusta más lo siniestro, lo gótico,* ya sabes... *las películas de terror*".

9. C

10. A

Lucía: "A mí lo que no me gusta de *las series es que siempre te quedas a medias*, hasta que no llegas *al final de la temporada no sabes quién es el culpable o el asesino*".

11. B

Iker: "Yo creo que *una de las cosas más difíciles es hacer reír a los demás*...".

12. A

Lucía: "¿Sabes una cosa? *Creo que me está apeteciendo ver una serie*...".

Tarea 3

13. C

"Vamos a empezar desde el principio. A ver, *estamos en el lugar más alto de España, estamos a 250 m de altura* ¿tienes vértigo? [...] Pues Javier Bardem *muchas gracias por habernos acompañado aquí, a las alturas de Madrid*".

14. B

"*No si hay un cristalito... por medio. Si no hay cristal...* hice "Huevos de oro" y *estaba en una torre* que luego se hizo un hotel y tal, y *estábamos en la obra propia sin límites, sin barandilla* y tal, y *ahí sí lo pasé mal*".

15. B

" [...] *Ahora* hay que *poner la atención en mirar adelante y saber si viene algo que pueda hacerte crecer un poquito más* cada vez... ese es el tema".

16. A

"*A mi juicio* y a juicio de muchas personas *creo que el éxito tiene que ver con un algo más interno* ¿no?, con *la sensación de que uno hace lo que puede y lo hace todo lo mejor que puede*".

17. C

"[...] lo que *sí es indudable* es que el éxito, *el éxito bien entendido, te ha permitido ser dueño de tu carrera* y eso es un privilegio".

18. A

"[...] Aun así, *hay momentos en los que uno se encuentra sin nada que le apetezca hacer* o *tiene que hacer cosas que no le apetece hacer* porque preferiría estar haciendo otra cosa".

Tarea 4

19. D

"Independientemente del casting al que os presentéis, *tratad de ser siempre vosotros mismos, no intentéis describiros como alguien perfecto*, pues todos sabemos que la perfección no existe".

20. F

"[...] *Todos tenemos algo que nos hace especiales. Buscá eso* en tu personalidad y también físicamente. Esa es tu *marca de identidad*: algo que es solo tuyo. *Con ella tenés que convencer al jurado para que te seleccione*".

21. A

"En estos castings *os recomiendo que siempre digáis la verdad* y que no tratéis de mentir para así llamar la atención y ser escogidos".

22. J

"También es muy importante que hagáis todo lo que se os pide y que *no os cortéis para nada*. [...] Si el *casting* cuenta con pruebas de cantar, bailar o cualquier otro tipo de actividad, dependiendo del *reality* al que os presentéis, *insisto en que lo deis todo y que os entreguéis al máximo*".

23. C

"Si son seleccionados los llamarán en pocos días, *no hace falta que se obsesionen ni que llamen a productoras ni a cadenas de televisión para peguntar por el resultado*".

24. H

"[...] *si no sois seleccionados, no se acaba el mundo, la vida sigue, posiblemente otro día os llegará una oportunidad*, quién sabe. Con la cantidad de programas que existen en la televisión de hoy en día, no es muy complicado ser seleccionado para un concurso de este tipo".

Tarea 5

25. C

"Fue *sordo* y exiliado como Goya, inclasificable, también como el pintor aragonés".

26. B

"Marchó a *París* y entró en *contacto con las Vanguardias artísticas* que *aplaudieron Un perro andaluz* como el *verdadero manifiesto del Surrealismo llevado a la pantalla*".

27. B

"Luego *vino la guerra*. Estuvo en Nueva York, en Hollywood y, *finalmente, en México donde recaló para dirigir unas cuantas películas*".

28. A

"[...] había trabajado como *asistente de director, productor, guionista* y *actor*".

29. C

"En *1972* consiguió el primer Óscar para un director español con *El discreto encanto de la burguesía*".

30. C

"El misterio es *el elemento clave en toda obra de arte*".

5 Naturaleza y medioambiente

PRUEBA ❶ COMPRENSIÓN DE LECTURA

Duración de la prueba: **70 minutos**
Número de ítems: **36**

Tarea 1 **Instrucciones:**

Usted va a leer un texto sobre una mujer que ha hecho una labor ambiental muy valiosa. Después, debe contestar a las preguntas (1-6).
Seleccione la respuesta correcta (a / b / c).

TEXTO

MEXICANA AMBIENTALISTA ES CAMPEONA DE LA TIERRA
Eloy Vera

La activista ambientalista Martha Isabel Ruiz Corzo ha sido recientemente galardonada con el premio Campeones de la Tierra, el mayor reconocimiento ambiental de las Naciones Unidas. El trabajo de esta mexicana, más conocida como "Pati", ha contribuido a asegurar el futuro de uno de los ecosistemas más importantes de México y a apoyar a las comunidades rurales más desfavorecidas del país.

Ruiz Corzo, de 60 años, es la directora de la Reserva de la Biósfera de Sierra Gorda, el área natural protegida con mayor diversidad ecológica de México, descrita como una "joya verde" en el corazón de ese país. Esta reserva es un ejemplo de gestión público-privada del ecosistema en la que el ecoturismo, la gestión de residuos y los proyectos de conservación proporcionan ingresos a sus cientos de residentes, y aseguran el futuro de un rico hábitat que una vez estuvo amenazado por la deforestación y el desarrollo no planificado.

En 1997, diez años después de que Pati, su marido y algunos residentes de la zona fundaran el Grupo Ecológico Sierra Gorda, se logró que el Gobierno de México le concediera a la zona el estatus de Reserva de la Biósfera. Este es el único caso en México de una reserva nacida por iniciativa de la base social.

La reserva cuenta con más de 380.000 hectáreas de bosque y varios ecosistemas que gozan de un estatus especial de conservación. La mejora de la administración comunitaria del medioambiente que impulsó Pati, ha conducido a una considerable disminución de las prácticas destructivas de la tierra. Otra buena noticia es que las especies amenazadas que viven en la reserva ahora están aumentando en número, incluyendo los jaguares, las mariposas y la vida acuática.

Los pilares que han sustentado e inspirado el arduo trabajo de Ruiz Corso durante estos años, según ella misma propone, son "una ola de amor por la Tierra, salvaguardando el sagrado tejido de la naturaleza, un emprendimiento individual y colectivo, ojos y oídos para la emergencia, todo el compromiso, la creatividad y la pasión para aliviar con acciones el peso de nuestra sociedad sobre el planeta".

En esta misma línea, el subsecretario general de las Naciones Unidas y director ejecutivo del PNUMA, Achim Steiner, afirmó que "la transformación de la Biósfera de Sierra Gorda, de un ecosistema críticamente amenazado, en un ejemplo viviente de conservación a través de la economía verde y de la acción comunitaria, es testimonio del trabajo inspirador de Pati durante las últimas tres décadas".

El galardón Campeones de la Tierra reconoce cada año a líderes gubernamentales, miembros de la sociedad civil y del sector privado cuyas acciones han tenido un impacto positivo para el medioambiente. El premio es otorgado por el Programa de las Naciones Unidas para el Medio Ambiente (PNUMA).

Extraído de *http://www.revistaecoguia.com*

PREGUNTAS

1. Martha Isabel Ruiz Corzo…

    ☐ a) es una joven ambientalista premiada por las Naciones Unidas.

    ☐ b) trabaja apoyando a las comunidades rurales más desfavorecidas de Latinoamérica.

    ☒ c) ha sido reconocida por su importante labor en la protección del medioambiente.

2. La Reserva de la Biósfera de Sierra Gorda…

    ☒ a) se creó gracias a las gestiones de Martha apoyada por un equipo de gente.

    ☐ b) produce joyas y turismo que favorecen el ingreso de recursos a sus habitantes.

    ☐ c) está amenazada por la deforestación.

3. ¿Por qué el texto afirma que Sierra Gorda "es el único caso en México de una reserva nacida por iniciativa de la base social"?

    ☐ a) Porque los proyectos que ahí se realizan tienen como objetivo apoyar el desarrollo de las comunidades residentes.

    ☒ b) Porque fue impulsada gracias a la gestión ciudadana.

    ☐ c) Porque la acción del Grupo Ecológico Sierra Gorda está motivada por fines sociales.

4. Algunos logros alcanzados gracias a la gestión de la reserva son…

    ☐ a) la ampliación del territorio protegido (a 380 000 hectáreas).

    ☒ b) el incremento de la fauna antes amenazada.

    ☐ c) la mejora de la administración comunitaria.

5. La filosofía detrás del trabajo de Ruiz Corso se podría resumir en…

    ☒ a) pasión y entrega.

    ☐ b) trabajo en equipo.

    ☐ c) creatividad en la manufactura de tejidos naturales.

6. El premio recibido por Pati…

    ☐ a) fue entregado por el director de PNUMA, Achim Steiner.

    ☐ b) es entregado desde hace tres décadas a diferentes personas comprometidas con el cuidado del medioambiente.

    ☒ c) es entregado ya sea a políticos, empresarios o ciudadanos.

Tarea 2

Instrucciones:

Usted va a leer cuatro textos en los que cuatro personas cuentan cómo y por qué se hicieron activistas del medioambiente.

Relacione las preguntas (7-16) con los textos (A, B, C y D).

PREGUNTAS

		A Vandana	B David	C Steve	D Gisele
7.	¿Quién valora positivamente una decepción que se presentó en su experiencia de voluntariado?				
8.	¿Quién cree que el activismo ecológico enriquece también la calidad humana?				
9.	¿Quién está muy interesado en difundir y divulgar el mensaje ecológico?				
10.	¿Quién considera la autonomía y el motor propio como valores clave en el trabajo de un activista ambiental?				
11.	¿Para quién la ecología va de la mano con temas de género?				
12.	¿Quién se convirtió en voluntario como resultado de una búsqueda personal?				
13.	¿Quién considera que el nivel de estudios no asegura un conocimiento real sobre la naturaleza?				
14.	¿Quién se sintió llamado a trabajar por la ecología luego de conocer una comunidad de nativos?				
15.	¿Quién veía en el trabajo de voluntario la posibilidad de familiarizarse con una nueva cultura e idioma?				
16.	¿Quién desarrolla acciones ecológicas en su pueblo natal?				

TEXTO

A. Vandana

Mi padre era conservador medioambiental en un valle del Himalaya, pero mi cambio fue en la universidad, donde me hice voluntaria del movimiento Chipko. Eran mujeres que protegían los árboles. Al acabar los estudios creé una ONG de investigación independiente porque me di cuenta de que quienes cortaban los árboles eran quienes hacían los informes, y el resultado siempre era a su favor. La gente necesitaba sus propias investigaciones. El lema era que había que dejar de robar a la Naturaleza y que las cosas debían hacerse desde una perspectiva femenina. […] Yo soy física, pero ese título no basta. […] El fin de esta ONG es proteger la biodiversidad y las semillas, cuyo conocimiento ancestral siempre ha estado en manos de las mujeres. […] Es importante escuchar a todos, a la gente normal, a las mujeres, aunque no tengan títulos.

Extraído de *http://www.elmundo.es*

B. David

Tras mucho tiempo manteniendo esa terrible lucha entre el querer y el poder, decidí aventurarme en la búsqueda de respuestas que pudieran saciar mi sed interior por tratar de convertirme en un mejor invitado de nuestro querido anfitrión: nuestro planeta y, con ello, tratar de hacer mejores a los que me rodean. […] Llegué a Greenpeace, tarde a mi parecer, con la idea de que nunca haría lo suficiente para lograr grandes éxitos, a pesar de las cualidades que tenga y que pueda aportar al grupo. Es, precisamente esta mi principal motivación: convencerme de que nunca habré hecho suficiente y que siempre se podrá hacer mejor. […] Soy voluntario porque considero que he recibido las señales que me llamaban a ello, señales que en mi interior ya no podían ser eludidas. Señales que me obligaban a abrir los ojos y ver el mundo que me rodea.

Extraído de *http://voluntariadogreenpeace.com*

C. Steve

Me conectaron con una pequeña ONG que promueve la conciencia sobre el medioambiente y la independencia, ayudando a construir jardines de vegetales en las escuelas de los barrios más pobres de las afueras de Buenos Aires. Como todas las organizaciones sin fines de lucro, necesitaban ayuda para la recaudación de fondos (es decir, para la parte de *marketing*). Como tengo un máster en *marketing* y trabajo en publicidad, parecía una buena combinación. Pero las ganas que tenía al principio de conocer gente y hablar español pronto decayeron cuando me di cuenta de que no había un proyecto específico para que yo trabajara, no había horario fijo, ni siquiera un lugar para que yo trabajara. Y ahí fue cuando aprendí la lección para voluntarios N° 1: Yo tenía que tomar la iniciativa. Nadie me iba a llevar de la mano y a decir qué tenía que hacer ni cómo hacerlo.

Extraído de *http://www.helpargentina.org*

D. Gisele

Siempre he estado vinculada a la naturaleza. Crecí en una ciudad pequeña y por eso tuve la posibilidad de mantener estrecho contacto con ella. […] En verdad me incorporé a esta causa y me hice activista después de visitar una tribu indígena en el río Xingu en la Amazonia y ver de cerca los problemas que estaban enfrentando como resultado de la deforestación y la contaminación del agua. Desde entonces me he esforzado por llamar la atención sobre las causas ambientales. […] El Proyecto Agua Limpia tiene por objetivo llevar a la práctica la gestión sostenible del medioambiente, y promueve la recuperación de la vegetación ribereña y las pequeñas cuencas fluviales de la región donde nací. […] Me alegra poder usar mi imagen [de modelo internacional] para atraer la atención sobre estos importantes problemas y dar notoriedad a la causa socioambiental, resaltando los problemas que encara el planeta. Espero persuadir a las personas para que tomen medidas.

Extraído de *http://www.unep.org*

Tarea 3 Instrucciones:

Lea el siguiente texto, del que se han extraído seis fragmentos. A continuación lea los ocho fragmentos propuestos (A-H) y decida en qué lugar del texto (17-22) hay que colocar cada uno de ellos.

Hay dos fragmentos que no tiene que elegir.

TEXTO

BIODIVERSIDAD AMENAZADA

17. _____*D*_____ (se habla de entre 5 y 30 millones aunque algunos autores hablan de hasta cien millones) al menos 1,4 millones poseen una denominación específica. **18.** _____*G*_____, lo cierto es que la velocidad a la que desaparecen es mucho mayor.

Según la UICN cada año se extinguen en el planeta entre 10000 y 50000 especies. **19.** _____*E*_____. Las principales causas de este proceso están ligadas a la acción del ser humano: fragmentación y destrucción del hábitat, sobreexplotación de recursos y muerte directa (intencionada o no), introducción de especies invasoras, comercio de especies y cambio climático.

La conservación de las grandes especies de fauna ha sido siempre una gran preocupación para WWF, que en la actualidad trabaja con más de un centenar de especies y con proyectos en los cincos continentes. **20.** _____*C*_____.

21. _____*B*_____. Su localización geográfica, su cercanía al continente africano, la existencia de dos grandes conjuntos insulares o la disposición de sus montañas han creado unas condiciones óptimas para que España sea uno de los países más ricos de Europa en términos de biodiversidad. En España existen casi 85000 especies de fauna y flora **22.** _____*F*_____, entre las que se incluyen unas 8000 plantas vasculares, 15000 hongos, 50000 invertebrados y 635 especies de vertebrados.

Extraído de *http://www.wwf.es*

FRAGMENTOS

A. La biodiversidad se ve amenazada por muchos factores diferentes a lo largo y ancho de los continentes que forman la Tierra.

B. España es uno de los rincones más privilegiados del continente europeo por lo que se refiere al número de especies.

C. Especies como los grandes simios, los elefantes, el panda, el tigre, las tortugas marinas, los cetáceos o el lince ibérico son prioritarias para nuestra organización.

D. Si bien todavía no existe unanimidad entre los expertos sobre cuántas especies pueden existir en la Tierra.

E. Tanto es así que los científicos hablan ya de una sexta extinción masiva de especies, la primera que se produciría en la tierra desde la desaparición de los dinosaurios.

F. —el 54% del total de especies europeas, y cerca del 50% de las especies únicas en Europa.

G. Aunque cada año se descubren nuevas especies particularmente en las zonas más remotas del planeta (la pantera nebulosa descubierta por un equipo de WWF es un buen ejemplo).

H. Además, las especies en peligro de extinción carecen de protección en las leyes de numerosos países en vías de desarrollo.

Tarea 4 **Instrucciones:**

Lea el texto y rellene los huecos (23-36) con la opción correcta (a / b / c).

TEXTO

NOBLE CAMPAÑA
Gregorio López y Fuentes

El pueblo se vistió de domingo en honor de la comisión venida de la capital de la República: manta morena, banderas, flores, música. De haberse podido, hasta se _____**23**_____ purificado el aire, pero eso no estaba en las manos del presidente municipal. El aire _____**24**_____ así porque a los ojos de la población pasa el río, un poco clarificado ya: es el caudal que sale de la ciudad, los detritos de la urbe, las llamadas aguas negras…

Desde que llegó la comisión, más aún, desde que se anunció su visita, se supo del noble objeto de ella: combatir el alcoholismo, el vino, que _____**25**_____ los impresos repartidos profusamente entonces, constituye la ruina del individuo, la miseria de la familia y el atraso de la patria.

Otros muchos lugares habían _____**26**_____ visitados ya por la misma comisión y en todos ellos se había hecho un completo convencimiento. Pero en aquel pueblo el cometido resultaba mucho más urgente, pues la región gran productora del pulque, arrojaba, según decían los oradores, un mayor coeficiente de vicios.

[…] No pocos de los visitantes, _____**27**_____ se acercaban al sitio del banquete, hacían notar que el mal olor sospechado desde antes en todo el pueblo, iba _____**28**_____ en forma casi insoportable.

– Es el río –explicaban algunos vecinos–. Son las mismas aguas que vienen de la ciudad, son las aguas negras, solo que por aquí ya van un poco clarificadas.

– ¿Y qué beben _____**29**_____?

– Pues, quienes beben agua, _____**30**_____ beben del río, señor… No hay otra.

Un gesto de asco se ahondó en las caras de los invitados.

– ¿No se muere la gente _____**31**_____ alguna infección?

– Algunos… Algunos…

– ¿_____**32**_____ aquí mucha tifoidea?

– Tal vez: solo que a lo mejor la _____**33**_____ con otro nombre, señor…

Las mesas, en hilera, estaban instaladas sobre el pasto, _____**34**_____ los árboles, cerca del río.

– Y esa agua de los botellones puestos en el centro de las mesas, ¿es del río?

– No hay de otra, señor… Como ustedes, los de la campaña antialcohólica, solo toman agua… Pero también _____**35**_____ pulque…

– Perdón, y no lo tomen como una ofensa, después de cuanto hemos dicho contra la bebida…

– Aquí no hay otra cosa.

_____**36**_____ todo, se comió con mucho apetito. A la hora de los brindis, el jefe de la comisión expresó su valioso hallazgo:

– ¡Nuestra campaña antialcohólica necesita algo más efectivo que las manifestaciones y que los discursos: necesitamos introducir el agua potable a todos los pueblos que no la tienen!

Todos felicitaron al autor de tan brillante idea, y al terminar la comida, los botellones de agua permanecían intactos, y vacíos los de pulque…

Fragmento del cuento "Noble campaña", incluido en el libro *El cuento veracruzano: antología(1966)*

*El pulque es una bebida alcohólica tradicional del centro de México, fabricada a partir de la fermentación del jugo de la planta agave (o maguey). Su consumo es mayor en las zonas rurales que en las ciudades del país.

OPCIONES *de haberse podido — "Si se hubiera podido, se habría purificado el aire*

23. a) hubiera   b) habría   c) había

24. a) olió   — ?   b) olía   c) había olido

25. a) en   b) con   c) según

26. a) siendo   b) fueron   c) sido

27. a) al   b) en cuanto   c) cuanto

28. a) acentuándose   b) acentuando   c) acentuada

29. a) allí   b) ahí   c) aquí

30. a) los   b) lo   c) la

31. a) debido   b) gracias a   c) a causa de

32. a) Habrá   b) Habría   c) Hace

33. a) conozcan   b) conocen *a lo mejor*   c) conocieran

34. a) bajo   b) abajo   c) bajo de

35. a) traeremos   b) habremos traído   c) hemos traído

36. a) Por más que   b) A pesar de   c) Aunque

PRUEBA **2** COMPRENSIÓN AUDITIVA Y USO DE LA LENGUA

Duración de la prueba: **40 minutos**
Número de ítems: **30**

Tarea 1   **Instrucciones:**

45-50

Usted va a escuchar seis conversaciones breves. Escuche cada conversación dos veces. Después debe contestar a las preguntas (1-6). Seleccione la opción correcta (a / b / c).

Tiene 30 segundos para leer las preguntas.

PREGUNTAS

Conversación 1

1. Marcos, ante la idea de cambio climático, se muestra:

☐ a) escéptico.

☐ b) piensa que existe de verdad.

☐ c) está convencido de que el clima cambia de manera normal.

Conversación 2

2. Bea está pensando en ayudar a los animales…

☐ a) trabajando como voluntaria en alguna organización.

☐ b) acogiendo a animales en su propia casa.

☐ c) ayudando económicamente a una organización.

Conversación 3

3. Luis, su padre y su amigo Lucas van a acampar…

☐ a) al lado de un lago.

☐ b) en lo alto de una montaña.

☐ c) en el jardín.

Conversación 4

4. ¿Qué piensa la señora entrevistada sobre el reciclaje?

☐ a) No es un asunto importante.

☐ b) Cree que son necesarias leyes más duras.

☐ c) No es una cosa muy común en su entorno.

Conversación 5

5) Elige la palabra que significa lo mismo que "arisco":

☐ a) cariñoso.

☐ b) bueno.

☐ c) insociable.

Conversación 6

6. José, en una situación tan complicada como un huracán…

☐ a) mantendría la calma.

☐ b) se quedaría paralizado por el miedo.

☐ c) actuaría de manera muy nerviosa.

área 2 **Instrucciones:**

51

Usted va a escuchar una conversación entre dos amigos, Borja y Celia, en la que hablan sobre diferentes actividades que se pueden realizar en plena naturaleza. Indique si los enunciados (7-12) se refieren a Borja (A), a Celia (B) o a ninguno de los dos (C). Escuche la conversación dos veces.

Tiene 20 segundos para leer los enunciados.

PREGUNTAS

		A Borja	B Celia	C Ninguno de los dos
0.	Ha planeado hacer una escapada juntos.			✗
7.	Quiere salir de su rutina diaria y descansar.			
8.	No le gustan los caballos porque le dan miedo.			
9.	Tiene miedo al agua, sobre todo si hay mucha profundidad.			
10.	Lo mejor de coger setas es comérselas con los amigos.			
11.	Nunca ha comido setas.			
12.	Ha decidido lo que va a hacer el próximo fin de semana.			

Tarea 3 **Instrucciones:**

52

Usted va a escuchar parte de una entrevista realizada en el programa *Para todos La 2* al ecologista y profesor Jorge Riechmann. Escuche la entrevista dos veces. Después debe contestar a las preguntas (13-18). Seleccione la respuesta correcta (a / b / c).

Tiene 30 segundos para leer las preguntas.

PREGUNTAS

13. Según la entrevistadora, se insiste en la importancia del reciclaje porque…
- ☐ a) supone un ahorro de dinero para las grandes empresas.
- ☐ b) los combustibles no son ilimitados y sin ellos la sociedad no puede avanzar.
- ☐ c) es una obligación individual.

14. El entrevistado afirma que…
- ☐ a) los seres humanos son interdependientes y ecodependientes.
- ☐ b) los organismos ancestrales son interdependientes y ecodependientes.
- ☐ c) los seres humanos y los otros seres que habitan en la Tierra son interdependientes y ecodependientes.

15. Según afirma Jorge Riechmann…
- ☐ a) la Tierra está dominada por los seres humanos.
- ☐ b) las bacterias dominan el planeta.
- ☐ c) los insectos permanecerán en el planeta cuando ya no existan los seres humanos.

16. El entrevistado piensa que los seres humanos serían afortunados si…
- ☐ a) la Tierra pudiera seguir habitándose el siglo XXIII.
- ☐ b) en la Tierra hubiera menos contaminación.
- ☐ c) los animales dejaran de estar en peligro de extinción.

17. El profesor Riechmann piensa que el problema ecológico…
- ☐ a) es muy grave.
- ☐ b) no es tan grave como la mayoría percibe.
- ☐ c) es más grave de lo que la mayoría piensa.

18. En la entrevista, Jorge Riechmann habla sobre tres problemas relacionados con la ecología:
- ☐ a) la crisis energética, la crisis climática y la desaparición de especies animales.
- ☐ b) la crisis energética, el problema de la diversidad biológica y la crisis económica.
- ☐ c) la crisis climática, la extinción de animales y la desaparición del planeta.

area 4 | **Instrucciones:**

Usted va a escuchar a seis personas que dan consejos para crear un huerto en casa. Escuche la audición dos veces.

Seleccione el enunciado (A-J) que corresponde al tema del que habla cada persona (19-24). Hay diez enunciados incluido el ejemplo. Seleccione solamente seis.

Ahora escuche el ejemplo:

Persona 0

La opción correcta es el enunciado G

0	A	B	C	D	E	F	G	H	I	J

Tiene 20 segundos para leer los enunciados.

ENUNCIADOS

A La salud de una planta dependerá de su exposición a la luz.

B Se debe considerar la proximidad a alguna fuente de agua.

C Las cebollas, ajos, espinacas y rábanos, entre otras variedades, son las plantas que más cuidados necesitan.

D Debemos organizar las plantas de manera eficiente para asegurar una exposición igualitaria a la luz.

E Es recomendable que los recipientes escogidos para el cultivo sean fáciles de transportar.

F La lechuga necesita más horas de sol que los tomates.

G Construir un huerto casero no tiene ninguna dificultad.

H La variedad de los cultivos debería irse incrementando conforme adquirimos experiencia en el trabajo con huertos caseros.

I Es indispensable instalar un sistema de riego automático.

J El riego es una tarea que hay que realizar de forma permanente y regular.

	PERSONA	ENUNCIADO
0	Persona 0	G
19	Persona 1	
20	Persona 2	
21	Persona 3	
22	Persona 4	
23	Persona 5	
24	Persona 6	

Tarea 5 **Instrucciones:**

54 Usted va a escuchar un breve reportaje sobre el Parque de la Naturaleza de Cabárceno. Escuche la audición dos veces. Después debe contestar a las preguntas (25-30). Seleccione la opción correcta (a / b / c).

Tiene 30 segundos para leer las preguntas.

PREGUNTAS

25. En la audición se afirma que el parque cuenta con alrededor de mil animales…

   ☐ a) en estado de total libertad.

   ☐ b) en un estado de libertad controlada.

   ☐ c) privados de libertad.

26. En el reportaje se dice que las minas de hierro que precedieron al parque se cerraron…

   ☐ a) porque se agotó el mineral de hierro.

   ☐ b) porque todos los trabajadores decidieron emigrar.

   ☐ c) porque no eran rentables económicamente.

27. ¿Cuándo empezó a funcionar el Parque de la Naturaleza de Cabárceno?

   ☐ a) El 10 de junio de 1990.

   ☐ b) El 10 de de junio de 1989.

   ☐ c) A finales de 1989.

28. Según la audición, el Parque de la Naturaleza de Cabárceno fue galardonado con el Premio Nacional de Turismo concedido por…

   ☐ a) los visitantes del parque.

   ☐ b) escritores y periodistas que escriben sobre turismo.

   ☐ c) el presidente de la Comunidad autónoma de Cantabria.

29. En el reportaje se dice que Cabárceno es uno de los mejores lugares del mundo para los animales salvajes por…

   ☐ a) su localización geográfica.

   ☐ b) sus condiciones climatológicas.

   ☐ c) su gran extensión.

30. Entre las características que permiten que los animales en peligro de extinción se reproduzcan perfectamente en Cabárceno, se mencionan en la audición las siguientes:

   ☐ a) El gran espacio para los animales y un buen control de su salud.

   ☐ b) El gran servicio de veterinarios y la calidad del agua que beben.

   ☐ c) La buena alimentación y el clima húmedo.

PRUEBA 3 EXPRESIÓN E INTERACCIÓN ESCRITAS

Duración de la prueba: **80 minutos**

area 1

55

Instrucciones:

Tras escuchar una noticia sobre la contaminación sonora de una ciudad de Latinoamérica, usted ha decidido escribir un correo electrónico al alcalde de su ciudad para proponer algunas soluciones al problema. Escuche la noticia dos veces. En el correo electrónico deberá:

- presentarse;
- explicar el motivo por el que escribe: qué es la contaminación sonora, dónde se ha informado sobre el tema, etc.;
- exponer las soluciones que ha pensado para minimizar el problema en la ciudad;
- comentar qué cosas podrían hacer los ciudadanos de manera individual y qué cosas se podrían hacer por parte de las autoridades para resolver la situación.

Número de palabras: **entre 150 y 180.**

Tarea 2   **Instrucciones:**

Elija una de las dos opciones que se ofrecen a continuación

OPCIÓN 1

Usted escribe en una revista de actualidad internacional y debe hacer un artículo sobre la situación actual del uso de las energías renovables en América Latina y el Caribe (ALyC), en comparación con el resto del mundo.
En el artículo debe incluir y analizar la información que aparece en los siguientes gráficos:

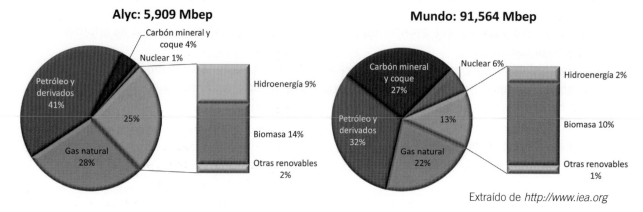

Extraído de *http://www.iea.org*

*Mbep: Medida para referirse a las cantidades de energía: "Millones de barriles equivalentes de petróleo"

Redacte un texto en el que deberá:
- señalar las fuentes principales de energía renovable que se consumen en (ALyC);
- identificar las fuentes principales de energía renovable que se consumen en el resto del mundo, comparándolas con la situación latinoamericana;
- identificar los tipos de energía menos utilizados en ALyC en comparación con lo que ocurre en el resto del mundo;
- comentar las diferencias y similitudes entre la información contenida en los dos gráficos.
- identificar la cantidad de energías renovables (Mbep) utilizadas en ALyC en contraste con lo que ocurre en el resto del mundo.
- exponer posibles explicaciones para fundamentar la variación en el uso de energías renovables entre ALyC y los demás países del mundo;
- destacar los datos que considere más relevantes de ambos gráficos;
- contrastar la información recogida con su propia experiencia en su país de origen u otros países que conozca.
- expresar su opinión sobre la información general recogida en los gráficos, con énfasis en la situación latinoamericana;
- ofrecer una valoración de la importancia del uso de las energías renovables para el cuidado del medioambiente;
- elaborar una conclusión.

Número de palabras: **entre 150 y 180.**

OPCIÓN 2

Usted escribe en un portal web sobre temas ecológicos. Esta semana usted ha asistido a la inauguración de un novedoso evento gastronómico. A continuación puede ver el folleto que se publicó con la información completa de la actividad.

GASTRONOMÍA ECOLÓGICA EN MURCIA

Cerca de 40 establecimientos de hostelería de la región española de Murcia participarán desde este viernes y hasta el 9 de febrero en la segunda edición de las jornadas gastronómicas "Murcia se pone verde", promovida conjuntamente por la Universidad de Murcia y la productora de eventos Gastrólogos.

Durante 17 días estas jornadas tratarán de potenciar los productos de la tierra como verduras ecológicas y carnes autóctonas, a través de menús de mediodía y noche con raíz ecológica de un modo vanguardista y a un precio competitivo.

Así, los diferentes restaurantes que participan del evento han diseñado un menú compuesto por 14 tapas ecológicas a un precio de 28 euros por persona, previa reserva, con el que se espera "poner toda la sabiduría ecológica en el plato", ha señalado el portavoz de Gastrónomos, Roberto Fuentes.

Además de los menús especiales, las jornadas ofrecerán otra serie de actividades, como dos fiestas temáticas. La primera, con el título "La Noche Verde", reunirá a seis cocineros murcianos que rendirán homenaje a varios grandes de la cocina mundial, como Michel Bras o Dan Barber.

"Murcia se pone verde" concluirá con la celebración del "II Campeonato de Tarta de Zanahoria, Tarta de Manzana y Dulce de Calabaza", un concurso popular en el que un jurado de expertos seleccionará el postre ganador.

Extraído de *http://www.ecoticias.com*

Redacte un texto en el que deberá:
- hacer una breve introducción sobre la novedad y la relevancia de organizar un evento que combina ecología y gastronomía;
- comentar su experiencia en la inauguración de la actividad;
- valorar la calidad y creatividad de los menús y tapas que se ofrecen;
- contar cómo reaccionó el público que asistió al evento;
- elaborar una opinión personal sobre el evento y sus diferentes actividades.

Número de palabras: **entre 150 y 180.**

PRUEBA 4 EXPRESIÓN E INTERACCIÓN ORALES

Duración de la prueba: **15 minutos**
Tiempo de preparación: **15 minutos**

Tarea 1 Instrucciones:

Le proponemos un tema con algunas indicaciones para preparar una exposición oral. Tendrá que hablar durante 2 o 3 minutos sobre ventajas e inconvenientes de una serie de soluciones propuestas para una situación determinada. A continuación, conversará con el entrevistador sobre el tema.

Duración total de esta tarea: **4-5 minutos**

TRANSPORTE PÚBLICO

El uso del transporte público colectivo supone la alternativa más ecológica y solidaria para muchos de los desplazamientos que se hacen dentro del casco urbano. Lamentablemente las estadísticas indican que hoy en día solo hacen uso del autobús quienes no tienen otra alternativa.

El problema es que la gente no tiene suficiente conciencia ecológica. Sería muy importante educar más a los ciudadanos y así también usarían más los transportes públicos.

El precio de los billetes de autobús, metro y otros transportes públicos debería ser mucho más barato para que la gente los usara mucho más.

Si el precio del combustible fuese más caro, todos utilizaríamos más el autobús.

En los autobuses deberían poner música y películas. De este modo los chicos jóvenes lo verían como algo moderno y divertido.

En las ciudades podrían existir zonas en las que estuviera prohibida la circulación de vehículos privados; así solo habría transporte público.

Sería muy positivo que todos los políticos utilizaran el transporte público para dar ejemplo a los ciudadanos.

EXPOSICIÓN:

Ejemplo: *Yo no estoy en absoluto de acuerdo con la propuesta de que en los autobuses deberían poner música y películas. Tal vez los chicos jóvenes lo verían como algo divertido y moderno, pero yo le veo un problema muy grande…*

CONVERSACIÓN:

Una vez el candidato haya hablado de las propuestas de la lámina durante el tiempo estipulado (2 minutos), el entrevistador le hará algunas preguntas sobre el tema hasta cumplir con la duración de la tarea.

EJEMPLO DE PREGUNTAS DEL ENTREVISTADOR:

Sobre las propuestas

- De las propuestas dadas, ¿cuál le parece la más original?

Sobre su realidad

- ¿En su ciudad los jóvenes utilizan de manera regular el transporte público?

Sobre sus opiniones

- ¿Piensa que utilizar o no el transporte público es una cuestión cultural? ¿Por qué?

Tarea 2 | Instrucciones:

Usted debe imaginar una situación a partir de una fotografía y describirla durante unos dos minutos.

A continuación conversará con el entrevistador acerca de sus experiencias y opiniones sobre el tema de la situación. Tenga en cuenta que no hay una respuesta correcta: debe imaginar la situación a partir de las preguntas que se le proporcionan.

Duración total de esta tarea: **3-4 minutos**

EMERGENCIA AMBIENTAL

Las personas de la fotografía están realizando una actividad muy importante. Imagine la situación y hable de ella durante, aproximadamente, dos minutos. Estos son algunos aspectos que puede comentar:

- ¿Dónde cree que están estas personas? ¿Por qué?
- ¿Qué relación habrá entre las diferentes personas?
- ¿Qué actividad están haciendo?
- ¿Cómo imagina que son estas personas?
- ¿Qué ha pasado? ¿Cómo lo sabe?
- ¿Qué cree que está pensando la mujer que está de pie? ¿Y los demás?
- ¿Qué cree que va a ocurrir después? ¿Cómo cree usted que termina esta situación?

Una vez haya descrito la fotografía durante el tiempo estipulado (2 minutos), el entrevistador le hará algunas preguntas sobre el tema de la situación hasta cumplir con la duración de la tarea.

EJEMPLO DE PREGUNTAS DEL ENTREVISTADOR:

- *¿Cree que la contaminación de las aguas y el aire son problemas serios en el mundo actual?*
- *¿Qué o quiénes son los responsables de estos problemas?*
- *¿Cómo es posible ayudar a solucionar o evitar estas situaciones?*
- *¿Ayuda usted a tener un medioambiente menos contaminado? ¿Cómo? Si no lo hace, ¿cómo cree que podría hacerlo?*

area 3 | **Instrucciones:**

Usted debe conversar con el entrevistador sobre los datos de una encuesta, expresando su opinión al respecto.

Duración total de esta tarea: **2-3 minutos**

EJEMPLO DE PROPUESTA: LA SENSIBILIDAD AMBIENTAL

Este cuestionario forma parte de la "Encuesta sobre la sensibilización ambiental de la población de Castilla y León". A través de este estudio es posible conocer la percepción de los habitantes de esta comunidad autónoma en relación con los temas medioambientales.

Responda a la pregunta según su criterio personal:

En su opinión, ¿qué tres factores son más perjudiciales para el medioambiente?			
La contaminación atmosférica		La falta de control de actividades industriales	
La caza y pesca ilegales		La deforestación	
El abuso de abonos y fertilizantes en los cultivos		El uso de energías no renovables	
El descontrol de residuos [de la basura]		La energía nuclear	
Los desequilibrios demográficos		La contaminación de la aguas	
Los altos niveles de consumo de los países ricos		La pérdida de especies animales y vegetales	
La falta de protección de espacios naturales		Las modificaciones genéticas	
Los grandes incendios		Los vertidos [de residuos] al mar	

Fíjese ahora en los resultados de la encuesta entre los habitantes de la comunidad española de Castilla y León:

En su opinión, ¿qué tres factores son más perjudiciales para el medioambiente?			
La contaminación atmosférica	14,84%	La falta de control de actividades industriales	6,82%
La caza y pesca ilegales	3,52%	La deforestación	6,54%
El abuso de abonos y fertilizantes en los cultivos	6,94%	El uso de energías no renovables	6,01%
El descontrol de residuos [de la basura]	11,67%	La energía nuclear	4,16%
Los desequilibrios demográficos	3,09%	La contaminación de la aguas	6,45%
Los altos niveles de consumo de los países ricos	4,69%	La pérdida de especies animales y vegetales	3,14%
La falta de protección de espacios naturales	4,54%	Las modificaciones genéticas	0,76%
Los grandes incendios	9,42%	Los vertidos [de residuos] al mar	3,99%

Comente ahora con el entrevistador su opinión sobre los datos de la encuesta y compárelos con sus propias respuestas:

- ¿En qué coinciden? ¿En qué se diferencian?
- ¿Hay algún dato que le llame especialmente la atención? ¿Por qué?

EJEMPLO DE PREGUNTAS DEL ENTREVISTADOR

- ¿Podría mencionar ejemplos concretos de los principales problemas medioambientales en su país?

- ¿Está de acuerdo con la opinión de los habitantes de Castilla y León? ¿Por qué?

- ¿Con qué opción está menos de acuerdo? ¿Por qué?

Extraído de *http://www.palencia21rural.com*

Tarea 1

1. C

"El trabajo de esta mexicana, más conocida como *"Pati"*, *ha contribuido a asegurar el futuro de uno de los ecosistemas más importantes de México* y a apoyar a las comunidades rurales más desfavorecidas del país".

2. A

"En 1997, diez años *después de que Pati, su marido y algunos residentes de la zona fundaran el Grupo Ecológico Sierra Gorda, se logró que el Gobierno de México le concediera a la zona el estatus de Reserva de la Biósfera*".

3. B

"En 1997, diez años *después de que Pati, su marido y algunos residentes de la zona fundaran el Grupo Ecológico Sierra Gorda, se logró que el Gobierno de México le concediera a la zona el estatus de Reserva de la Biósfera*".

4. B

"*La mejora de la administración comunitaria del medioambiente que impulsó Pati, ha conducido a* una considerable disminución de las prácticas destructivas de la tierra. Otra buena noticia es *que las especies amenazadas que viven en la reserva ahora están aumentando en número, incluyendo los jaguares, las mariposas y la vida acuática*".

5. A

"Los pilares que han sustentado e inspirado el arduo trabajo de Ruiz Corso durante estos años, según ella misma propone, son 'una ola de *amor por la Tierra*, salvaguardando el sagrado tejido de la naturaleza, un emprendimiento individual y colectivo, ojos y oídos para la emergencia, *todo el compromiso*, la creatividad *y la pasión para aliviar con acciones el peso de nuestra sociedad sobre el planeta*'".

6. C

"*El galardón Campeones de la Tierra reconoce cada año a líderes gubernamentales, miembros de la sociedad civil y del sector privado* cuyas acciones han tenido un impacto positivo para el medioambiente".

Tarea 2

7. C

"Pero *las ganas que tenía al principio* de conocer gente y hablar español pronto *decayeron cuando me di cuenta de que no había un proyecto específico* para que yo trabajara, no había horario fijo, *ni siquiera un lugar* para que yo trabajara. *Y ahí fue cuando aprendí la lección* [...]".

8. B

"[...] *tratar de convertirme en un mejor invitado de* nuestro querido anfitrión: *nuestro planeta y, con ello, tratar de hacer mejores a los que me rodean*".

9. D

"*Me alegra* poder usar mi imagen [de modelo internacional] para atraer *la atención sobre estos importantes problemas y dar notoriedad a la causa socioambiental*, resaltando los problemas que encara el planeta. *Espero persuadir a las personas para que tomen medidas*".

10. C

"[...] aprendí la lección para voluntarios N° 1: *Yo tenía que tomar la iniciativa. Nadie me iba a llevar de la mano* y a decir qué tenía que hacer ni cómo hacerlo".

11. A

"[...] me hice voluntaria del movimiento Chipko. Eran mujeres que protegían los árboles [...] el lema era que *había que dejar de robar a la Naturaleza y que las cosas debían hacerse desde una perspectiva femenina*. El fin de esta ONG es proteger la biodiversidad y las semillas, cuyo conocimiento ancestral siempre ha estado en manos de las mujeres".

12. B

"Tras mucho tiempo manteniendo esa terrible lucha entre el querer y el poder, *decidí aventurarme en la búsqueda de respuestas que pudieran saciar mi sed interior* [...] *Soy voluntario porque considero que he recibido las señales que me llamaban a ello*, señales que en mi interior ya no podían ser eludidas. Señales que me obligaban a abrir los ojos y ver el mundo que me rodea".

13. A

"*Yo soy física, pero ese título no basta.* [...] *Es importante escuchar a todos,* a la gente normal, a las mujeres, *aunque no tengan títulos*".

14. D

"En verdad *me incorporé a esta causa y me hice activista después de visitar una tribu indígena en el río Xingu en la Amazonia* y ver de cerca los problemas que estaban enfrentando como resultado de la deforestación y la contaminación del agua".

15. C

"[...] *las ganas* que tenía al principio *de conocer gente y hablar español* [...]".

16. D

"*El Proyecto Agua Limpia* tiene por objetivo llevar a la práctica la gestión sostenible del medioambiente, y *promueve la recuperación de la vegetación ribereña y las pequeñas cuencas fluviales de la región donde nací*".

Tarea 3

17. D

18. G

19. E

20. C

21. B

22. F

Tarea 4

23. B

La cláusula "de haberse podido" es equivalente a la *construcción del condicional hipotético* "si se hubiera podido", lo que refiere a situaciones que ya han ocurrido y que por lo tanto es imposible cambiar. En consecuencia, la segunda cláusula de la oración debe estar formada por la estructura *condicional de haber + participio:* "se *habría purificado* el aire".

24. B

Considerando que nos encontramos frente a una *narración en tiempo pasado*, debemos recordar que todas *las descripciones* (de ambiente, físicas y psicológicas) *en pasado se hacen con pretérito imperfecto*. Así, *"olía"* es el tiempo verbal *adecuado* para describir el olor del ambiente en que ocurre la narración.

25. C

En este caso, de las tres preposiciones que se ofrecen en las alternativas, *"según"* es la única que nos indica el *origen de una opinión o expresión*. En este caso, la idea de que *"el vino [...]*

constituye la ruina del individuo" es una opinión expresada en los folletos de propaganda repartidos por la comisión: no se trata de una idea absoluta o abstracta, sino la opinión de quienes forman parte de esta comisión. Aparte de "según", las siguientes expresiones, entre otras, también podrían cumplir esta función: "Para la comisión / En opinión de la comisión / De acuerdo con la comisión [...] el vino constituye la ruina del individuo".

26. C

En esta oración nos encontramos, en primer lugar, con la *voz pasiva "ser + participio", utilizada para poner el énfasis en el objeto más que en el sujeto de la acción.* Así, el texto prefiere decir que "otros muchos *lugares son visitados* por la comisión", en lugar de plantear que "*la comisión visita* otros muchos lugares", que sería la versión activa de la misma idea. Considerando que nos encontramos con el verbo *"había"*, vemos que el tiempo en que está conjugada la oración es el *pluscuamperfecto*, esto es, un tiempo verbal que refiere a una acción ocurrida con anterioridad a otro momento del pasado. Este tiempo verbal está conformado por la estructura "imperfecto de haber + participio". La intersección entre el pluscuamperfecto y la voz pasiva requiere, entonces, del uso de dos participios: "otros muchos lugares *habían sido [ser] + visitados [participio]* antes de que la comisión llegara al pueblo".

27. B

En este caso, necesitamos la presencia de un *conector temporal* que indique que algo "*ocurre en el momento en que los visitantes se acercan al sitio del banquete*". De las tres opciones, "al" y "en cuanto" funcionan como conectores temporales, en tanto "cuanto" refiere a cantidad. Escogemos "en cuanto" en vez de "al", porque esta última expresión requiere estar seguida por verbos en infinitivo ("los visitantes, al acercarse al sitio..."). Como *el verbo que sigue al conector está conjugado, sabemos que la opción correcta es "en cuanto", que connota inmediatez.*

28. A

En primer lugar, estamos frente a la *construcción perifrástica ir + gerundio*, que tiene un valor progresivo *equivalente a la expresión "poco a poco"*: En el texto, el mal olor del pueblo se acentúa poco a poco. Esto nos permite descartar la opción "c", que presenta un participio, lo que no se corresponde con el sentido de la oración. La diferencia entre la primera y la segunda alternativa, ambas gerundios, es la presencia del *morfema "se"*, que se hace *necesario en este caso por cumplir el rol de "se intransitivador".* Esta función del "se" es aplicable cuando *el sujeto no ejecuta la acción, sino que la experimenta.* En ese ejemplo *"el mal olor se va acentuando"*, y como los *gerundios permiten incluir pronombres dentro de la misma palabra*, podemos decir que *"el mal olor va acentuándose"* o, en pasado, "iba acentuándose".

29. C

La elección de la alternativa correcta *depende en este caso de la situación física del hablante*. Si el hablante se refiere a algo que tiene una *cercanía inmediata*, dirá *aquí*. Si se refiere a algo que está a una distancia media, dirá "ahí", y si se trata de algo lejano, dirá "allí". Hay que precisar, en todo caso, que la distinción entre "ahí" y "allí" no es tan evidente en el uso, y puede ser intercambiable. Sin embargo, *"aquí" siempre se referirá a algo localizado cerca de quien habla*. En el caso del texto, un miembro de la comisión pregunta a un habitante del pueblo qué es lo que beben en ese lugar. Como sabemos que la historia transcurre justamente en el pueblo, sabemos que se está refiriendo a un espacio próximo, por lo que escogeremos "aquí".

30. C

Considerando que el personaje está hablando del "agua", lo que necesitamos es escoger el pronombre de objeto directo que nos permita referirnos al agua sin necesidad de repetir la palabra. *"Agua" es un sustantivo femenino y singular, por lo que el pronombre de objeto directo será "la".*

31. C

En esta oración se hace necesaria la inclusión de un *conector causal*: un personaje pregunta si *las infecciones del agua causan la muerte de la gente*. Si bien las tres alternativas podrían apuntar a causas, en la primera hace falta la preposición "a" después de "debido". La segunda alternativa, por su parte, indica causa pero connota un resultado de valoración positiva, lo que no se relaciona con las muertes provocadas por las infecciones del agua. Por estas razones, *"a causa de" es el conector causal que mejor funciona en este contexto.*

32. A

Al plantearse la *pregunta sobre la existencia o no de la enfermedad de la tifoidea*, veremos la necesidad de utilizar la *forma impersonal del verbo "haber": hay.* Lo anterior nos permite descartar alternativa "c". Para escoger entre la primera y la segunda alternativa, debemos poner atención en la conjugación del verbo. En el caso de la segunda opción tenemos un condicional, lo que nos remite más bien a la posibilidad de la existencia de esta enfermedad "si" ocurriera otra variable, que no aparece en el texto. Por esta razón, la *conjugación en futuro de la alternativa "a"*, nos remite al uso de este tiempo verbal *para indicar conjeturas o incertezas*, que es justamente la motivación de la pregunta del personaje.

33. B

El *marcador de probabilidad "a lo mejor"* es uno de los casos excepcionales en que el *verbo que le sigue nunca va conjugado en modo subjuntivo.* La única *opción conjugada en modo indicativo*, entonces, *es la correcta.*

34. A

Aunque *las tres preposiciones* listadas en las alternativas *se refieren a lo mismo, las dos últimas requieren ir seguidas de "de".* Como el texto no incluye la palara "de", *la única alternativa viable es la primera*: "bajo los árboles".

35. C

En este diálogo, un personaje comenta a otro que agua y pulque están disponibles en el banquete. Considerando lo anterior, la acción de llevar el pulque al banquete debió haberse realizado con anterioridad, es decir, *necesitamos de un verbo conjugado en pasado.* Esto descarta las dos primeras alternativas, conjugadas en dos diferentes formas del futuro, y señala la *"c" como correcta por estar conjugada en pretérito perfecto*, lo que indica además que el pulque fue llevado a la mesa de forma inmediatamente anterior al diálogo.

36. B

Las tres alternativas propuestas son conectores concesivos. Esto significa que actúan dentro de la oración para indicar una dificultad que de todos modos no impide el cumplimiento de la oración principal. En este caso, "todo lo que hemos dicho contra la bebida" no impide que "se com[a] con mucho apetito". Si bien las tres opciones funcionan en este contexto, solo una de ellas acepta ir seguida por un sustantivo pues, en general, estos conectores van seguidos por verbos usualmente en subjuntivo. Considerando que "todo" es un sustantivo, entonces, solo "a pesar de" funciona de forma coherente en este ejemplo.

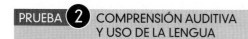

PRUEBA 2 COMPRENSIÓN AUDITIVA Y USO DE LA LENGUA

Tarea 1

1. A

"¿Cambio climático? Pero chica ¿no te das cuenta de que *eso es solo una teoría*? ¡*Vete tú a saber si eso existe de verdad*!".

2. C

"¡Uf! Con menos trabajo… puede. Yo estaba pensando más bien en *hacer algún donativo*".

3. A

"¡Qué bien! Dile que no olvide llevar su *bañador* y su *caña de pescar*".

4. B

"Yo opino que debería *ser obligatorio por ley*".

5. C

"¡Todo lo contrario! Este *no se separa de mí ni un momento*, es un pesado".

6. B

"¡Uf! Tío, yo en una situación así *me vengo abajo. No sé qué hay que hacer* para salir vivo".

Tarea 2

7. A

CELIA: "Ya entiendo, lo que te apetece es *desconectar y estar en contacto con la naturaleza*…".

BORJA: "*¡Eso! Desconectar y solo escuchar el canto de los pájaros y cosas así*".

8. C

9. B

CELIA: "¡Jo! ¡Qué valiente! Yo no hago eso ni loca. *Con el miedo que me da a mí el agua… sobre todo si no hago pie*".

10. B

CELIA: "[…] ¡Me encantan las setas! Es una cosa divertida: caminar, buscar las mejores setas, llenar la cesta… *y lo mejor de todo, después te las puedes comer con los amigos*".

11. C

12. A

BORJA: "Para empezar, he *decidido que este fin de semana me voy al pueblo para visitar a mis abuelos y respirar aire puro*".

Tarea 3

13. B

"[…] se fomenta el reciclaje porque *los combustibles fósiles son finitos y esta constatación pone en peligro el progreso* tal y como lo entendemos hoy".

14. C

"Pues…eh… *somos nosotros, los seres humanos*, pero en realidad *también los demás seres vivos con los que compartimos la biosfera* ¿no?".

15. B

"[…] *las bacterias son*, digamos, *los seres vivos dominantes en este planeta* y estarán aquí cuando nosotros ya no estemos, casi con toda seguridad".

16. A

"[…] ya *tendremos suerte* si las cosas van bien y superamos la gran crisis que vemos acercarse en el siglo XXI y *el planeta sigue siendo un lugar hospitalario, habitable* para nosotros pues *dentro de un par de siglos*, ¿no?".

17. C

"*Es mucho más grave de lo que la mayoría social está percibiendo*".

18. A

" […] *el abastecimiento de energía*, particularmente pues esa dependencia de los combustibles fósiles que nos hace tan vulnerables, *en segundo lugar, la crisis climática* a consecuencia del mal uso de esos combustibles fósiles y, *en tercer lugar*, también ese… bueno, se puede hablar de *holocausto de diversidad biológica*".

Tarea 4

19. E

"Lo primero es disponer de *contenedores* apropiados […] lo más importante es que sean *ligeros para que se puedan mover fácilmente*".

20. B

"[…] *trató de tener acceso fácil a un grifo* o una canilla para que regués sin grandes inconvenientes".

21. J

"[…] lo mejor es *mantener la humedad constantemente*, es decir, *regar más frecuentemente* y en pequeñas cantidades".

22. A

"*Las plantas deben gozar de un mínimo de ocho a diez horas de sol* (o cuatro de luz directa) *para que crezcan sanas y fuertes*".

23. D

"También tienes que considerar la planificación del espacio. […] Coloca las plantas bajas delante de las altas para aprovechar mejor las horas de sol".

24. H

"En cuanto al *tipo de cultivo, lo mejor es que elijas diferentes especies* […] Sin embargo, *para quienes son principiantes se recomienda probar con* cebollas, ajos, espinacas […]".

Tarea 5

25. B

"[…] acoge, *en estado de semilibertad*, a unos mil animales de 111 especies de los cinco continentes".

26. C

"Antes de ser parque fueron unas minas de mineral de hierro que se estuvieron explotando durante más de dos mil años, a cielo abierto. *Se cerraron en 1989 por su baja rentabilidad industrial*".

27. A

"[…] el Parque de la Naturaleza de Cabárceno *fue inaugurado el 10 de junio de 1990*".

28. B

"[…] *periodistas y escritores especializados en el sector turístico* concedieron al Parque de la Naturaleza de Cabárceno el Premio Nacional de Turismo".

29. B

"*Su clima templado y húmedo* permite a Cabárceno ser uno de los mejores lugares del mundo para albergar animales salvajes".

30. A

"Una buena alimentación, *los amplios recintos*, trabajos de investigación y *el buen control de los servicios veterinarios permiten que animales en peligro de extinción se estén reproduciendo perfectamente*".

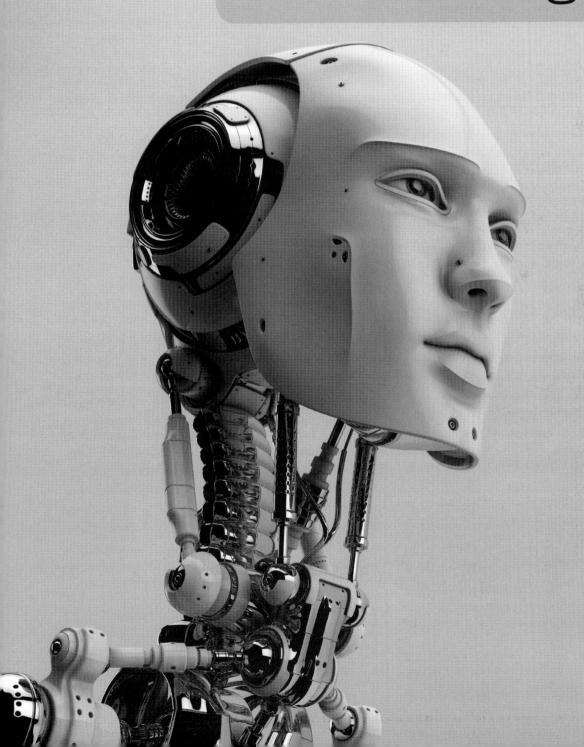

PRUEBA 1 COMPRENSIÓN DE LECTURA

Duración de la prueba: **70 minutos**
Número de ítems: **36**

Tarea 1 Instrucciones:

Usted va a leer un texto acerca de un sorprendente descubrimiento científico sobre el cerebro humano. Después, debe contestar a las preguntas (1-6).
Seleccione la respuesta correcta (a / b / c).

TEXTO

IDENTIFICAN PARTE DEL CEREBRO QUE NOS HACE HUMANOS

Está en la parte delantera del cerebro, justo por encima de las cejas. Allí identificaron científicos de la Universidad de Oxford, en Reino Unido, una región del cerebro humano única, que no aparece en el cerebro de nuestros parientes más cercanos, los monos.

Los investigadores de la universidad británica compararon para su estudio tomografías cerebrales de 25 humanos y 25 macacos y observaron un área específica –generalmente relacionada con los procesos de toma de decisiones, la capacidad de hacer varias tareas de forma simultánea y de anticipar estrategias–, que no está presente en los cerebros de los monos analizados.

"Encontramos un área en el cerebro humano que está bastante adelante, justo por encima de las cejas, que no coincidía con ninguna región del cerebro del mono, que parecía en el cerebro humano bastante distintiva y muy diferente de todas las regiones en el cerebro del mono", explica Franz-Xaver Neubert, experto en psicología experimental y autor del estudio publicado en la revista especializada *Neuron*.

"Toda clase de funciones se han atribuido a esta región, pero en general creo que la gente tiende a pensar que puede estar involucrada en lo que algunos llaman multitarea (o la capacidad de hacer varias cosas a la vez)", dice Neubert. También está relacionada con la capacidad de planificar, o de anticiparse a los acontecimientos, algo que nos permite "tener en mente estrategias que no estás usando en el momento pero que puedes usar más tarde".

Sin embargo, otro de los hallazgos de este estudio no se basa en lo que nos diferencia, sino en lo que nos une. "Una de las cosas sorprendentes es que encontramos enormes similitudes en la organización de estas áreas en el cerebro humano y en el de los monos", dice Neubert.

"Alguna gente puede pensar que el lenguaje es una habilidad exclusivamente humana, por lo tanto debe estar apoyada en áreas y conexiones que son exclusivamente humanas. Pero estos resultados sugieren que ese no es el caso, que quizás las regiones que están involucradas en el lenguaje de los humanos hacen algo diferente en los monos, incluso aunque ellos no tienen la habilidad del lenguaje", explica el investigador.

Por lo tanto, dice Neubert, aunque se podría pensar que estas zonas del lenguaje y la flexibilidad cognitiva –que es la capacidad de cambiar de forma dinámica entre una tarea y otra– son un desarrollo absolutamente nuevo en los humanos, según estos resultados no lo son.

Extraído de *www.lanacion.com.ar*

PREGUNTAS

1. ¿Por qué se considera única esa zona del cerebro humano?

☐ a) Por su localización cercana a las cejas.

☐ b) Por no formar parte de la estructura cerebral de los monos.

☐ c) Por haberse registrado en 25 muestras cerebrales.

2. La investigación…

☐ a) fue publicada en una revista científica.

☐ b) reunió a 25 científicos británicos.

☐ c) ha tenido un gran impacto en la Universidad de Oxford.

3. Las funciones atribuidas a esa parte del cerebro…

☐ a) diferencian a los humanos de los monos.

☐ b) incluyen la capacidad de desarrollar estrategias que no se usan.

☐ c) consideran la habilidad del lenguaje.

4. Las similitudes entre el cerebro humano y el del mono…

☐ a) son limitadas.

☐ b) constituyen una sorpresa para los científicos a cargo de la investigación.

☐ c) tienen que ver básicamente con el lenguaje.

5. La función humana de realizar multitareas…

☐ a) también se conoce como planificación.

☐ b) es la capacidad de anticiparse a los acontecimientos.

☐ c) parece estar ubicada en la zona del cerebro de la que se ocupa este estudio.

6. ¿Cuál es el otro gran descubrimiento de este estudio?

☐ a) Que los monos no tienen la habilidad del lenguaje.

☐ b) Que el cerebro humano es muy diferente al de los simios.

☐ c) Que en los humanos, el lenguaje y la capacidad de realizar multitareas no son fenómenos nuevos.

Tarea 2   **Instrucciones:**

Usted va a leer cuatro textos en los que cuatro científicos cuentan cómo vivieron la experiencia de sus primeros descubrimientos.

Relacione las preguntas (7-16) con los textos (A, B, C y D).

PREGUNTAS

		A Paul Sereno	B Teresa Torres	C Francisco García-Talavera	D Françoise Barre
7.	¿Quién fundó una nueva disciplina científica a partir de su descubrimiento?				
8.	¿Para quién resultaba casi imposible de creer lo que había encontrado?				
9.	¿Quién se emocionó hasta las lágrimas cuando hizo su primer descubrimiento?				
10.	¿Para quién su descubrimiento no se realizó de la noche a la mañana?				
11.	¿Quién realizó su gran hallazgo gracias a un familiar?				
12.	¿Quién considera que su primer descubrimiento no fue de tipo científico?				
13.	¿Quién descubrió más de un centenar de animales que ya no existían en la zona?				
14.	¿Quién realizó su primer descubrimiento cuando ya estaba a punto de perder la fe en lograrlo?				
15.	¿Quién dedica sus descubrimientos a una persona cuya ayuda fue muy importante para hacer esto posible?				
16.	¿Quién tomó con mucha precaución la comunicación de su descubrimiento?				

TEXTO

A. Paul Sereno

Cuando acabé la primera parte de mis estudios universitarios en Chicago, propuse siete temas para la tesis, desde el origen de las ballenas hasta la evolución de los camellos. Finalmente descubrí que me atraían los dinosaurios, quizá porque nunca habían sido tratados seriamente. […] Mi primer hallazgo importante fue en Argentina en 1988. Estábamos explorando una gran área de 150 kilómetros cuadrados, que recorrimos de punta a cabo sin ningún resultado, y ya nos íbamos a dar por vencidos. Pero antes de trasladar el campamento a otro lugar disponíamos de un día de descanso, y yo decidí dedicarlo a rastrear de nuevo la zona con algunos voluntarios. En el sitio exacto donde dejé la mochila, hallamos el fósil de un enorme *Herrerasaurus*. Fue un momento tan glorioso que no me atrevía a volver a mirar por miedo a que desapareciera. Me puse a llorar de alegría.

Extraído de *www.muyinteresante.es*

B. Teresa Torres

Mi suegro, que era del norte [de Chile] buscaba yacimientos de minerales a través de los vegetales y siempre me traía maderas con distintas características para que yo las analizara y determinara sus componentes. […] Hasta que una vez me trajo […] una madera que según él tenía muchos minerales y era una madera fósil, entonces me dio mucha curiosidad y decidí ir a cortar esta roca para estudiar los minerales y descubrir cómo se había petrificado. Nunca imaginé que me iba a encontrar con la estructura del árbol, tal como si fuera una madera actual, pero transformada en piedra. Estaba perfectamente conservada y aún mayor fue mi sorpresa al descubrir que esa especie era una araucaria. Ese descubrimiento se transformaría en mi primera planta fósil de especie nueva, y también llamaría la atención de los botánicos y de otras disciplinas de las ciencias naturales […] Así empezó la línea de investigación que llevo hasta ahora, la "Paleosilología" (estudio de las maderas fósiles).

Extraído de *www.conicyt.cl/blog*

C. Francisco García-Talavera

En los años 70 me especialicé en moluscos marinos aprovechando mi labor investigadora en el Oceanográfico de Tenerife […]. Mi primer descubrimiento importante fue el de Tachero (ubicado en Anaga, Tenerife), un yacimiento excepcional del Pleistoceno Superior, con más de 100 especies de moluscos fósiles, muchos de ellos de una fauna tropical ya extinguida en [las islas] Canarias. […] Años más tarde fue en el espectacular yacimiento de Órzola (Lanzarote), de […] unos 6 millones de años de antigüedad, donde descubrimos un nido de huevos de aves gigantes, también huevos de tortugas terrestres de gran tamaño y hasta huesos de una serpiente del grupo de las boas. Me gustaría dedicar aquí un recuerdo emocionado al naturalista Efraín Hernández, que colaboró tan eficazmente en las prospecciones de este importante yacimiento.

Extraído de *http://dialnet.unirioja.es*

D. Françoise Barre

Empecé a encontrar a los enfermos [de sida] en el Instituto Pasteur. […] Era la primera vez que me ocurría algo así. Y he de decir que era una situación angustiosa, frustrante. […] Aprendí a escuchar. A comprender las prioridades. Este fue mi primer descubrimiento. [En cuanto al descubrimiento por el que gané el premio Nobel de Medicina, un día] observé que había algo que nunca había visto antes, pero no quise decírselo a nadie. Por prudencia y por estar más segura. […] Aislar un retrovirus no es un momento específico, ni un golpe de efecto, ni una escena espectacular. Es un trabajo minucioso, pasito a pasito, que requiere cotejos, pruebas y más pruebas. Simplificando mucho las cosas, un día ves por el microscopio convencional un agente desconocido que mata las células. Después lo mantienes en cultivo y lo analizas en el microscopio electrónico. Ves que tiene un núcleo muy extraño, que en nada se asemeja a otros retrovirus clásicos. Es pequeño, curioso. Es el retrovirus del sida.

Extraído de *http://www.siis.net*

Tarea 3   Instrucciones:

Lea el siguiente texto, del que se han extraído seis fragmentos. A continuación lea los ocho fragmentos propuestos (A-H) y decida en qué lugar del texto (17-22) hay que colocar cada uno de ellos.

Hay dos fragmentos que no tiene que elegir.

TEXTO

¿SE REBELARÁN LAS MÁQUINAS CONTRA LOS HUMANOS?

Los robots podrían demandar algún día los mismos derechos que los humanos según un estudio del gobierno británico. **17.** _____. El estudio, de casi 250 páginas y denominado "Sigma y Delta", asegura que es muy probable que en unos 50 años la inteligencia artificial se habrá desarrollado lo suficiente como para que esto suceda. **18.** _____ (robots recepcionistas, chefs mecánicos...), y este es un proceso que continuará hacia adelante cada vez a mayor velocidad. En el capítulo titulado "¿Sueño utópico o el ascenso de las máquinas?" se examina el desarrollo de la inteligencia artificial y sus posibles implicaciones para la sociedad, **19.** _____. En este apartado se afirma que si los robots llegan algún día a poder reproducirse e incluso mejorarse a sí mismos, se producirá un gran punto de inflexión en la humanidad. **20.** _____, los androides también adquirirían una serie de responsabilidades como votar en las elecciones, la obligación de pagar impuestos y, quizás, la de realizar el servicio militar. Aceptando estas premisas, los mundos de ciencia ficción del cine y la literatura estarían más que nunca cerca de la realidad, **21.** _____. En contra de esta teoría, algunos expertos señalan que, 50 años después de que se comenzase a estudiar la inteligencia artificial, **22.** _____.

Extraído de *http://www.20minutos.es*

FRAGMENTOS

A. Los investigadores señalan que las máquinas son cada vez más humanas y están más integradas en la vida del hombre

B. Si todo esto sucediese y se les concediesen "derechos ciudadanos"

C. Esto sucederá si las máquinas consiguen dominar algunos ámbitos de la vida del hombre

D. aún existen grandes problemas que se tardarán en solucionar, como conseguir que las máquinas tengan sentido común

E. Algunos investigadores opinan que la autonomía de las máquinas nunca será suficiente como para llegar a este punto

F. así como el impacto que produciría en la política y las leyes

G. Si así fuese, los países se verían obligados a ofrecer beneficios sociales a los robots, como una vivienda e incluso "sanidad robótica"

H. incluyendo la posibilidad de futuros apocalípticos en los que las máquinas están en conflicto con los hombres

Tarea 4   **Instrucciones:**

Lea el texto y rellene los huecos (23-36) con la opción correcta (a / b / c).

TEXTO

ORDEN
Denise Nader

Un hombre se sienta _____**23**_____ a su computadora, _____**24**_____ enciende. Abre un juego.

En el juego, el hombre tiene que lograr que un muñeco mueva distintos obstáculos en el campo de acción, que es como un laberinto sin entrada y sin salida, a menos que la salida _____**25**_____ el paso al siguiente nivel.

Es decir, más _____**26**_____ una salida física, es una salida conceptual.

El muñeco en cuestión tiene unos ojos enormes, luce como una hormiga obesa y viste una capa roja sobre su traje, como Superman. Pero se llama Pocoman.

Se transporta de dos maneras: caminando o volando. Pero cuando vuela, no puede empujar objetos.

Y esa es toda la finalidad del juego: empujar objetos. Los objetos deben ser movilizados por el muñeco desde donde están hasta donde deben estar, sin que los objetos _____**27**_____ el paso a los otros objetos o al muñeco mismo.

Ya.

El lugar designado para los objetos en el campo de juego es un pequeño patio con cruces _____**28**_____ en el suelo.

Los obstáculos no son los mismos siempre; por ejemplo, en el nivel uno, Pocoman empuja unos diamantes que son casi de su mismo tamaño, pero al llegar al lugar designado se transforman _____**29**_____ esmeraldas.

Nivel dos.

En el nivel dos, el muñeco empuja las esmeraldas, que se transforman en cisnes _____**30**_____ llegar a su destino. Eventualmente, los objetos se transforman en un Pocoman dormido, que a su vez, evolucionará a Pocoman despierto y luego, esos Pocoman _____**31**_____ sapos, mariposas, hongos, y así.

OK.

La mutación final da como resultado un corazón rojo, simétrico. En el último nivel del juego, cuando _____**32**_____ el corazón sobre la última cruz, una fanfarria estalla poco antes de la explosión de fuegos doblemente artificiales. No hay humo _____**33**_____ olor a pólvora que _____**34**_____ la pantalla que contiene el calor del espectáculo pirotécnico.

¿Y?

Un mensaje de felicitación cruza la pantalla.

El hombre sigue frente a su computadora.

Escucha el ruido de un avión. El miedo del pasajero se hace visible _____**35**_____ de la ventana en la que se refleja un disco blanco en el plástico convexo; huellas dactilares opacan la vista del lado de la cabina; huellas de botas de todos los astronautas de todas las misiones que alunizaron permanecen inalteradas sobre el suelo frío del satélite. La atmósfera es mínima.

La capa de Pocoman ondea. No _____**36**_____ viento.

Pocoman espera instrucciones.

Extraído de *http://axxon.com.ar*

OPCIONES

23. a) al frente   b) enfrente   c) frente

24. a) la   b) lo   c) le

25. a) está   b) es   c) sea

26. a) de   b) que   c) como

27. a) bloquearan   b) bloqueen   c) bloquean

28. a) marcadas   b) marcad   c) marcando

29. a) a   b) en   c) con

30. a) cuando   b) en cuanto   c) al

31. a) eran   b) fueron   c) serán

32. a) empujes   b) empujas   c) empujaras

33. a) o   b) y   c) ni

34. a) atraviesen   b) atraviesan   c) atraviese

35. a) en torno   b) a través   c) mediante

36. a) está   b) hay   c) es

PRUEBA 2 COMPRENSIÓN AUDITIVA Y USO DE LA LENGUA

Duración de la prueba: **40 minutos**

Número de ítems: **30**

Tarea 1

Instrucciones:

56-61

Usted va a escuchar seis conversaciones breves. Escuche cada conversación dos veces. Después debe contestar a las preguntas (1-6). Seleccione la opción correcta (a / b / c).

Tiene 30 segundos para leer las preguntas.

PREGUNTAS

Conversación 1

1. Lucas, ante la noticia que le cuenta su amiga, se muestra…

☐ a) indiferente.

☐ b) entusiasmado.

☐ c) irritado.

Conversación 2

2. ¿Qué piensa el chico sobre el avance tecnológico?

☐ a) Es peligroso porque no se puede controlar.

☐ b) Solo tiene aspectos positivos.

☐ c) En general, tiene más aspectos positivos que negativos.

Conversación 3

3. ¿Cuál es la reacción de Luis ante la incredulidad de Juanma?

☐ a) Le da igual lo que opina su amigo.

☐ b) Se molesta porque su amigo no toma en serio sus opiniones.

☐ c) No le afecta lo que Juanma piensa del tema.

Conversación 4

4. La amiga de Mónica piensa que la actitud de esta hacia la tecnología de los teléfonos móviles es…

☐ a) propia de una persona con mal carácter.

☐ b) propia de una persona anticuada.

☐ c) propia de una persona aburrida.

Conversación 5

5) Según Mario, ¿por qué no su utilizan más las energías renovables?

☐ a) No se conocen los motivos reales.

☐ b) Porque son muy caras.

☐ c) Debido a la dificultad de explotación.

Conversación 6

6. La amiga de Jimena ha tomado una decisión relacionada con las casas inteligentes. ¿Cuál es?

☐ a) Le gusta mucho la idea de no tener que trabajar en casa.

☐ b) No le interesan porque considera que el precio es muy elevado.

☐ c) Prefiere una casa normal a una inteligente.

Tarea 2 **Instrucciones:**

62

Usted va a escuchar una conversación entre dos amigos, Cristian y Alejandra, en la que hablarán sobre la posibilidad de que exista vida en otros planetas. Indique si los enunciados (7-12) se refieren a Cristian (A), a Alejandra (B) o a ninguno de los dos (C). Escuche la conversación dos veces.

Tiene 20 segundos para leer los enunciados.

PREGUNTAS

		A Cristian	B Alejandra	C Ninguno de los dos
0.	Siente mucha emoción porque tiene información nueva sobre un tema que le interesa.	✗		
7.	No le sorprende en absoluto lo que dice su amigo.			
8.	Opina que nunca nos comunicaremos con otras civilizaciones del espacio exterior.			
9.	Afirma que la falta de tecnología hace imposible la comunicación con los extraterrestres en la actualidad.			
10.	Piensa que dentro de 300 años el mundo será como una película de ciencia ficción.			
11.	Con respecto a los extraterrestres, cree que serán más parecidos a las máquinas que a los hombres.			
12.	Contempla la posibilidad de que haya extraterrestres viviendo en la Tierra.			

Tarea 3 **Instrucciones:**

Usted va a escuchar parte de una entrevista radiofónica realizada en el programa de radio *Eureka* en la que un científico habla sobre los diferentes llantos de los bebés. Escuche la entrevista dos veces. Después debe contestar a las preguntas (13-18). Seleccione la respuesta correcta (a / b / c).

Tiene 30 segundos para leer las preguntas.

PREGUNTAS

13. Según afirma la presentadora, para llegar a saber por qué llora un bebé se necesita...
- a) inteligencia, paciencia y tranquilidad.
- b) experiencia, entrenamiento y tranquilidad.
- c) sensibilidad, paciencia y calma.

14. El entrevistado cuenta que el estudio científico ha sido realizado por...
- a) diferentes universidades.
- b) la Universidad de Valencia.
- c) la Universidad de Murcia.

15. El científico explica que el estudio analiza diferentes llantos de bebés. ¿Cuáles son?
- a) el llanto provocado por el dolor, la soledad y la ira.
- b) el llanto provocado por el miedo, el dolor y el enfado.
- c) el llanto provocado por la felicidad, la tristeza y el dolor.

16. Según el experto, el llanto provocado por el dolor hace que...
- a) los bebés lloren con la mirada fijada en algo.
- b) los bebés lloren buscando con la mirada a sus padres.
- c) los bebés lloren con los ojos cerrados.

17. En lo que se refiere al tipo de llanto, el estudio afirma que, en el llanto de dolor, el niño...
- a) llora de manera muy intensa y durante un tiempo.
- b) va incrementando la intensidad de menos a más.
- c) va haciéndose más intenso hasta que explota.

18. Según el experto, el estudio científico del que habla...
- a) contempla absolutamente todas las posibilidades para llegar a estas conclusiones.
- b) hay posibilidad de que existan otras variables no analizadas.
- c) seguro que existen otras variables que no se han podido analizar.

area 4 Instrucciones:

64

Usted va a escuchar a seis personas que dan consejos para realizar compras por internet. Escuche la audición dos veces. Seleccione el enunciado (A-J) que corresponde al tema del que habla cada persona (19-24). Hay diez enunciados incluido el ejemplo. Seleccione solamente seis.

Ahora escuche el ejemplo:

Persona 0
La opción correcta es el enunciado G

0	A	B	C	D	E	F	G	H	I	J
							▓			

Tiene 20 segundos para leer los enunciados.

ENUNCIADOS

A Los importes excesivamente baratos no son un buen indicador de seguridad.

B No es una buena idea acceder a determinados sitios web por medio de enlaces.

C Para mayor seguridad, lo mejor es hacer compras en internet desde redes privadas.

D A la hora de ingresar la información personal, es importante que el sitio web cumpla con los requisitos para asegurar su completa privacidad.

E Es mejor evitar la compra de productos de temporada.

F Los ciberdelincuentes pueden ser combatidos a través de una denuncia en las páginas web oficiales de las tiendas.

G Una compra en línea segura depende en gran parte del uso que cada tienda hace de la información confidencial de los usuarios.

H Al escoger una tienda en línea, es recomendable visitar foros u otros sitios donde otras personas que hayan comprado allí evalúen el servicio prestado por la empresa.

I Es fundamental que el comprador escoja contraseñas que sean ilegibles para los ciberdelincuentes.

J Es necesario actualizar los sistemas de protección del equipo.

	PERSONA	ENUNCIADO
0	Persona 0	G
19	Persona 1	
20	Persona 2	
21	Persona 3	
22	Persona 4	
23	Persona 5	
24	Persona 6	

Tarea 5

Instrucciones:

65

Usted va a escuchar a un breve reportaje sobre el automóvil del futuro. Escuche la audición dos veces. Después debe contestar a las preguntas (25-30). Seleccione la opción correcta (a / b / c).

Tiene 30 segundos para leer las preguntas.

PREGUNTAS

25. En el reportaje se afirma que el diseño de los automóviles en el futuro...

☐ a) es totalmente impredecible.

☐ b) no cambiará prácticamente nada.

☐ c) se transformará más rápido de lo que se espera.

26. Las razones que explican los nuevos modos de hacer automóviles serán...

☐ a) los cambios globales y el gran avance de la tecnología.

☐ b) las transformaciones marcadas por la globalización y la demanda de nuevos productos.

☐ c) las nuevas políticas energéticas y el encarecimiento del combustible.

27. Los vehículos del futuro funcionarán con electricidad como fuente de energía. Según el reportaje, ¿qué será lo más difícil?

☐ a) Llevar la electricidad a todos los puntos importantes para la carga.

☐ b) Producir toda la energía eléctrica que se necesitará.

☐ c) Distribuir la electricidad necesaria constantemente sin dañar el medioambiente.

28. En el reportaje se afirma que con todos los cambios de los que se hablan...

☐ a) la movilidad individual estará asegurada.

☐ b) la movilidad individual se verá limitada.

☐ c) la movilidad individual se verá incrementada.

29. La electricidad aplicada a los automóviles hará que...

☐ a) cuenten con un sistema de mandos más sencillo.

☐ b) tengan muchas más alternativas para las nuevas funciones.

☐ c) sea mucho más difícil su uso.

30. En el reportaje, al hablar de los automóviles del futuro, se dice que las posibilidades son:

☐ a) limitadas.

☐ b) infinitas.

☐ c) desconocidas.

PRUEBA (3) EXPRESIÓN E INTERACCIÓN ESCRITAS

Duración de la prueba: **80 minutos**

Tarea 1

66

Instrucciones:

Tras escuchar una breve noticia sobre la relación que existe entre el estado de ánimo y la forma de pensar, usted ha decidido escribir un correo electrónico al gabinete psicológico de su empresa o universidad para solicitar más información sobre el tema. Escuche la noticia dos veces. En el correo electrónico deberá:

- presentarse;
- explicar el motivo por el que escribe;
- señalar la relación que hay entre el estado de ánimo (tristeza, felicidad, etc.) y la forma de pensar (concentración, imaginación, buenas/malas ideas, etc.);
- exponer los motivos por los que le interesa el tema y por qué quiere más información;
- comentar qué cosas de las afirmadas en la noticia podrían ayudarle en su vida diaria.

Número de palabras: **entre 150 y 180.**

Tarea 2 **Instrucciones:**

Elija una de las dos opciones que se ofrecen a continuación

OPCIÓN 1

Usted colabora en un suplemento semanal sobre temas de cultura y sociedad latinoamericanas, y le han pedido que escriba un artículo sobre el comportamiento social de los habitantes de Cochabamba, Bolivia, en cuanto al acceso a la tecnología.

En el artículo debe incluir y analizar la información que aparece en los siguientes gráficos:

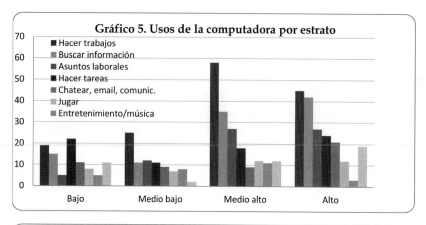

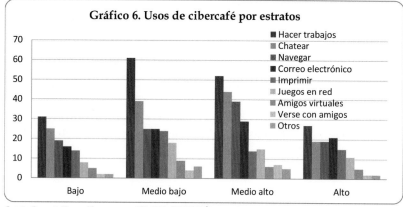

Fuente: Encuesta Tiempo libre y acceso a TICs 2009, CIUDADANÍA

Extraído de *http://pendientedemigracion.ucm.es*

Redacte un texto en el que deberá:

- identificar los usos más frecuentes que se le da al ordenador en la población de Cochabamba;
- comentar los contrastes más relevantes en cuanto al uso del ordenador en las diferentes clases sociales presentadas;
- exponer posibles explicaciones para fundamentar estos contrastes;
- identificar y comentar los principales usos que se hacen de los cibercafés en las diferentes clases sociales de Cochabamba;
- ofrecer una hipótesis que explique la diferencia en el comportamiento de los diferentes estratos sociales respecto del uso de los cibercafés;
- expresar su opinión sobre la información general recogida en los gráficos;
- elaborar una conclusión.

Número de palabras: **entre 150 y 180.**

OPCIÓN 2

Usted escribe en un blog literario y debe escribir una reseña sobre el último libro del escritor Igor Sádaba. A continuación puede ver una breve descripción de la obra.

CYBORG

De Igor Sádaba

Editorial: Península
Año publicación: 2009
Género: Ensayo
Temas: Sociología

La relación "máquina-ser humano" a la luz de los últimos descubrimientos y avances científicos. ¿Dependeremos cada vez más de las máquinas para vivir? Desde siempre, la relación entre sociedad y tecnología ha sido intensa y conflictiva. Una relación que, en las últimas décadas, ha dado como resultado una suerte de híbridos compuestos o mezclas heterogéneas impredecibles. Con el nombre de *cyborg* se pretende denominar y dar alguna explicación a los seres humanos modificados tecnológicamente o a los robots cada vez más humanoides, por no hablar de los engendros emergentes de las probetas biotecnológicas y de la ingeniería genética.

Este libro rastrea los antecedentes y la génesis de ese ente extraño que es el *cyborg*, sus formas y algunos de los acalorados debates que suscita. Desde la ciencia ficción y la cibernética a los seres proteicos y la biología sintética, todas esas líneas históricas convergen en un cóctel agitado de utopías tecnológicas y pesadillas grotescas. Tras ellas, el *cyborg* se presentará como una metáfora suculenta de las sociedades en las que vivimos, atravesadas hasta la saciedad por las modernas tecnologías.

Extraído de *http://www.lecturalia.com*

Redacte un texto en el que deberá:
- hacer una pequeña introducción sobre el tema de la relación máquina / ser humano en nuestros tiempos;
- comentar y valorar su experiencia en la lectura de esta obra;
- valorar la calidad de la escritura en forma de ensayo que presenta la obra;
- contar cómo cree que reaccionarán los lectores ante este tipo de publicación;
- elaborar una opinión personal sobre el libro.

Número de palabras: **entre 150 y 180.**

_____
_____
_____
_____
_____
_____
_____
_____
_____
_____

PRUEBA **4** EXPRESIÓN E INTERACCIÓN ORALES

Duración de la prueba: **15 minutos**
Tiempo de preparación: **15 minutos**

Tarea 1

Instrucciones:

Le proponemos un tema con algunas indicaciones para preparar una exposición oral. Tendrá que hablar durante 2 o 3 minutos sobre ventajas e inconvenientes de una serie de soluciones propuestas para una situación determinada. A continuación, conversará con el entrevistador sobre el tema.

Duración total de esta tarea: **4-5 minutos**

EL MAL USO DE LAS REDES SOCIALES ENTRE LOS MENORES

Además del acoso, otros riesgos que pueden presentar las redes sociales para los menores son la pérdida de la privacidad, que les puede llevar a facilitar a desconocidos tanto datos suyos como de sus familiares, y el robo de contraseñas de acceso a ordenadores y documentos. A ello se suma el acceso a contenidos inadecuados, bien sean violentos, de índole sexual, etcétera, así como la suplantación de identidad.

Extraído de *http://www.diariocordoba.com*

El problema se solucionaría si los padres no compraran a los menores de edad teléfonos y tabletas. Así los niños y adolescentes no tendrían acceso ni a internet ni a las redes sociales.

Las redes sociales no se preocupan de la privacidad. Yo no subiría ninguna foto ni información personal a ninguna red social y así evitaría el problema.

Los niños y adolescentes deberían ser más inteligentes y no dejarse engañar en las redes sociales. No deberían confiar en nadie para no tener problemas.

Los padres deberían controlar a sus hijos cuando accedan a internet y nunca dejar que se conecten solos.

En todos los colegios deberían enseñar a los alumnos a hacer un uso adecuado de internet y las redes sociales.

La policía tendría que investigar más para que todas las redes sociales fueran seguras y así los menores podrían utilizarlas sin preocupaciones.

EXPOSICIÓN:

Ejemplo: *A la propuesta de que en todos los colegios deberían enseñar a los alumnos a hacer un uso adecuado de internet y las redes sociales, le veo una cosa muy positiva…*

CONVERSACIÓN:

Una vez el candidato haya hablado de las propuestas de la lámina durante el tiempo estipulado (2 minutos), el entrevistador le hará algunas preguntas sobre el tema hasta cumplir con la duración de la tarea.

EJEMPLO DE PREGUNTAS DEL ENTREVISTADOR:

Sobre las propuestas

- De las propuestas dadas, ¿cuál le parece la menos efectiva?

Sobre su realidad

- ¿En su entorno conoce casos de personas que hayan tenido problemas con las redes sociales? ¿De qué tipo? ¿Cómo lo solucionaron?

Sobre sus opiniones

- ¿Considera que las redes sociales son peligrosas? ¿Por qué?

- ¿Considera que las redes sociales son un avance para la comunicación entre las personas? ¿Por qué?

Tarea 2 **Instrucciones:**

Usted debe imaginar una situación a partir de una fotografía y describirla durante unos dos minutos.

A continuación conversará con el entrevistador acerca de sus experiencias y opiniones sobre el tema de la situación. Tenga en cuenta que no hay una respuesta correcta: debe imaginar la situación a partir de las preguntas que se le proporcionan.

Duración total de esta tarea: **3-4 minutos**

TECNOLOGÍA EN LA VIDA COTIDIANA

Las personas de la fotografía están realizando varias acciones simultáneas. Imagine la situación y hable de ella durante, aproximadamente, dos minutos. Estos son algunos aspectos que puede comentar:

- ¿Dónde cree que están los personajes? ¿Por qué?
- ¿Qué están haciendo las personas?
- ¿Qué relación cree que existe entre estas personas?
- ¿Qué diálogos piensa que están ocurriendo entre ellos? ¿Por qué?
- ¿Cómo cree que son estas personas? ¿Qué características psicológicas de cada uno destacaría?
- ¿Qué están pensando las personas?
- ¿Qué cree que va a ocurrir después? ¿Cómo va a terminar la situación?

Una vez haya descrito la fotografía durante el tiempo estipulado (2 minutos), el entrevistador le hará algunas preguntas sobre el tema de la situación hasta cumplir con la duración de la tarea.

EJEMPLO DE PREGUNTAS DEL ENTREVISTADOR:

- *¿Tiene teléfono móvil inteligente? Si no tiene, explique por qué. Si tiene, explique qué uso le da.*
- *¿Suele usar su teléfono móvil cuando está compartiendo momentos con otras personas?*
- *¿Cómo es la costumbre de la comida y la cena en su país de origen u otro país que conozca bien? ¿Come con otras personas? ¿Qué otras actividades realiza mientras come?*
- *¿Le llama la atención que la gente esté chateando o mirando sus teléfonos móviles mientras se sienta a la mesa con otras personas?*
- *¿Cree que la comunicación persona a persona se podría poner en peligro por la presencia de aparatos tecnológicos en la vida cotidiana de la gente? ¿Por qué?*

Tarea 3 | **Instrucciones:**

Usted debe conversar con el entrevistador sobre los datos de una encuesta, expresando su opinión al respecto.

Duración total de esta tarea: **2-3 minutos**

EJEMPLO DE PROPUESTA: LA PERCEPCIÓN SOCIAL DE LA CIENCIA EN ESPAÑA

Este cuestionario forma parte de la "VI encuesta de percepción social de la ciencia", desarrollado por el Gobierno de España y la Fundación española para la ciencia y la tecnología (FECYT). A través de esta encuesta es posible conocer el modo en que los españoles perciben el trabajo de los investigadores y revela interesantes resultados sobre la idea que se tiene sobre el desempeño de esta profesión ligada al desarrollo de la ciencia y la tecnología en el país:

Marque con una "X" la alternativa que elija para cada pregunta, basándose en la realidad de su país u otra cultura con la que esté familiarizado.

Ser investigador es una profesión…

1.
Muy atractiva para los jóvenes	
Poco atractiva para los jóvenes	
No sabe	
No contesta	

2.
Que compensa personalmente	
Que no compensa personalmente	
No sabe	
No contesta	

3.
Bien remunerada económicamente	
Mal remunerada económicamente	
No sabe	
No contesta	

4.
Con un alto reconocimiento social	
Con poco reconocimiento social	
No sabe	
No contesta	

Fíjese ahora en los resultados de la encuesta entre los españoles:

Ser investigador es una profesión…

1.
Muy atractiva para los jóvenes	59,0%
Poco atractiva para los jóvenes	33,1%
No sabe	5,7%
No contesta	2,1%

2.
Que compensa personalmente	67,6%
Que no compensa personalmente	21,5%
No sabe	9,1%
No contesta	1,7%

3.
Bien remunerada económicamente	27,8%
Mal remunerada económicamente	49,3%
No sabe	20,2%
No contesta	2,7%

4.
Con un alto reconocimiento social	37,5%
Con poco reconocimiento social	54,6%
No sabe	6,2%
No contesta	1,6%

Extraído de *www.fecyt.es*

Comente ahora con el entrevistador su opinión sobre los datos de la encuesta y compárelos con sus propias respuestas:

- *¿En qué coinciden? ¿En qué se diferencian?*
- *¿Hay algún dato que le llame especialmente la atención? ¿Por qué?*

EJEMPLO DE PREGUNTAS DEL ENTREVISTADOR

- *¿Cuál es su profesión u ocupación?*
- *En su país, ¿cuáles son las profesiones más reconocidas socialmente? ¿Por qué considera que es así?*
- *En su país, ¿cuáles son las profesiones mejor remuneradas? ¿Por qué considera que es así?*
- *¿Considera que la profesión de investigador es relevante para las sociedades? ¿Por qué?*
- *¿Con qué opción está menos de acuerdo? ¿Por qué? ¿Qué le sorprende de esta encuesta?*

PRUEBA ❶ COMPRENSIÓN DE LECTURA

Tarea 1

1. B

"Allí identificaron científicos de la Universidad de Oxford, en Reino Unido, *una región del cerebro humano única, que no aparece en el cerebro de* nuestros parientes más cercanos, *los monos*".

2. A

"[…] explica *Franz-Xaver Neubert*, experto en psicología experimental y *autor del estudio publicado en la revista especializada Neuron*".

3. A

"Los investigadores [...] *observaron un área específica* –generalmente relacionada con los procesos de toma de decisiones, la capacidad de hacer varias tareas de forma simultánea y de anticipar estrategias– *que no está presente en los cerebros de los monos analizados*".

4. B

"'*Una de las cosas sorprendentes es que encontramos enormes similitudes en la organización de estas áreas en el cerebro humano y en el de los monos*', dice Neubert".

5. C

"Toda clase de *funciones se han atribuido a esta región*, pero en general creo que *la gente tiende a pensar que puede estar involucrada en lo que algunos llaman multitarea*".

6. C

"Sin embargo, *otro de los hallazgos de este estudio no se basa* en lo que nos diferencia, sino *en lo que nos une*. […]

Por lo tanto, dice Neubert, *aunque se podría pensar que estas zonas del lenguaje y la flexibilidad cognitiva [...] son un desarrollo absolutamente nuevo en los humanos, según estos resultados no lo son*".

Tarea 2

7. B

"*Ese descubrimiento se transformaría en mi primera planta fósil de especie nueva*, y también llamaría la atención de los botánicos y de otras disciplinas de las ciencias naturales […] *Así empezó la línea de investigación que llevo hasta ahora, la "Paleosilología"* (estudio de las maderas fósiles)".

8. A

"Fue un momento tan glorioso que *no me atrevía a volver a mirar por miedo a que desapareciera*".

9. A

"*Me puse a llorar de alegría*".

10. D

"*Aislar un retrovirus no es un momento específico,* ni un golpe de efecto, ni una escena espectacular. *Es un trabajo minucioso, pasito a pasito*, que requiere cotejos, pruebas y más pruebas".

11. B

"*Mi suegro* […] buscaba yacimientos de minerales a través de los vegetales y siempre me traía maderas con distintas características para que yo las analizara […] Hasta que *una vez me trajo […] una madera que según él tenía muchos minerales y era una madera fósil*, entonces me dio mucha curiosidad y *decidí ir a cortar esta roca para estudiar los minerales. Ese descubrimiento se transformaría en mi primera planta fósil de especie nueva*".

12. D

"Empecé a encontrar a los enfermos [de sida] en el Instituto Pasteur. […] *Aprendí a escuchar. A comprender las prioridades. Este fue mi primer descubrimiento*".

13. C

"*Mi primer descubrimiento importante fue* el de Tachero (ubicado en Anaga, Tenerife), *un yacimiento excepcional del Pleistoceno Superior, con más de 100 especies de moluscos fósiles*, muchos de ellos de una *fauna tropical ya extinguida en [las islas] Canarias*".

14. A

"Mi primer hallazgo importante fue en Argentina en 1988. *Estábamos explorando una gran área* de 150 kilómetros cuadrados, *que recorrimos de punta a cabo sin ningún resultado, y ya nos íbamos a dar por vencidos*".

15. C

"*Me gustaría dedicar aquí un recuerdo emocionado al naturalista Efraín Hernández, que colaboró tan eficazmente* en las prospecciones de este importante yacimiento".

16. D

"[…] un día observé que había algo que nunca había visto antes, *pero no quise decírselo a nadie. Por prudencia y por estar más segura*".

Tarea 3

17. G

18. A

19. F

20. B

21. H

22. D

Tarea 4

23. C

Si bien *las tres alternativas son preposiciones de lugar* que refieren a lo mismo, las alternativas "a" y "b" necesitan ir seguidas por la preposición "de" para operar correctamente. En oposición, *la palabra "frente" es la única que requiere ir seguida por la preposición "a"*, que es la que ofrece el texto.

24. A

Considerando que el párrafo habla de *"la computadora"*, para no repetir esta palabra podemos escoger un *pronombre de objeto directo* que la sustituya. Al tratarse de una palabra *femenina y singular*, el *pronombre adecuado será "la"*.

25. C

Este párrafo nos presenta el *conector condicional "a menos que"*. Este tipo de *condición se presenta de forma negativa*, como un obstáculo para cumplir la acción principal y, en términos gramaticales, *siempre deberá ir seguida por un verbo en subjuntivo*. En este sentido, la opción "c" es la única que propone un verbo en modo subjuntivo.

26. B

Este párrafo nos presenta una *fórmula comparativa de superioridad*, en este caso propuesta a partir de sustantivos. La fórmula de este tipo de construcciones sería, por ejemplo: *en la cesta hay más + manzanas + que + peras*. Para este tipo de comparaciones *se hace necesaria la palabra "que"*, a diferencia de las comparaciones de igualdad, que suelen requerir "como".

27. B

Por regla general, *la conjunción adverbial "sin que" va siempre seguida por verbos en modo subjuntivo*. Ahora bien, considerando que dos de las alternativas presentadas son verbos en subjuntivo (bloquearan es imperfecto de subjuntivo y bloqueen es presente de subjuntivo), debemos *prestar atención al tiempo gramatical* usado en el resto del párrafo. En este caso *solo se usa el presente*, por lo que el verbo requerido debe ser la alternativa "b", es decir, el *presente de subjuntivo*.

28. A

En este caso, necesitamos una palabra que actúe como un *adjetivo que determine el sustantivo "cruces"*. Esto elimina de inmediato la alternativa "c", que presenta un gerundio. Las dos primeras alternativas, en su forma de participio, sí podrían funcionar como adjetivos, sin embargo solo *la alternativa "a" coincide en género y número con "las cruces"*.

29. B

El verbo *"transformarse" necesita ir seguido de la preposición "en"* para referir al resultado de la transformación.

30. C

La palabra que necesitamos en este caso es un *conector temporal* que podría ser "cuando", "en cuanto" o "al". *Las tres alternativas*, entonces, *cumplen la función gramatical referida*. La única diferencia es que *solo la alternativa "c" requiere ir seguida de verbos en infinitivo*, mientras que las alternativas "a" y "b" pueden ir seguidas por verbos conjugados en indicativo o subjuntivo, dependiendo del contexto.

31. C

El *marcador temporal "luego"* nos informa de una acción que ocurre con *posterioridad*. Técnicamente, se está haciendo referencia al futuro, lo que en términos gramaticales podría hacerse utilizando el futuro o el presente. Considerando que las alternativas ofrecen dos verbos en pasado y uno en futuro, *el verbo "serán", conjugado en futuro, es la opción correcta*.

32. B

En este caso, debemos seleccionar el *verbo que sigue al marcador temporal "cuando", que puede ser indicativo o subjuntivo*. El criterio para elegir el *modo verbal depende del tiempo al que hace referencia la totalidad de la oración*: prestaremos atención, entonces, a "una fanfarria estalla poco antes de la explosión...". *El verbo*, como vemos, *está en presente*. Esto nos lleva a descartar la alternativa "c", que podría ser usada si se hiciera referencia al pasado. Al mismo tiempo, el verbo en presente nos lleva a descartar la alternativa "a", planteada en presente de subjuntivo, porque ese modo verbal requeriría una oración referida al futuro. *La opción correcta*, entonces, *es el presente de indicativo*, pues se está haciendo referencia a *una acción atemporal, que ocurre repetidas veces*.

33. C

Aquí debemos escoger la *conjunción adecuada entre las tres que se nos presentan*. Empezaremos descartando la alternativa "a" pues, si quisiéramos usar la preposición adversativa "o", tendríamos que utilizar su alomorfo "u" cuando la palabra que viene empieza también con "o", como "olor". En cuanto a las dos alternativas restantes, si bien *tanto "y" como "ni" cumplen la misma función de conjunción copulativa*, al encontrarnos con una *proposición negativa ("no hay humo...")* necesitaremos la versión negativa que nos provee la conjunción correcta "ni".

34. A

Una de las *distinciones en el uso de subjuntivo / indicativo* tiene que ver con la *existencia o no existencia de objetos, personas o lugares. Los verbos relacionados con la no existencia de algo estarían conjugados en subjuntivo*, en tanto que la existencia concreta se relaciona con el indicativo. El contexto de este párrafo es: "no hay humo que...", lo que nos indica la necesidad de contar con un verbo en subjuntivo para completar la oración. De este modo descartamos la única opción en indicativo (la "b"). Para elegir entre las dos opciones restantes, debemos prestar atención a la *correspondencia de número entre los nombres y el verbo*. Así, al tener dos elementos que no hay ("humo" y olor a "pólvora"), *el verbo elegido debería ser plural y no singular*, lo que nos lleva a escoger el verbo en subjuntivo y plural de la opción "a" como el correcto.

35. B

De las tres preposiciones ofrecidas, dos de ellas tienen sentido al referirnos a algo que ocurre del otro lado de una ventana. "En torno" hace referencia a algo que ocurre alrededor, lo que no corresponde con el sentido de la oración y, además, requiere ir seguido por la preposición "a" en vez de la que aparece en el texto ("de"). Las otras dos alternativas ("a través" y "mediante") tienen el mismo sentido, pero "mediante" no requiere ir seguida de una preposición. Considerando que el texto incluye la preposición "de" después del espacio en blanco, *"a través" es la alternativa correcta pues siempre debe ir seguido de "de"*.

36. B

El verbo que necesitamos en esta oración debe hacer referencia a *la existencia o no existencia de algo, en este caso de "viento"*. Para este fin, los *verbos "estar" y "haber" pueden ser de utilidad, descartando el verbo "ser"* que no suele usarse en este sentido. De las dos alternativas restantes, debemos recordar que por regla general *usaremos "hay" seguido por sustantivos comunes, números o artículos indefinidos* (un, una, etc.). En contraste, usaremos *estar* seguido por sustantivos propios o artículos definidos (el, la, los...). Considerando que la oración habla de *la existencia de "viento"*, que es un *sustantivo común no encabezado por ningún artículo, sabemos que la opción correcta es el verbo "hay"*.

PRUEBA 2 COMPRENSIÓN AUDITIVA Y USO DE LA LENGUA

Tarea 1

1. B

"*¿Cómo? ¿Con un microchip en la cabeza ya sabremos un nuevo idioma? ¡Qué pasada!* [...] *¡Qué va! Esto avanza muy deprisa, tú y yo lo vamos a poder disfrutar, ya lo verás*".

2. C

"*Pues que creo que tiene muchos más pros que contras...*".

3. B

"*Tómatelo a risa pero a mí no me hace ninguna gracia, hay muchos científicos que opinan como yo*".

4. B

"*Chica, ¡qué abuelita estás hecha! Ya nadie utiliza el teléfono solo para llamar...*".

5. A

"No creo que sea un problema de costes. Estoy seguro de que hay otros motivos ocultos para que no se exploten".

6. C

"Chica, ¿sabes qué te digo? Que me quedo como estoy, con mi casa 'boba'".

Tarea 2

7. B

ALEJANDRA: "A mí ese tipo de noticia *no me coge de nuevas...* No solo por el agua, es una cuestión de pura estadística *¿o piensas que somos los únicos en el universo?"*.

8. C

9. B

ALEJANDRA: "¡Anda! *¿Y por qué no nos comunicamos nosotros con ellos? Pues muy fácil Cristian... porque no podemos.* Hace falta *una tecnología muy desarrollada y nosotros todavía no la tenemos"*.

10. A

ALEJANDRA: "¡Eso fijo! En 300 años nuestro planeta será una mezcla de culturas, no de distintos países sino de diferentes planetas de toda la galaxia...".

CRISTIAN: "*¡jaja! Como una película de ciencia ficción..."*.

11. C

12. B

ALEJANDRA: "*¡Espera! ¿Y si ya estuvieran entre nosotros?"*.

Tarea 3

13. B

"Entender por qué llora un bebé, si tiene hambre, frío, miedo, sueño, si le duele algo..., es, muchas veces, algo difícil de descifrar; *requiere práctica, entrenamiento y también mucha calma,* [...]".

14. A

"Bueno, esto es un e*studio que hemos llevado a cabo tres universidades españolas, la UNED, la Universidad de Murcia y la Universidad de Valencia"*.

15. B

"Nosotros estudiamos el llanto provocado por *miedo o susto,* provocado por *dolor agudo* y por *enfado o ira"*.

16. C

"[...] *el dolor* provoca una *contracción mayor de los ojos* –de hecho *lloran con los ojos cerrados,* están con los ojos... y además tensos–".

17. A

"[...] Y en lo que se refiere a la dinámica del llanto, *el llanto es explosivo en el caso del dolor* (se producía después de una vacuna), es decir, inmediatamente [después] de que se produce la sensación de dolor *llora con su máxima intensidad y se mantiene durante un tiempo"*.

18. B

"Es lo que nosotros hemos podido descubrir o analizar en nuestro estudio, evidentemente *puede que haya otras variables que no hemos podido analizar"*.

Tarea 4

19. J

"[...] te recomiendo [....] que actualices e instales los *parches de seguridad en el navegador y en el sistema operativo* de tu ordenador. [...] Adicionalmente, también deberías tener una *solución antivirus* para evitar correr riesgos innecesarios".

20. H

"[...] *un sitio de confianza* es aquel que *tiene buena reputación* por cumplir lo que promete [...] Todo eso *lo puedes averiguar buscando en internet las opiniones de usuarios* que hayan comprado por esa vía antes".

21. A

"Si una oferta parece demasiado buena para ser real, probablemente sea un engaño".

22. D

"[...] fíjate que el sitio en que estás comprando cumpla con el *protocolo SSL, el estándar internacional de seguridad de las transacciones* [...] El SSL puede mostrarse a través del símbolo de una *llave o candado en la ventana donde estás ingresando tus datos privados"*.

23. B

"Nunca hagás click desde tu correo electrónico para ser redirigido a la página promocionada. [...] De este modo *podés evitar ser engañado por falsos enlaces que llevan a sitios maliciosos* desarrollados por ciberdelincuentes".

24. C

"Evita comprar desde una red Wi-Fi pública".

Tarea 5

25. C

"[...] el diseño de los automóviles *cambiará más rápido de lo esperado"*.

26. B

"*La razón* para esta evolución *son los cambios globales y los mercados económicos más importantes, que demandan* con urgencia *nuevos conceptos"*.

27. C

"Los vehículos eléctricos necesitan electricidad y *un reto será repartir la suficiente energía todo el tiempo* a los vehículos eléctricos *de una forma sostenible"*.

28. A

"Entre todos estos cambios, *la movilidad individual estará garantizada* en todo momento".

29. B

"*La electrificación total del vehículo*, conducirá a un nuevo tipo de arquitectura del automóvil *con muchas opciones para las nuevas funciones del vehículo* y su integración en la infraestructura y en el medioambiente".

30. B

"El pensamiento se moverá hacia la participación activa en la red energética; soluciones de movilidad inteligentes, los edificios y las infraestructuras eléctricas contribuirán de una forma activa a maximizar el rendimiento ante todo. *Las posibilidades son ilimitadas"*.

Transcripciones

PISTA 1
Tarea 1
Usted va a escuchar seis conversaciones breves. Escuche cada conversación dos veces. Después debe contestar a las preguntas (1-6). Seleccione la opción correcta (a / b / c).
Conversación 1
Va a escuchar una conversación entre una madre y su hijo.
Mujer: ¿Y si vamos de pesca?

Hombre: ¿De pesca? ¡Menuda juerga, mamá! Tres horas allí, mirando el agua, sin que pique un triste pez…

Mujer: Mira, Jorge, no te entiendo. El mes pasado te morías porque llegaran las vacaciones y ahora parece que fueran una tortura.

[Adaptado de *http://www.spanishpodcast.org*]

PISTA 2
Conversación 2
Va a escuchar una conversación entre dos amigos que hablan sobre sus planes para las vacaciones.
Hombre: ¿Qué tal, Belén? ¿Cómo van los planes para tus vacaciones?

Mujer: ¡Hola! Pues… creo que me voy todo el mes de agosto a Irlanda, con dos amigas.

Hombre: ¡Un mes entero a Irlanda! Debes de estar forrada…

Mujer: Qué va, Juan. Vamos en plan mochilero, durmiendo en albergues estudiantiles que salen tirados.

[Adaptado de *http://www.spanishpodcast.org*]

PISTA 3
Conversación 3
Va a escuchar una conversación entre dos amigos que se encuentran en Buenos Aires.
Mujer: ¡Qué bueno, flaco, al fin llegaste! ¡El avión se atrasó siglos!

Hombre: ¡Hola, Marcela! ¿Qué tal? ¡Qué gusto volver a verte!

Mujer: ¡Bárbaro! ¡Che, qué bueno que viniste! Al fin voy a poder mostrarte Buenos Aires. Vas a ver que la vamos a pasar genial.

Hombre: Ya lo creo. Aunque sea poco, va a ser una semana intensa…

[Adaptado de *http://www.spanishpodcast.org*]

PISTA 4
Conversación 4
Va a escuchar una conversación entre dos personas en una calle de Madrid.
Hombre: Oiga, por favor, ¿puedo ir a la Plaza Mayor andando?

Mujer: ¡Hombre…! Andando es casi una hora. Pero puede coger un autobús que le llevará en 20 minutos.

Hombre: ¿Y dónde hay una parada por aquí?

Mujer: Está usted de suerte. Esta es la parada y yo estoy esperando el mismo autobús.

PISTA 5
Conversación 5
Va a escuchar la conversación entre dos amigos.
Hombre: ¡Qué envidia me das, Montse! ¡Ojalá yo pudiera pasarme ahora mismo una semana en Barcelona!

Mujer: Sí. Barcelona es una de las ciudades que más me gustan de todo el mundo.

Hombre: Por las fotos y los reportajes de viajes que he visto, está bien. Ahora, donde se ponga Madrid, que se quite Barcelona.

Mujer: ¿Ya estás comparando, Pablo? Oye, que no hay que poner una ni quitar otra. Cada ciudad tiene sus cosas.

[Adaptado de *http://www.spanishpodcast.org*]

PISTA 6
Conversación 6
Va a escuchar la conversación entre dos personas en la taquilla de una estación de autobuses.
Mujer: Buenos días, ¿en qué le puedo ayudar?

Hombre: Sí, buenos días. Quiero dos billetes a Sevilla, para las 4 de la tarde, por favor.

Mujer: Hum… vamos a ver… me queda solo una plaza para esa hora… Pero para las 6 sí que tengo.

Hombre: Pfff… Es que entonces tengo que esperar dos horas… pero bueno, si no queda otra…

PISTA 7
Tarea 2
Usted va a escuchar una conversación entre una pareja de novios, Nadia y Jacobo. Indique si los enunciados (7-12) se refieren a Nadia (A), a Jacobo (B) o a ninguno de los dos (C). Escuche la conversación dos veces.
Nadia: ¡Ay, qué emoción ir a España! Me has hablado tanto de tu país que me muero por conocerlo.

Jacobo: Y yo por volver. Hace cuatro años que no voy a mi tierra. Echo mucho de menos mi Galicia natal. Además, tengo muchas ganas de que mi familia te conozca.

Nadia: Y yo de conocerles a ellos. Bueno, a ver, entonces empezamos por tu tierra, por Galicia, ¿verdad?

Jacobo: Claro. Si vamos diez días, lo mínimo para estar con la familia son cuatro o cinco días. Además, quiero enseñarte mi ciudad, Santiago de Compostela. Tenemos una catedral preciosa, etapa final para todos los peregrinos que hacen el Camino de Santiago. Quiero enseñarte todos los rincones de mi infancia. Santiago te va a encantar. Y vas a comer la mejor comida del mundo, sobre todo el mejor marisco. Ya verás…

Nadia: Mmmmm, qué bien suena todo eso. Así que…, estaríamos unos cuatro días en Galicia.

Jacobo: Sí, ¿te parece bien? Dos días en Santiago, para poder estar con la familia, y otros dos para ir a La Coruña y a Orense, y volver a dormir a casa.

Nadia: Me parece una buena idea. Si estuviéramos menos tiempo, tus padres se enfadarían. Bueno, nos quedan seis días, ¿cómo los distribuimos? Ya sabes que quiero conocer Barcelona y empaparme de Gaudí, quiero ir a Valencia, a Madrid, a La Mancha (la tierra de El Quijote) y, por supuesto, a toda Andalucía.

Jacobo: Nadia, tú sabes perfectamente que eso es imposible. Nos pasaríamos el tiempo yendo de un sitio a otro. Eso sería atravesar España de punta a punta. Demasiados kilómetros y poco tiempo para disfrutar de las cosas tranquilamente. Yo dejaría Cataluña y Valencia para un próximo viaje, y entonces conoceríamos toda la costa mediterránea. Y para otro La Mancha y otros lugares de Castilla y León, que son preciosos.

Nadia: ¡Ay, qué pesar no ir! Pero tienes razón, es imposible, no hay tiempo material para todo.

[Adaptado de *http://www.spanishpodcast.org*]

PISTA 8
Tarea 3

Usted va a escuchar parte de una entrevista al presidente de la Cámara de Turismo de Guatemala. Escuche la entrevista dos veces. Después debe contestar a las preguntas (13-18). Seleccione la respuesta correcta (a / b / c).

Locutor: *Nómadas*. Grandes viajes en Radio Nacional de España.

Hombre 1: … y aquí nos espera el presidente de la Cámara de Turismo de Guatemala que es Mariano Beltranena. Mariano, ¿qué tal? ¿Cómo está?

Hombre 2: Muy bien, mucho gusto, muchas gracias por recibirnos.

Hombre 1: Gracias por acompañarnos y por presentarnos esta ciudad que tiene más de doscientos años de historia, ¿verdad?, como atestigua el casco histórico de Ciudad de Guatemala.

Hombre 2: Bueno, la verdad es que la historia que tiene la ciudad de Guatemala data de dos mil años, porque hay vestigios mayas dentro de la ciudad, hay un sitio arqueológico que se llama Kaminal juyú, entonces realmente eso nos lleva a través de dos mil años de historia que hace, pues, una diferencia: algo que hace muy especial a esta ciudad. Luego, pues, obviamente, tiene todos los vestigios coloniales y es una ciudad estructurada por la forma de hacer de los arquitectos españoles durante esa época. Donde hay una plaza central, hay un Palacio Nacional espectacular, verdaderamente impresionante, que vale la pena visitar porque fue hecho con una riqueza muy especial. Guatemala no tiene mucha piedra para poder tallar y la trajeron desde muy lejos para hacer este Palacio Nacional y tiene un color verduzco espectacular; es una plaza hermosa, muy parecida a lo que encuentras en los distintos países que fueron colonizados por los españoles. Aparte de eso, pues, obviamente, es una ciudad que tiene más de tres millones de habitantes, es una ciudad que tiene una extensión muy grande y ha ido creciendo, tiene una modernidad espectacular, realmente es verdaderamente impresionante aterrizar en el aeropuerto de La Aurora…

Hombre 1: Ya tendremos tiempo en los próximos minutos en este viaje virtual por Guatemala de recorrer vestigios mayas, lugares arqueológicos, que aquí cerca también hay, pero nos interesa eso de lo que hablábamos, la herencia colonial, esos doscientos años de historia que se reflejan en muchos lugares, en la plaza, cómo no, también en la catedral, por ejemplo, en las iglesias…

Hombre 2: Seguro, realmente, tenemos una serie de iglesias impresionantes porque por ser una capitanía general en ese entonces y por la gran población que siempre ha tenido el país de Guatemala dentro de Centroamérica pues, obviamente hubo una gran cantidad de diferentes representantes de la Iglesia católica que fueron constituyendo parroquias.

Hombre 1: Mariano Beltranena, presidente de la Cámara de Turismo de Guatemala, muchas gracias por su tiempo y por su compañía.

Hombre 2: Un gusto.

Hombre 1: ¡Hasta pronto!

[Fuente: *Nómadas*, Radio Nacional de España]

PISTA 9
Tarea 4

Usted va a escuchar a seis personas que dan consejos para viajar de vacaciones al extranjero. Escuche la audición dos veces. Seleccione el enunciado (A-J) que corresponde al tema del que habla cada persona (19-24). Hay diez enunciados incluido el ejemplo. Seleccione solamente seis. Ahora escuche el ejemplo:

Persona 0 (Ejemplo)

Hombre: ¿Quieres viajar al extranjero en las próximas vacaciones? Pues entonces lo primero que debes hacer es averiguar bien la oferta hotelera en el lugar de destino antes de reservar. A veces hay buenas promociones en los buscadores de hoteles en internet, que ofrecen el desayuno incluido o algunos paquetes turísticos dentro del precio de la habitación. ¡Infórmate!

La opción correcta es el enunciado G.

Persona 1

Mujer: Si pensás viajar al exterior, tomate un minuto para chequear que tus documentos y los de tu familia estén vigentes. Nunca falta el pasajero que llega al aeropuerto y se entera de que su pasaporte está vencido en el momento de hacer la facturación. Acordate de que hay países que no solo exigen presentar el pasaporte al día, sino también una visa, así que yo te recomiendo que preguntés en el consulado del país de destino todos los requisitos exigidos para ingresar.

Persona 2

Hombre: Otro tema es el del coche. Si vas a alquilar uno, no te olvides de llevar la licencia de conducir vigente y, además, aunque no todos los países lo piden, yo recomiendo que saques la licencia internacional. Es un trámite rápido y fácil. ¡Ah! Y antes de reservar, consulta qué cosas incluye la tarifa: kilometraje ilimitado, seguros, impuestos y costes adicionales. Así no te llevas sorpresas.

Persona 3

Mujer: ¡Otra cosa muy importante! Si un niño viaja con sus dos padres no se necesita ningún documento, pero los permisos para salir del país con chicos de hasta 18 años que viajan solos, con uno de los padres o con terceros, como abuelos y amigos, hay que gestionarlos con tiempo suficiente. Si viajas con niños, piensa en eso con anticipación.

Persona 4

Hombre: En todo caso, sea cual sea el país que visites, siempre es recomendable que contrates un servicio de asistencia al viajero. Varias empresas tienen promociones y renuevan sus productos en función de las necesidades de los pasajeros. Algunos servicios protegen contra el robo, otros permiten cambiar el billete si llegas tarde al aeropuerto y otros cubren gastos de salud. Merece la pena, porque además cada vez más países exigen a los turistas que lleven una asistencia obligatoria.

Persona 5

Mujer: Depende de dónde viajés, pero si son países que requieren tomar precauciones sanitarias, es recomendable que consultés a un médico especialista en medicina del viajero. Él puede indicarte las vacunas apropiadas de acuerdo con tu estado de salud, la duración de la estadía y el tipo de viaje. Pedile al médico recomendaciones preventivas relacionadas con algunos destinos y hacé la consulta con un mes de anticipación, por si necesitás un tratamiento más largo.

Persona 6

Hombre: Para ahorrarte tiempo, haz el *check in* de tu vuelo en internet. Hace unos años las aerolíneas comenzaron a ofrecer la posibilidad de obtener la tarjeta de embarque y seleccionar el asiento a través de internet. Puedes realizar este trámite desde 48 hasta 2 horas antes del vuelo y te permite viajar con más tiempo y evitar las colas.

[Textos adaptados de *http://www.clarin.com*]

PISTA 10
Tarea 5

Usted va a escuchar a una mujer que habla sobre su experiencia acerca de los viajes. Escuche la audición dos veces. Después debe contestar a las preguntas (25-30). Seleccione la opción correcta (a / b / c).

El viajar, sin duda, ha sido una de las mejores cosas que he hecho en mi vida, ha sido la oportunidad de ver el mundo tal cual es, con todos sus colores, sus olores, sus risas, sus peculiares formas de vestir y pensar. Es una experiencia que no tiene precio y que va más allá de lo imaginable. A mis 31 años he vivido ya en seis países diferentes, he visto los cinco continentes y he logrado el sueño de dar la vuelta al mundo.

Cada sitio que he visitado ha sido único; algunos más amables que otros, otros más informales, otros más cálidos… pero sin duda cada uno ha tenido algo mágico que darme. El viajar también me ha dado la oportunidad de conocer miles de personas diferentes. Somos millones de seres humanos en este planeta, ¿cómo podría dar por hecho que todos deben pensar como yo y que aquellos que no lo hagan deben de estar equivocados? Por lo tanto, el viajar me ha ayudado a desarrollar la tolerancia, el respeto, la paciencia y la aceptación. Ha hecho abrir mi mente hacia nuevas formas de pensar y ver el mundo; millones de experiencias llevaré conmigo siempre como el caminar por un caótico y oloriento Cairo en Egipto y meditar en el centro de la pirámide de Keops o escalar el Perito Moreno, ese espectacular y majestuoso glaciar localizado al sur de Argentina; o visitar el misterioso y obscuro Lago Ness en Escocia, con su leyenda del monstruo que habita en él; o bañarme a las orillas del río Ganges en Varanasi, en India, viendo a toda esa gente llena de devoción hacia el dios en el que creen; o hacer surf en las playas paradisíacas y salvajes del sur de Portugal, en donde solo existe la tabla, el mar y tú; o el regatear y comprar en el corazón del mercado flotante de Tailandia, lleno de colores y de olores; o conducir en el inmenso, seco e inhabitable desierto de Australia; o caminar en Barcelona, España, la transitada Rambla, con sus estatuas humanas y sus restaurantes llenos de deliciosas tapas… Sin duda, cada sitio en el que he estado me ha enseñado algo, me ha permitido conocer lo diverso que es el mundo pero, sobre todo, la diversidad de la gente que lo habita. Mi consejo más grande es que veas el mundo, que lo vivas, que lo huelas, que lo toques; no siempre se necesita tanto dinero para hacerlo, pero sí se necesitan ganas y el coraje de dejar lo que conoces por aquello que no conoces. No esperes a que alguien te acompañe; yo muchas veces he viajado sola y esas experiencias han sido inmensamente remuneradas en mi crecimiento. Así que, ¡viaja! ¡Conoce el mundo! Y no lo hagas a través de paquetes en donde todo se incluye y tú no tienes que mover ni un dedo; no lo hagas en esos *tours* en donde va el grupo de japoneses con sus cámaras último modelo, no lo hagas de

forma programada. ¡Prográmalo tú, vívelo tú! A tu manera, vive el mundo tal como es, métete a sus calles, habla con su gente local, come aquello que no está en tu cocina y llénate de miles de experiencias que nunca olvidarás.

[Fuente: *Daniela Ayon en www.youtube.com*]

PISTA 11
Tarea 1

Va a escuchar un reportaje sobre el precio del transporte público en España. Escuche el reportaje dos veces.

Periodista: Es el autobús urbano más caro de España. Lo dice un informe que ha comparado el precio del trasporte público en cuarenta ciudades. En Barcelona un billete sencillo cuesta casi un euro y medio, le siguen en precio, Girona, Sevilla o Valencia; ese euro y treinta céntimos es el doble que en otras ciudades españolas…

Hombre 1: La verdad es que es un atraco. Porque yo estudio en otra ciudad distinta a Sevilla y los precios, la verdad es que están más baratos.

Periodista: En el otro extremo se sitúan los viajeros de Lugo.

Mujer 1: Sí, me gusta mucho el servicio…

Mujer 2: Algo tenemos que tener bueno, también tenemos el tiempo malo, pues tenemos que tener algo bueno, ¿no?

Periodista: Junto a Cuenca y Logroño son las tres ciudades donde sale más barato coger el bus urbano.

Hombre 2: Las diferencias tarifarias siguen siendo espectaculares, estamos hablando de entorno a un 140%, puede haber justificación detrás en algunos casos porque la red de autobuses sea mucho más extensa, la calidad del servicio también, pero hay otros casos en los que simplemente se están aplicando "tarifazos"…

Periodista: En el estudio también se compara el ahorro en bonos de diez viajes; aquí gana Bilbao con un ahorro de casi el 50%, donde menos, en Madrid.

Mujer 3: 9,30, poco se ahorra.

Mujer 4: Yo lo veo caro.

Periodista: En el último año 25 ciudades han subido sus tarifas de transporte urbano pero solo en 12 de ellas se ofrecen descuento para los parados.

[Fuente: *http://www.antena3.com/noticias*]

PISTA 12
Tarea 1

Usted va a escuchar seis conversaciones breves. Escuche cada conversación dos veces. Después debe contestar a las preguntas (1-6). Seleccione la opción correcta (a / b / c).
Conversación 1

Va a escuchar a una pareja de novios en el teatro.

Mujer: ¡Esta obra me parece un tostón! Deberíamos haber ido al cine, mira que te lo dije…

Hombre: ¡Ahh, no seas así Luisa! A mí me parece que la protagonista no está tan mal. Además, la puesta en escena me parece muy interesante.

Mujer: No sabía que fueras un experto en teatro. Vale, vale, ya me callo para que puedas seguir disfrutando de esta obra maestra…

PISTA 13
Conversación 2

Va a escuchar a dos amigos hablando en el museo.

Hombre 1: ¡Qué obras tan interesantes! Me alegro de haber venido al museo y no dejar pasar esta exposición.

Hombre 2: Sí, la verdad es que la pintura abstracta es muy interesante, ¿no crees?

Hombre 1: Bueno, no es mi favorita; pero tengo que reconocer que estos cuadros son verdaderamente impresionantes.

Hombre 2: ¡Mira! Esta obra es una de mis favoritas. Si te fijas, los colores se van difuminando...

PISTA 14
Conversación 3
Va a escuchar a dos personas en la calle.

Mujer: Perdona, estoy buscando la biblioteca pública. ¿Puedes ayudarme?

Hombre: Sí, claro; mira, tienes que recorrer toda esta calle hasta el final y luego girar a la derecha. Allí verás un edificio antiguo con muchas ventanas pequeñas: esa es la biblioteca pública.

Mujer: Muchas gracias... ¿Sabes si en la biblioteca hay una sección de novela policiaca? Es mi favorita.

Hombre: Ah... no tengo ni idea; supongo que sí, porque ahora ese tipo de literatura está de moda.

PISTA 15
Conversación 4
Va a escuchar a dos amigos hablando sobre literatura.

Hombre 1: Juan, la última novela de Álvaro Pombo es una pasada. Bien narrada, interesante y llena de personajes complejos, vamos que te la recomiendo...

Hombre 2: No sé, Lucas, ese escritor no es uno de mis favoritos. Siempre que he empezado a leer un libro suyo lo he dejado. Me parece un poco aburrido.

Hombre 1: Te digo que esta novela es diferente. Hazme caso y léela, te gustará.

Hombre 2: Bueno, si me lo dices tan convencido... lo intentaré.

PISTA 16
Conversación 5
Va a escuchar a dos personas en la taquilla del museo de arte moderno.

Hombre: Hola, buenas tardes, quisiera un boleto para el museo.

Mujer: Muy bien. Son 15,50, por favor.

Hombre: ¿15,50? ¡Órale con el "museíto"! Este precio es un abuso, no más que por ver cuatro cuadros ahí, colgados en la pared...

Mujer: Es el precio estándar, lo siento señor.

Hombre: Bueno, está bien, pero la primera y la última, lo juro.

PISTA 17
Conversación 6
Va a escuchar a dos personas hablando sobre un cuadro.

Hombre 1: Mira qué colores y cómo se aprecia el trazo lleno de rabia y sentimiento del pintor.

Hombre 2: Pedro, no sabía que te gustaba tanto Van Gogh; por lo que veo eres un auténtico fanático...

Hombre 1: Sí, es mi pintor favorito porque creo que sabe captar como nadie los sentimientos ocultos en los objetos o que están en los paisajes y que la mayoría de las personas no pueden ver.

Hombre 2: Me tienes impresionado, cuéntame más de Van Gogh, quiero aprender más cosas porque me parece un hombre muy misterioso...

PISTA 18
Tarea 2

Va a escuchar una conversación entre Marta y Miguel en la que hablan sobre sus libros y autores favoritos. Indique si los enunciados (7-12) se refieren a Marta (A), a Miguel (B) o a ninguno de los dos (C).

Escuche la conversación dos veces.

Marta: Yo, lo último que leí fue literatura española de la Guerra Civil. Creo que es un fenómeno muy interesante ver cómo los escritores actuales escriben sobre un hecho tan importante para la historia de España...

Miguel: ¿Has leído algo de Javier Cercas? Creo que es uno de los mejores narradores en la actualidad... Me gustan mucho sus libros, en especial *Soldados de Salamina*, una historia muy interesante que mezcla presente y pasado en relación con la Guerra Civil.

Marta: Ah, ¡qué interesante! Todavía no leí nada de este escritor, pero te agradezco la recomendación... ¿Y vos? ¿Qué literatura leés?

Miguel: La verdad es que leo un poco de todo, novela policiaca, sigo a algunos escritores de Latinoamérica y también me gusta mucho la poesía... Ah, y leer a los escritores clásicos del Siglo de Oro español... ¿Has oído hablar de Góngora o Quevedo? Porque de Miguel de Cervantes estoy seguro de que sí.

Marta: ¡Y claro! ¡Me encanta *El Quijote*! Es una de mis obras favoritas... Creo que la relación entre don Quijote y Sancho Panza es una de las más divertidas de toda la historia de la literatura. Además, cuando leía el libro me pasó una cosa muy curiosa: cuanto más leía, más simpático me parecía el don Quijote hasta que me conquistó totalmente. Es un personaje literario fascinante.

Miguel: Marta, ya veo que conoces bien a Cervantes... Oye... ¿y tú escribes?

Marta: Lo intento. Me gustan mucho los cuentos. He leído mucho a Borges y a Julio Cortázar y me gustaría escribir como ellos... pero es muy difícil. Escribir un cuento breve, con personajes profundos, y aventuras sorprendentes es la ilusión de mi vida... y ganarme la vida con la literatura ya sería lo máximo, expectacular.

Miguel: Sí, es verdaderamente difícil escribir bien. Y ya, ¡ganarte la vida con ello, ni te cuento! A mí me gusta más escribir poesía; creo que puedo expresar mejor mis sentimientos. Hablo sobre la vida, sobre la muerte, el amor...

Marta: Ah... esos son los temas clásicos...

Miguel: Sí, pienso que aunque se ha escrito mucho sobre todo eso, todavía quedan muchas cosas por decir... Además cada persona siente de una forma diferente...

Marta: Ah, eso sí, eso que decís me parece muy interesante.

Miguel: Oye, ¿qué te parece si te paso mis poemas para que los leas y tú me dejas tus cuentos para que yo haga lo mismo? Así podríamos intercambiar opiniones sobre lo que escribe el otro...

Marta: ¡Genial! ¡Me parece una muy buena idea!

PISTA 19
Tarea 3

Usted va a escuchar parte de una entrevista al escritor Mario Vargas Llosa. Escuche la entrevista dos veces. Después debe contestar a las preguntas (13-18). Seleccione la respuesta correcta (a / b / c).

Entrevistador: Señor Vargas Llosa le quiero agradecer que haya aceptado nuestra invitación para inaugurar esta nueva temporada de *Página 2* y… queríamos hablar, no de una novedad editorial concreta, sino un poco por su obra completa, por esta biblioteca que está publicando Alfaguara. Yo no sé si cuando usted la ve agrupada, tiene una sensación de perplejidad, de orgullo, de emoción…

Vargas Llosa: Sí, es una especie de síntesis de una vida que ha estado muy dedicada a la literatura y que de alguna manera se resume, se integra, adopta cierta unidad y coherencia en esas obras reunidas, ¿no?

Entrevistador: Esa pasión por la literatura y esa biblioteca en concreto, ¿qué le debe a su madre?

Vargas Llosa: Le debo mucho, el amor a la lectura, probablemente. Siempre he dicho que creo que lo más importante que me pasó en la vida fue aprender a leer; yo recuerdo mucho, vivíamos en Bolivia, yo tenía cinco años, a esa edad empecé a leer, y seguramente mi vocación es una transpiración, ¿no? De esa extraordinaria diversión que significaba para mí vivir la vida inventada de los libros.

Entrevistador: ¿Qué le debe también a Flaubert?

Vargas Llosa: Yo aprendí con Flaubert mucho de lo que es la técnica literaria, la vocación literaria, la entrega, la exigencia, la perseverancia…

Entrevistador: Le voy a pedir una sugerencia… para un espectador nuestro que todavía no haya entrado en el universo literario de Vargas Llosa, ¿qué libro le recomendaría de entrada para conocerle mejor como autor?

Vargas Llosa: Si tuviera que escoger una de mis novelas para recomendarla, pues probablemente recomendaría alguna de las novelas que más trabajo me costó escribir como *Conversación en la catedral, La guerra del fin del mundo, La fiesta del chivo*… quizá esas son las tres novelas que más trabajo me costaron, ¿no?

Entrevistador: ¿Cómo consigue mantener intacta su pasión por la literatura? Porque usted no deja de trabajar, de viajar, de dar conferencias…

Vargas Llosa: Bueno, en realidad, es verdad, pero todo eso gira en torno a la literatura, todo eso gira en torno a mi trabajo de escritor, y la idea del escritor completamente divorciado de la realidad viva a mí no me gusta; a mí me gusta tener por lo menos un pie sobre esa realidad y eso significa el periodismo; creo que es una manera de mantener esa comunicación con el mundo cotidiano que para mí es la materia prima de mi trabajo de escritor, ¿no?

Entrevistador: En toda su novelística y en sus ensayos evidentemente también, el compromiso está muy presente. Yo le he oído decir a usted que, en general, en la generación actual de jóvenes escritores, a veces prima más el entretenimiento que el compromiso. ¿Lo piensa así?

Vargas Llosa: No solamente en España y en América Latina, creo que es una tendencia de nuestra época. Se ve mucho menos a la cultura como la veíamos en mi generación, ¿no es cierto?, cuando éramos jóvenes… como un elemento para despertar la conciencia crítica del conjunto de la sociedad. Hoy día, esa no parece ser para una gran cantidad de in-

telectuales la función de la cultura, sino más bien divertir, entretener, aliviar un poco al mundo… de las fatigas, pero yo, digamos, me resisto a aceptar que la literatura pueda ser solo una forma de diversión superior, este, y sí creo que la buena literatura desarrolla una cierta insatisfacción frente al mundo, frente a la vida tal como es.

[Extraído del programa *Página 2* de RTVE]

PISTA 20
Tarea 4

Usted va a escuchar a seis personas que dan consejos para transformarse en un buen artista. Escuche la audición dos veces. Seleccione el enunciado (A-J) que corresponde al tema del que habla cada persona (19-24). Hay diez enunciados incluido el ejemplo. Seleccione solamente seis. Ahora escuche el ejemplo:

Persona 0 (Ejemplo)

Hombre: Para volverte verdaderamente un buen artista necesitas más que puro talento y habilidad. Pocos artistas trabajan con el estereotipo del genio que se sienta a esperar que la inspiración lo atrape y luego corre a producir su siguiente obra maestra. Hazte una rutina de trabajo y no esperes a que la inspiración te caiga del cielo.

La opción correcta es la letra G.

Persona 1

Mujer: Todo será mucho más fácil si dedicas el tiempo y la energía necesarios para mejorar como artista, trabajando en un medio de expresión con el que disfrutes y en un tema que te apasione. Tal vez sepas desde un principio qué te interesa o tal vez debas probar distintos medios de expresión y distintos temas antes de encontrar los que tienen química contigo. No tengas miedo de experimentar.

Persona 2

Mujer: Si querés ser un buen artista, la mejor manera de que aprendás una nueva habilidad o de que mejorés la habilidad que ya tenés es a través de la práctica regular. Ya sea que quieras desarrollar tu arte como carrera o como pasatiempo, conviene que reservés tiempo en tu día o en tu semana para dedicarte solo a eso. Te va a ayudar a mejorar tus habilidades. Tenés que ser constante y disciplinado.

Persona 3

Mujer: Pocos artistas son tan hábiles que no se beneficien de la instrucción formal. Las clases de arte pueden ayudarte a resolver problemas que no hayas podido solucionar por ti mismo, además de ayudarte a identificar las áreas en que puedes mejorar. Puedes encontrar cursos disponibles para todo tipo de habilidades y niveles en las universidades, centros comunitarios, centros de arte locales y otros lugares.

Persona 4

Hombre: Una crítica constructiva sirve para mejorar tus obras de arte, ya sea la pieza en la que estás trabajando o tus próximos trabajos. Aunque no siempre sea muy divertido escuchar críticas, es algo con lo que vas a tener que lidiar como artista. Aprende a identificar las críticas que son válidas y usa esa información para corregir tus errores.

Persona 5

Mujer: La forma en que tú quieras mostrar tu arte y a quién lo quieras mostrar es de tu elección. Puedes tratar de exponer en galerías o tal vez te sientas más a gusto mostrando tu arte en internet y vendiendo copias de él. Pero tal vez solo desees enmarcarlo y colgarlo en tu hogar para que lo disfruten tu familia y amigos. Elige el canal que te resulte más cómodo.

Persona 6

Hombre: No te compares demasiado con los otros artistas. Si eso te ayuda a trabajar más duro o a intentar algo distinto con tu propio arte, está bien. Pero no te obsesiones con la idea de que nunca serás tan bueno como ese artista. En vez de compararte con otro, síguele la pista a tus progresos. Compara lo que haces ahora con lo que hacías hace diez años y verás lo mucho que mejoraste.

[Adaptado de *http://es.wikihow.com*]

PISTA 21
Tarea 5

Usted va a escuchar a un hombre hablando sobre el cuadro *El grito* de Edvard Munch. Escuche la audición dos veces. Después debe contestar a las preguntas (25-30). Seleccione la opción correcta (a / b / c).

El Grito es el título de varios cuadros del noruego Edvard Munch. Existen cuatro versiones de esta pintura; la más famosa se encuentra en la Galería Nacional de Noruega, siendo completada en 1893. Otras dos versiones del cuadro se encuentran en el Museo Munch de Oslo, mientras que una cuarta versión pertenece a una colección particular. También existe una litografía con el mismo título que permitió imprimir el cuadro en revistas y periódicos. Las diferencias entre estos cuadros son muy pequeñas, por lo cual, lo que les explicaremos a continuación es válido para todas ellas.

El Grito está considerado como una de las más importantes obras del artista y del movimiento Expresionista. Se ha convertido en un icono cultural, semejante al de *La Mona Lisa* de Leonardo Da Vinci. La popularidad de la obra se incrementó al ser objeto de varios robos de gran repercusión.

En el cuadro vemos una figura andrógina en primer plano, es decir, un hombre con aspecto femenino de potente mirada; es símbolo del hombre moderno en un momento de profunda angustia y desesperación existencial. Se lleva las manos a la cabeza, abre la boca y los ojos presa del pánico; su rostro es pálido y su cuerpo parece contorsionarse. Los trazos de los elementos del cuadro parece que vibran a partir de este grito, se estremecen a partir de esa figura. El aspecto final de este personaje, según detalla una especialista de la obra del pintor, fue una momia peruana que Munch vio en la exposición universal de París de 1889. La fuente de inspiración para este grito se halla, según los expertos, en la atormentada vida del artista. El autor fue educado por un padre muy severo y siendo niño tuvo que vivir la muerte de su madre y de una hermana de tuberculosis. En la década de 1890 a su hermana Laura, su favorita, le diagnosticaron un trastorno bipolar, siendo internada en un psiquiátrico.

El paisaje del fondo es Oslo visto desde la colina de Ekeberg, si nos fijamos bien, podremos apreciar dos figuras con sombrero, pero no se pueden distinguir con claridad. El cielo parece líquido y está arremolinado igual que el resto del fondo. Algunos han atribuido el color de este cuadro a la erupción del volcán Krakatoa y las consecuencias que tuvo en Noruega, pero los expertos no creen que esto fuera posible porque el autor era más expresivo que descriptivo. El cuadro es abundante en colores cálidos en el fondo, de luz semioscura, y la figura principal está en un sendero con vallas en el que se pierde de vista fuera de la escena. Todo esto contribuye a reforzar el dramatismo de la pintura.

[Fuente: *http://www.audioviator.com*]

PISTA 22
Tarea 1

Va a escuchar un reportaje sobre la nueva colección que se expondrá en el Museo Guggenheim de Bilbao. Escuche el reportaje dos veces.

Francia, Segunda Guerra Mundial, los nazis ocupan el país pero los artistas se revelan. Desde el arte responden a las consignas oficiales y crean para resistir. Ese contexto de caos y de oscuridad da como resultado una de las épocas más innovadoras para el arte que, lejos de estancarse por la guerra, se dinamiza; surgen nuevas corrientes estéticas.

El arte se convierte en reflejo del drama pero también en ironía contra el III Reich, un periodo artístico fecundo que el Museo Guggenheim de Bilbao repasa a través de casi 600 obras. Artistas de renombre como Matisse, Picasso o Dalí se unen a otros no tan conocidos para ayudarnos a entender cómo la contienda cambió el sentido del arte.

Pocas exposiciones se han adentrado tan profundamente en la relación entre el arte y la guerra como esta que se inaugura mañana y podrá visitarse hasta el próximo 8 de septiembre.

[Adaptado de *http://www.rtve.es/alacarta*]

PISTA 23
Tarea 1

Usted va a escuchar seis conversaciones breves. Escuche cada conversación dos veces. Después debe contestar a las preguntas (1-6). Seleccione la opción correcta (a / b / c).
Conversación 1

Va a escuchar a una pareja de novios mientras juegan al ajedrez.

Mujer: Jorge, este juego es muy difícil… nunca veo tu estrategia con suficiente antelación.

Hombre: ¡Venga, vamos, Lucía, no te desanimes! Cuanto más practiques, mejor. Poco a poco te convertirás en una verdadera estratega.

Mujer: Bueno, creo que es más bien una cuestión de suerte… En la próxima partida, ¿puedo tener yo las blancas?

PISTA 24
Conversación 2

Va a escuchar a dos amigos hablando en el campo de fútbol.

Hombre 1: ¡Vamos, vamos, pásala…! ¡Ah! Es un buen jugador pero a veces se comporta como un "chupón". Eso es lo que menos me gusta de él.

Hombre 2: Sí, la verdad es que se olvida de que sus compañeros están en el campo.

Hombre 1: Creo que la culpa es del entrenador… yo le daría más caña y ya verías como…

Hombre 2: Bueno, no creo. La culpa es de él porque no ha entendido que el fútbol es un deporte de equipo.

PISTA 25
Conversación 3

Va a escuchar a dos personas en el gimnasio.

Hombre 1: Perdona, ¿podrías ayudarme con estas pesas? No sé si serán demasiado para mí…

Hombre 2: Sí, claro. Ten cuidado porque si pones exceso de peso llegarás a casa baldado y no será bueno para tu espalda.

Hombre 1: No me importa, prefiero machacarme bien hoy y descansar durante todo el fin de semana.

Hombre: Como quieras pero yo pienso que es mejor progresar poco a poco… tu cuerpo te lo agradecerá.

PISTA 26

Conversación 4

Va a escuchar a dos amigos hablando sobre el tiempo libre.

Hombre 1: Jaime, ¿qué plan se te ocurre para este fin de semana? Tenemos que ser originales y creativos…

Hombre 2: No sé, Ricardo, tú siempre estás pensando en cosas extravagantes… ¿Qué te parece si vamos a jugar a los bolos? A mí me parece bastante divertido…

Hombre 1: ¿A los bolos? ¡Vamos, no fastidies! ¡Vaya diversión!

Hombre 2: Bueno, se lo comentaré a los demás a ver qué dicen…

PISTA 27

Conversación 5

Va a escuchar a dos personas hablando sobre deporte.

Hombre: Pues a mí me parece fundamental hacer deporte un par de horas al día.

Mujer: ¡Un par de horas! ¿No te parece excesivo? Ni por exceso ni por defecto… ¿no?

Hombre: ¡De eso nada! Un cuerpo sano y tonificado necesita dos horas como mínimo.

Mujer: Pues yo practico deporte dos horas por semana y me encuentro estupendamente.

Hombre: Pues eso… si practicaras dos horas cada día, te sentirías mejor.

PISTA 28

Conversación 6

Va a escuchar a dos personas hablando mientras juegan a las cartas.

Hombre 1: ¡Qué divertido es esto de jugar a las cartas! ¡Cuánto más juegas, más quieres jugar!

Hombre 2: Mario ten cuidado, a ver si vas a convertirte en un ludópata.

Hombre 1: Sí, corro ese riesgo, aunque jugando con lentejas el único peligro es invitaros a todos a una comida…

Hombre 2: Eso en caso de que ganes, porque como pierdas te tengo comiendo en mi casa una semana…

PISTA 29

Tarea 2

Usted va a escuchar una conversación entre Marta y Quique en la que hablan sobre sus deportes favoritos. Indique si los enunciados (7-12) se refieren a Marta (A), a Quique (B) o a ninguno de los dos (C).

Escuche la conversación dos veces.

Marta: ¡Qué emocionante está la liga de fútbol! Los cuatro primeros equipos de la tabla están separados por muy pocos puntos… creo que no se decidirá el campeón hasta el final… ¡Esto sí que es emoción!

Quique: Ah… pues no sé, bueno… no sigo mucho el fútbol ¿sabes? Prefiero deportes un poco más intensos… el fútbol se me acaba haciendo un poco pesado, la verdad.

Marta: ¿Qué dices? ¿En serio? Si el fútbol es un deporte divertidísimo que mezcla estrategia con potencia física y, en el caso de los grandes *cracks*, también genialidad… no entiendo cómo puedes decir que te parece aburrido.

Quique: Bueno, eres un poco exagerada… yo creo que no es para tanto… por ejemplo, los futbolistas no arriesgan su vida como otros grandes deportistas… y cobran mucho más… eso sí que me parece injusto…

Marta: ¡Vaya! O sea que dices que para ser un gran deportista hay que poner la vida en peligro… ¡Pues vaya, entonces la mayoría de deportes para ti son aburridos, ¿no? Anda que…

Quique: No, no estoy diciendo eso… digo que hay unos deportes más emocionantes que otros… A mí me gusta mucho, por ejemplo, la Fórmula 1. Creo que los pilotos son auténticos genios y en cada carrera lo dan todo en la pista… y si algo sale mal, es su vida la que está en juego…

Marta: ¿La Fórmula 1? ¿Unos coches dando vueltas y más vueltas durante horas al mismo circuito? Eso sí que me parece aburrido de verdad. Además, no sé si considerarlo como un deporte… todo depende del coche que tenga el piloto…

Quique: Estás muy equivocada. El coche es muy importante, claro, pero el piloto es el que lo decide todo.

Marta: Pues yo sigo pensando que los deportes de equipo son mucho más interesantes. En los deportes de equipo es muy importante que el grupo se lleve bien y que consigan ser más que compañeros… que se ayuden… Eso es muy complicado y, cuando se consigue, tiene mucho mérito porque son todos muy diferentes entre sí…

Quique: ¡Estás hecha una verdadera psicóloga, eh! Creo que no nos vamos a poner nunca de acuerdo porque otro de mis deportes favoritos es el tenis…

Marta: Ah… ¿sabes qué? Que el tenis sí me gusta. Aunque sea un deporte individual me parece divertido…

Quique: Bueno, no todo está perdido… siempre podemos ir juntos a ver un partido de tenis…

Marta: Eso está hecho. Cuando quieras.

PISTA 30

Tarea 3

Usted va a escuchar parte de una entrevista a Patricia Ramírez, psicóloga especializada en el mundo del deporte. Escuche la entrevista dos veces. Después debe contestar a las preguntas (13-18). Seleccione la respuesta correcta (a / b / c).

Entrevistadora: Bienvenidos de nuevo a *Para todos la 2*… Los fines de semana son, deportivamente hablando, de la liga de fútbol…

Entrevistador: Sí, los lunes son el día estrella para comentar las jornadas, se habla de partidos, la clasificación y, cómo no, del rendimiento de los jugadores…

Entrevistadora: Sin embargo, nos gustaría… hoy nos gustaría centrarnos en un aspecto todavía poco conocido. En un mundo tan competitivo cada vez son más los equipos que optan por contar con un psicólogo en su plantilla; un compañero de vestuario para compartir los buenos y los malos momentos.

Entrevistador: Pero, ¿cuál es exactamente su trabajo? Mejor se lo preguntamos a nuestra siguiente invitada. Ella es Patricia Ramírez, de profesión psicóloga del Betis… ¡Bienvenida!

Patricia: Buenas tardes.

Entrevistadora: ¿Qué tal?

Patricia: Gracias por la invitación.

Entrevistador: El psicólogo de un equipo de fútbol, ¿qué tiene que hacer exactamente?

Patricia: Pues trabajar lo mismo que trabajas en cualquier otro deporte; los psicólogos deportivos nos ocupamos de las variables psicológicas relacionadas con el deporte de alto rendimiento… entonces hay variables que pueden torpedear tu ejecución deportiva o pueden potenciarla, y entre ellas está la concentración, la atención, cómo controlar el mensaje que te das a ti mismo, el tipo de emoción que necesitas para competir, cómo saber tolerar la frustración, toma de decisiones, variables neuropsicológicas relacionadas con rapidez visual, percepción…

Entrevistador: Claro, usted tiene que tratar con más de veinte jugadores, con todo un equipo técnico… ¿cómo…cómo… cómo… cómo se hace?

Patricia: Bueno, pues cada psicólogo deportivo trabaja con su estilo; trabajamos lo mismo pero a su estilo. Yo lo que hago siempre es una charla grupal, tanto en el fútbol como en balonmano y en baloncesto, una charla en la que trabajamos estas variables, suelen durar entre 30-45 minutos, suele ser algo muy práctico, muy relacionado con temas de películas, con música, con imágenes, con todo aquello que entre por más canales que no solamente por el auditivo para que se favorezca el aprendizaje y luego pues, a veces, en función de las necesidades que tengamos trabajamos también a nivel individual.

Entrevistadora: Podríamos decir aquello de que "no hay plaza pequeña", ¿no? Pero, ¿dónde es más duro trabajar: en categorías inferiores o en los profesionales de primer nivel?

Patricia: Pues… es que lo que se trabaja es completamente diferente. En el deporte de alto rendimiento tú tienes que saber competir y hay veces (bueno, hay veces, no) hay que ser agresivo y con los niños se trabajan pues otro tipo de valores diferentes: la cohesión, el trabajo en equipo, educar en valores, que aprendan que todo se consigue solamente con esfuerzo, que hay que trabajar para el equipo, que no hay que abandonar, el fracaso escolar… o sea que realmente lo que trabajas con niños es muy diferente a lo que trabajas con gente que se está jugando muchísimo.

Entrevistador: Bueno, usted ha dicho que muchas veces las rutinas, las manías pueden convertirse en ocasiones en algo… en algo negativo, realmente los entrenamientos, las pautas de los deportistas vienen a ser rutinas también…

Patricia: Bueno, yo siempre he comentado que las rutinas y lo que son, a veces, como las obsesiones o los rituales pueden ser negativos o positivos: todos los rituales que nos dan un orden, por ejemplo, yo llego al campo y me gusta salir primero a ver el terreno y me gusta entrar con el pie derecho ¿vale? Y hay gente que se santigua… Bueno pues son rituales que dependen de mí; me van dando un orden, me preparan para competir. Es como cuando tengo un niño pequeño y lo preparo para acostarse en la cama, lo baño, cena, se lava los dientes, ¿vale? Y siempre que empieza la rutina sabemos dónde vamos. Los rituales que no dependen de nosotros, como puede ser un amuleto o como puede ser algo relacionado con la ropa o algo que tengo que llevar encima sí son peligrosos porque en el momento en que no lo tengo pienso que eso puede alterar mi suerte y entonces estoy dejando el esfuerzo, la suerte, los resultados… en manos del amuleto y no en mí.

Entrevistadora: Pues aquí tenemos que "pitar el final del partido", Patricia, porque se nos ha agotado el tiempo pero muy interesante la charla que hemos tenido, muchísimas gracias por estar aquí en… *Para todos la 2*…

Patricia: Gracias a vosotros, gracias a vosotros.

Entrevistador: Muchísimas gracias.

Entrevistadora: Y ahora pues bueno, lo que hacemos es seguir adelante…

[Fragmento tomado de *Para todos la 2* de RTVE]

PISTA 31
Tarea 4

Usted va a escuchar a seis personas que dan consejos para llevar una vida saludable incluyendo la práctica deportiva. Escuche la audición dos veces. Seleccione el enunciado (A-J) que corresponde al tema del que habla cada persona (19-24). Hay diez enunciados incluido el ejemplo. Seleccione solamente seis. Ahora escuche el ejemplo:

Persona 0 (Ejemplo)

Hombre: ¿Te gustaría llevar una vida más saludable? En la actualidad parece claramente demostrado que mientras que el sedentarismo es un factor de riesgo para el desarrollo de enfermedades crónicas, llevar una vida físicamente activa produce numerosos beneficios para la salud tanto física como psicológica. Por eso, te recomiendo definitivamente hacer deporte en tu rutina diaria. Incluye actividad física en tu vida y verás cómo mejora también tu salud.

[Adaptado de *http://www.saludalia.com*]

La opción correcta es el enunciado G.

Persona 1

Hombre: El entrenamiento físico, además, resulta fundamental para incrementar la masa muscular y la resistencia. Para entrenar tu aparato cardiovascular, haz actividad física de intensidad moderada durante una media hora al día. El ejercicio físico debe ser realizado de forma habitual para evitar el sedentarismo y posibles problemas de sobrepeso.

Persona 2

Mujer: A la hora de elegir el ejercicio físico que vas a practicar, evitá aquellos que, de acuerdo a tu forma física, puedan provocar lesiones o sobrecargas innecesarias. Los ejercicios implican el desarrollo de una o varias cualidades físicas básicas, como velocidad, coordinación, resistencia, flexibilidad y fuerza, que tenés que tener siempre presentes al tomar cualquier decisión. Incluso tu propia personalidad o carácter influyen en la elección que hagas de un determinado ejercicio físico, así que ¡elegí bien!

Persona 3

Hombre: Caminar es una actividad muy saludable y que apenas tiene riesgos, ya que no daña las articulaciones ni hace que suba nuestro ritmo cardiaco a niveles peligros, por eso te recomiendo hacer esta actividad, aunque tomando ciertas precauciones: camina por sitios seguros (como caminos, parques, zonas comerciales) y, algo muy importante, lleva zapatos apropiados con suelas gruesas y flexibles para amortiguar. La ropa también debe ser apropiada. Es recomendable también que camines en grupo, pues eso motiva más a la hora de hacer ejercicio.

Persona 4

Mujer: ¿Pero qué pasa si hace frío o si simplemente no tenemos ganas de salir de casa? Afortunadamente, en la actualidad existen diversos sistemas para hacer ejercicio en casa, como bicicletas estáticas y tapices rodantes. Si tienes un pasillo largo o una habitación amplia, puedes llegar a recorrer varios kilómetros. Obtén beneficios sobre tu sistema cardiovascular, evita la descalcificación, fortalece tus músculos y potencia tu fuerza y equilibrio sin siquiera moverte de tu casa.

Persona 5

Hombre: Pero no se trata de llegar y ponerse a hacer ejercicio. Hay que preparar el cuerpo antes para adaptarlo a la actividad física. Comienza la actividad con calentamiento y estiramiento de los principales grupos musculares, es decir, la cadera y las piernas. Luego, para terminar la actividad, es recomendable que camines o trotes a muy baja intensidad de 5 a 10 minutos. Si además estiras adecuadamente al finalizar, disminuirá la aparición del dolor muscular posterior, más conocido como agujetas.

Persona 6

Mujer: Es muy importante beber antes del ejercicio, para que inicies la actividad bien hidratado. Toma bebidas con alto aporte de sales durante el ejercicio, ya que estas hacen que el líquido ingerido sea retenido y se mantenga el equilibrio electrolítico. Bebe después de la actividad, también, para reponer el líquido perdido. Escoge bebidas que contengan glucosa, fructosa, carbohidratos y sales minerales. En general, la regla de oro es beber un litro y medio de líquido por cada kilo de peso perdido durante el ejercicio.

[Adaptado de *http://www.madrid.org*]

PISTA 32
Tarea 5

Usted va a escuchar a un hombre hablando sobre el juego tradicional español de "Los bolos huertanos". Escuche la audición dos veces. Después debe contestar a las preguntas (25-30). Seleccione la opción correcta (a / b / c).

El juego de los bolos huertanos se viene practicando en la huerta de Murcia desde el siglo xv hasta nuestros días. A la salida de cada uno de los caminos de la huerta había, generalmente, un trozo de terreno llamado "carril" dedicado solamente a este juego, practicado en su totalidad por hombres al aire libre en contacto directo con la huerta.

Juego tradicional, regulado hace más de 60 años, se caracteriza por ser un juego de precisión, habilidad, movimiento y fuerza, siendo sacudidos en el lanzamiento de la bola todos los músculos del cuerpo. Los campos de juego donde se practica, con una longitud de 38 metros de largo y cinco metros de ancho, deberán ser duros, de tierra apisonada, completamente planos (sin clase alguna de hierba), cerrados por una valla en sentido vertical. Así, cada vez que se disputa una partida, el encargado del equipo local riega, vierte arena y pinta el campo de forma simétrica, según las reglas de la Federación de Bolos Huertanos.

Todos los años, durante los meses de febrero a junio se disputa la liga regular; en este periodo del año la emoción está servida en la competición a través de los interesantes y competitivos partidos llevados a cabo por los equipos formados por tres jugadores con los reservas, un "empinador", el delegado y el árbitro designado.

El partido se inicia con el sorteo, lanzando una moneda al aire para ver a quién le corresponde poner los bolos y tirar de la forma establecida. Así, durante la partida, los jugadores irán usando diferentes tácticas entrenadas y formas de colocar los bolos, un mínimo de seis y un máximo de nueve, con la intención de obtener mayor número de puntos. Una vez concluida la liga regular, en los últimos días de la florida primavera y antes del verano, la costumbre indica la celebración de una partida muy especial, jugada entre los mejores boleros del margen derecho del río Segura y los del margen izquierdo. Durante todo el año los entrenadores de ambas selecciones ojean y estudian el comportamiento de estos hábiles jugadores de la huerta con la intención de formar parte de los equipos "Selección izquierda del río" y "Selección derecha", jugando un emocionante y disputadísimo partido denominado "El partido de selecciones".

[Fuente: *http://www.regmurcia.com*]

PISTA 33
Tarea 1

Va a escuchar el inicio de un programa de radio en el que se habla de los aspectos positivos que conlleva usar la bicicleta en otoño. Escuche el reportaje dos veces.

Cicloturismo en la 5. El mundo de la bicicleta en Radio 5 todo noticias.

Saludos oyentes de *Cicloturismo en la 5*, con el programa de hoy reemprendemos una nueva temporada de este espacio dedicado a la bicicleta con el objetivo de incidir, aún más, en su utilización como medio de transporte alternativo y la diferencia que hay al respecto entre nuestro país y el resto, además de informar del uso lúdico y deportivo de la bicicleta.

En otoño el cambio del tiempo atmosférico podría pensarse que hace más difícil el uso de la bicicleta pero, en realidad, hoy en día ya no es así, salvo que se renuncie a disfrutar desde la bici de una de las estaciones con mayor colorido y belleza de todo el año; sea en la ciudad o en el campo, emplear la bicicleta en otoño lleva aparejado el disfrute de observar muy de cerca el espectáculo de colorido que nos ofrece esta estación del año. Es cierto que unas temperaturas más bajas y la lluvia o el viento, más frecuentes, podrían hacer más desagradable pedalear, pero hoy se dispone de tal gama de prendas de abrigo para protegerse que este cambio del tiempo no es ya un impedimento…

[Fuente: *http://www.rtve.es/alacarta*]

PISTA 34
Tarea 1

Usted va a escuchar seis conversaciones breves. Escuche cada conversación dos veces. Después debe contestar a las preguntas (1-6). Seleccione la opción correcta (a / b / c).

Conversación 1

Va a escuchar una conversación entre unos amigos a la salida del cine.

Mujer: Pues la verdad es que la película me ha gustado mucho, sobre todo la música.

Hombre: Sí, salgo muy sorprendido. No creí que me fuera a gustar tanto.

Mujer: Pablo, tienes que confiar más en mí cuando te invito al cine…

Hombre: Si yo confío en ti, lo que pasa es que tengo miedo de aburrirme porque a ti no te van ni los tiros ni las persecuciones.

PISTA 35
Conversación 2

Va a escuchar una conversación entre un padre y un hijo.

Hijo: ¡Jo, papá! Vaya rollo que estás viendo… ¿no puedes cambiar a ver si echan algo más divertido?

Padre: Bueno, ahora miro… pero también tendrás que ver de vez en cuando algún documental, ¿no? La televisión no solo sirve para divertirse.

Hijo: ¡Siempre estás con lo mismo! Eso es muy aburrido y yo quiero ver otro programa. Pon el canal 6.

Padre: ¿Sabes qué te digo? Toma el mando y pon lo que tú quieras, yo me voy a dar un paseo.

PISTA 36
Conversación 3

Va a escuchar una conversación entre un matrimonio.

Hombre: El periódico de hoy dice que la última película de Amenábar es muy buena. ¿Te apetece ir a verla?

Mujer: Pues no sé Juan, ando bastante liada con el trabajo y además la próxima semana tenemos la boda de tu prima.

Hombre: Mujer, yo pensé que ir al cine te serviría para desconectar.

Mujer: Ya, pero iba a estar toda la película pensando en las cosas que me quedan por hacer.

Hombre: Vale, vale, lo entiendo.

PISTA 37
Conversación 4
Va a escuchar a dos amigos hablando sobre la televisión.

Hombre 1: Cada vez que enciendo la televisión me entran ganas de tirarla por la ventana...

Hombre 2: Lucas, no te pongas así, ya sabes que la televisión es un asco. Yo lo que hago es ver los programas que me gustan en internet; además así no tienes que sufrir la publicidad.

Hombre 1: Es una muy buena idea, Marcos.

Hombre 2: Si te interesa una serie o un programa, lo puedes ver directamente en la página web del canal de televisión... Además te ahorras estos disgustos.

Hombre 1: Me has convencido, Marcos. Ahora mismo me voy a mi habitación a encender el ordenador. Se acabó tener que ver lo que no me gusta. ¡Hasta luego!

PISTA 38
Conversación 5
Va a escuchar una conversación entre una madre y una hija.

Mujer 1: Mamá, ¿otra vez viendo los programas del corazón? No entiendo cómo te pueden interesar tanto esos temas, la verdad.

Mujer 2: ¡Ay! Hija, déjame ver lo que me dé la gana... ya tengo una edad y además estos programas son estupendos para no pensar en nada.

Mujer 1: No, si yo no digo nada... mamá. Tú en tu casa puedes ver lo que quieras, pero cuando vengas a cenar a casa, olvídate de ponerlos; Gustavo los odia.

PISTA 39
Conversación 6
Va a escuchar una conversación entre dos amigas.

Mujer 1: María ¡ven! Están entrevistando a Leonardo DiCaprio en la tele...

Mujer 2: Chica, ya estoy cansada de que salga en todos lados. Además me parece un actor del montón; guapo, sí, pero como actor, del montón...

Mujer 1: Ay, pero, ¿qué dices? Es un chico guapísimo y un gran actor.

Mujer 2: Lo que pasa es que tú no eres objetiva, ¿sabes? Tú estás enamorada de él.

Mujer 1: ¿Y quién no?

PISTA 40
Tarea 2
Usted va a escuchar una conversación entre dos personas, Lucía e Iker, en la que hablan sobre sus gustos televisivos y cinematográficos. Indique si los enunciados (7-12) se refieren a Lucía (A), a Iker (B) o a ninguno de los dos (C).
Escuche la conversación dos veces.

Lucía: Hoy estoy emocionada. Tengo la tarde libre y la pienso dedicar al cine. Me pondré una película en casa, haré palomitas y ¡a disfrutar!

Iker: ¡Qué callado te lo tenías! No sabía que eras una cinéfila empedernida... yo soy más de series, me gustan todas.

Lucía: Sí, me encanta el cine, sobre todo las comedias... disfruto mucho riéndome. Las situaciones absurdas me parecen las más cómicas... ¡Ah! Y los juegos de palabras también...

Iker: ¡Qué curioso! Yo creo que una de las cosas más difíciles es hacer reír a los demás... conmigo nunca lo consiguen...

Lucía: ¿En serio? Entonces es que eres un muermo... no me creo que ninguna película te haga partirte de risa... es imposible.

Iker: De muermo nada, lo que pasa es que a mí me gusta más lo siniestro, lo gótico, ya sabes... las películas de terror. Pero la verdad es que casi no veo películas. Si tengo tiempo, me pongo un capítulo de alguna serie y ya está.

Lucía: A mí lo que no me gusta de las series es que siempre te quedas a medias, hasta que no llegas al final de la temporada no sabes quién es el culpable o el asesino...

Iker: ¿Estas de broma? ¡Eso es lo más emocionante! En una película normalmente se resuelven todos los misterios en una hora... pero una serie es como una película de catorce o veinte horas...

Lucía: Ya, pero eso puede ser malo. En una película hay tensión porque siempre tienes ganas de llegar al final. En una serie yo ya sé que no sabré lo importante hasta que pasen muchos capítulos. Eso no me gusta.

Iker: Lo que te pasa, Lucía, es que tú no tienes paciencia... ¡Eso!, eres una impaciente y quieres que te den todas las respuestas en poco tiempo.

Lucía: Eso puede ser, no te digo que no.

Iker: Bueno, cuéntame entonces qué película vas a ver hoy...

Lucía: Mmm... ¿Sabes una cosa? Creo que me está apeteciendo ver una serie...

Iker: ¿De verdad? No hay quién te entienda, chica.

Lucía: Eso sí, si yo me paso a las series, tú tienes que intentarlo con las películas de risa, ¿eh?

Iker: ¡Uff! No te prometo nada.

Lucía: Lo que yo decía, un muermo...

PISTA 41
Tarea 3
Usted va a escuchar parte de una entrevista al actor español Javier Bardem. Escuche la entrevista dos veces. Después debe contestar a las preguntas (13-18). Seleccione la respuesta correcta (a / b / c).

Entrevistador: Bueno pues Javier Bardem muchas gracias por estar con los informativos de Televisión Española...

Javier Bardem: Gracias a ti.

Entrevistador: Vamos a... voy a hacerte un tercer grado...

Javier Bardem: Venga...

Entrevistador: Vamos a empezar desde el principio. A ver, estamos en el lugar más alto de España, estamos a 250 m de altura, ¿tienes vértigo?

Javier Bardem: No. No, si hay un cristalito... por medio. Si no hay cristal... Hice *Huevos de oro* y estaba en una torre que luego se hizo un hotel y tal, y estábamos en la obra propia sin límites, sin barandilla y tal, y ahí sí lo pasé mal.

Entrevistador: Vale, no tienes vértigo de altura... ¿vértigo profesional? Porque yo, preparando la entrevista, veo tu currículum, que es absolutamente impresionante...

Javier Bardem: ¡Gracias, hombre!

Entrevistador: ... y cuando echas la vista atrás o cuando miras para abajo dices... ¡qué vértigo da ver toda la cosecha que tengo!

Javier Bardem: No, no; al revés, lo que da es mucho… mucha necesidad de agradecer a mucha gente, de verdad, ¿eh?, y no soy muy… tuve una época de mirar mucho para atrás y de ver lo que había hecho, lo que quería hacer… pero ya hace tiempo que no. Ahora miro hacia adelante y lo que venga, de verdad que no… tengo la suerte de poder trabajar, que ya es una suerte, y no… lo que está hecho ya se hizo y se hizo por las razones que había que hacerlas y nada más. Ahora hay que poner la atención en mirar adelante y saber si viene algo que pueda hacerte crecer un poquito más cada vez… ese es el tema.

Entrevistador: Javier Bardem no tiene vértigo pero lo que es indudable es que tiene éxito, ¿qué es el éxito?

Javier Bardem: No lo sé. Eh… pff… no sé. El éxito, entendido por los demás es lo brillante, lo dorado, lo frívolo, lo subrayado, ¿no?, lo grueso. Creo que hay una equivocación con la palabra del éxito en ese sentido, ¿no? A mi juicio y a juicio de muchas personas creo que el éxito tiene que ver con un algo más interno, ¿no?, con la sensación de que uno hace lo que puede y lo hace todo lo mejor que puede y que, cuando lo hace, tiene en la cabeza a las personas que quiere y a las personas que le quieren y que son esas personas las que le tienen que juzgar, a veces con dureza, pero con un sentido de empatía y de entendimiento, ¿no? Y la ética.

Entrevistador: Lo que sí es indudable es que el éxito, el éxito bien entendido, te ha permitido ser dueño de tu carrera y eso es un privilegio; que un actor pueda ser dueño de su carrera es un privilegio impagable, creo yo…

Javier Bardem: Sí, eso sí. Sobre todo que uno pueda trabajar en lo que le gusta ya es un privilegio. Segundo, que te den trabajo es una suerte y tercero, que puedas elegir entre lo que te dan pues también lo es. Aun así, hay momentos en los que uno se encuentra sin nada que le apetezca hacer o tiene que hacer cosas que no le apetece hacer porque preferiría estar haciendo otra cosa, pero… pero esas son las menos ocasiones, las ocasiones más contadas. Y en ese sentido sí me encuentro… me siento privilegiado.

Entrevistador: Pues Javier Bardem muchas gracias por habernos acompañado aquí, a las alturas de Madrid, sácate el carné de conducir, que no sé si lo tienes ya…

Javier Bardem: (Risas) No, no lo tengo.

Entrevistador: Ya va siendo hora porque…

Javier Bardem: (Risas) Sí, sí, ya veo que hay muchas carreteras…

Entrevistador: que surcar…

Javier Bardem: que surcar…

Entrevistador: Y nada, que tus carreteras sean todas felices.

Javier Bardem: Muchísimas gracias, compañero, gracias.

Entrevistador: Gracias.

[Fuente: *http://www.rtve.es/alacarta*]

PISTA 42
Tarea 4

Usted va a escuchar a seis personas que dan consejos para ser seleccionados en los casting de televisión. Escuche la audición dos veces. Seleccione el enunciado (A-J) que corresponde al tema del que habla cada persona (19-24). Hay diez enunciados incluido el ejemplo. Seleccione solamente seis. Ahora escuche el ejemplo:

Persona 0 (Ejemplo)

Hombre: Lo primero que quiero decir es que no hay ninguna fórmula mágica que funcione para pasar un *casting*, así que solo os daré consejos personales, útiles en mayor o menor medida, para todos aquellos que queráis probar suerte para participar en un concurso o en un *reality show*.

La opción correcta es el enunciado G.

Persona 1

Mujer: Independientemente del *casting* al que os presentéis, tratad de ser siempre vosotros mismos, no intentéis describiros como alguien perfecto, pues todos sabemos que la perfección no existe. Para los concursos del estilo de "Pasapalabra" o "Atrapa un millón", además de caer bien o tener algo, hay que ser ágiles y listos.

Persona 2

Hombre: Sin embargo, si tenés algo que el equipo de *casting* considera llamativo, seguramente vas a ser seleccionado. Si sos bastante normal y no destacás por nada, es bastante complicado pasar. Todos tenemos algo que nos hace especiales. Buscá eso en tu personalidad y también físicamente. Esa es tu marca de identidad: algo que es solo tuyo. Con ella tenés que convencer al jurado para que te seleccione.

Persona 3

Mujer: Pero supongo que muchas personas estaréis interesadas por los *castings* de los *realities*, como los de "Gran Hermano". En estos *castings* os recomiendo que siempre digáis la verdad y que no tratéis de mentir para así llamar la atención y ser escogidos. Si por el contrario decidís mentir, os recomiendo que mantengáis la mentira hasta el final del concurso.

Persona 4

Hombre: También es muy importante que hagáis todo lo que se os pide y que no os cortéis para nada. Si os quedáis parados en un *casting*, ¿cómo actuaréis durante los numerosos directos que se hagan? Si el *casting* cuenta con pruebas de cantar, bailar o cualquier otro tipo de actividad, dependiendo del *reality* al que os presentéis, insisto en que lo deis todo y que os entreguéis al máximo.

Persona 5

Mujer: Es normal que estén nerviosos, y más si es su primer *casting*. Y soy consciente que de cuando digo nervios no solo me refiero al momento del *casting*, sino a los días que transcurren después, en el que todos los participantes esperan la llamada. Si son seleccionados, los llamarán en pocos días, no hace falta que se obsesionen ni que llamen a productoras ni a cadenas de televisión para preguntar por el resultado.

Persona 6

Hombre: Bueno, si no son seleccionados no se acaba el mundo, la vida sigue, posiblemente otro día les llegará una oportunidad, quién sabe. Con la cantidad de programas que existen en la televisión de hoy en día, no es muy complicado ser seleccionado para un concurso de este tipo.

[Adaptado de *http://blogs.formulatv.com*]

PISTA 43
Tarea 5

Usted va a escuchar a una mujer hablando sobre el director de cine español Luis Buñuel. Escuche la audición dos veces. Después debe contestar a las preguntas (25-30). Seleccione la opción correcta (a / b / c).

Nació con el siglo XX y murió 83 años después diciendo "ahora sí que muero". Entre una cosa y otra hizo muchas películas. Fue sordo y exiliado como Goya, inclasificable, también como el pintor aragonés. Nació en Calanda, Teruel, pero se educó en Zaragoza y en Madrid, rodeado de lo más selecto de la intelectualidad de las dos ciudades. En la capital, estuvo en la Residencia de Estudiantes con Dalí, Lorca y Alberti.

Marchó a París y entró en contacto con las vanguardias artísticas que aplaudieron *Un perro andaluz* como el verdadero manifiesto del Surrealismo llevado a la pantalla. Luego vino la guerra. Estuvo en Nueva York, en Hollywood y, finalmente, en México donde recaló para dirigir unas cuantas películas.

Lo sabía hacer todo en el cine: había trabajado como asistente de director, productor, guionista y actor, y eso se nota.
***
En 1960, cuando ya había iniciado su etapa francesa, rueda en España *Viridiana*, condenada por la Iglesia y premiada con la Palma de Oro en el festival de Cannes.
***
Seis años más tarde, *Belle de jour* logrará el máximo galardón en la Mostra de Venecia y un éxito sin precedentes de taquilla en Francia.
***
En 1972 consiguió el primer Óscar para un director español con *El discreto encanto de la burguesía*.
***
Severo y tierno, meticuloso, amable, puntual, solitario y buen conversador, culto, cosmopolita y rural. Así era Buñuel; "Soy ateo gracias a Dios", decía, y comprendía que la realidad es misteriosa. "El misterio es el elemento clave en toda obra de arte", proclamaba. Amó, sobre todo, la libertad: "Lo interesante es hacer lo que a uno le dé la gana". Parecía escapar de la realidad, pero la conocía muy bien y la asumía.

"Ahora sí que muero"... y se murió.

[Fuente: *Estampas*, Aragón Televisión y Emilio Casanova]

PISTA 44
Tarea 1
Va a escuchar el tráiler de la película *Los ojos de Julia*. Escuche el reportaje dos veces.

Sara: Estas ahí... y me estás mirando.

Policía 1: Según los forenses, no hay duda de que Sara se quitó la vida anoche, lo siento Julia. Según me han informado, sufría de una enfermedad degenerativa...

Marido: Una pérdida progresiva de la visión, como mi mujer.

Julia: ¿Y si no estaba sola? ¿Y si estaba con alguien?

Marido: Julia, sabes que no te conviene angustiarte.

Julia: Mi hermana vino aquí con un hombre, ¿no?

Hombre 1: ¡El hombre invisible! Un vacío, una ausencia...

Policía 2: ¿Cómo quiere que encontremos a un hombre al que nadie parece haber visto? Ni si quiera usted.

Julia: ¿Sabes que hay alguien que vigila todos nuestros movimientos?

Marido: ¡Julia! ¡Por Dios! ¿Quién?

Julia: ¿Quién eres?

[Fuente: *Los ojos de Julia*, Universal Pictures Spain]

PISTA 45
Tarea 1
Usted va a escuchar seis conversaciones breves. Escuche cada conversación dos veces. Despúes debe contestar a las preguntas (1-6). Seleccione la opción correcta (a / b / c).
Conversación 1
Va a escuchar a dos amigos hablando sobre el clima.

Mujer: ¡Oye, Marcos! ¿Tú crees que es normal que haga este frío?

Hombre: ¡Venga, Marta! Estamos en pleno invierno... ¡claro que es normal!

Mujer: Pero... ¿tanto frío? Yo creo que esto tiene que ver con eso que dicen del cambio climático.

Hombre: ¿Cambio climático? Pero chica, ¿no te das cuenta de que eso es solo una teoría? ¡Vete tú a saber si eso existe de verdad!

PISTA 46
Conversación 2
Va a escuchar a una pareja hablando sobre sus inquietudes.

Mujer: Ramón, estoy pensando en hacerme de alguna asociación que trabaje con animales.

Hombre: Pero... hacerte, ¿cómo? ¿Ser voluntaria y eso?

Mujer: ¡Uf! Con menos trabajo... puede. Yo estaba pensando más bien en hacer algún donativo.

Hombre: Pero Bea, lo interesante es participar directamente en un proyecto.

Mujer: Ya, eso me gustaría...

PISTA 47
Conversación 3
Va a escuchar a un padre y un hijo hacer planes.

Padre: Luis, ¿sigue en pie lo de irnos de acampada este fin de semana?

Hijo: Sí, papá. ¿Puedo decirle a Lucas que venga con nosotros?

Padre: ¡Claro! ¡Buena idea! ¿Le gusta la naturaleza?

Hijo: Es un gran explorador... puede orientarse simplemente mirando las estrellas.

Padre: ¡Qué bien! Dile que no olvide llevar su bañador y su caña de pescar.

PISTA 48
Conversación 4
Va a escuchar a un reportero entrevistando a una señora.

Reportero: Buenas, señora, esto es una encuesta para un programa de radio. Estamos preguntando sobre el reciclaje. ¿Usted recicla en su casa?

Señora: Sí, separo el papel, el plástico y el vidrio.

Reportero: ¿Conoce a mucha gente que recicle, como usted, en su vecindario?

Señora: La verdad es que sí. Mis vecinos reciclan todos. La mayoría de la gente piensa que es muy importante. Yo opino que debería ser obligatorio por ley.

PISTA 49
Conversación 5
Va a escuchar a dos amigos hablando sobre animales.

Chico: Mira, Estefanía, esta es una foto de mi nueva mascota.

Chica: ¡Qué mono! ¿Qué tal se porta? Ya sabes que los gatos tienen fama de ser muy ariscos.

Chico: ¡Todo lo contrario! Este no se separa de mí ni un momento, es un pesado.

Chica: ¡Qué suerte! Oye, Jorge, ¿y qué nombre le has puesto?

Chico: Se llama Peter porque mi personaje favorito es Peter Pan.

PISTA 50
Conversación 6
Va a escuchar a dos chicos hablando sobre un fenómeno climático.

Chico 1: Juanjo, ¿has visto las noticias? El huracán que va a llegar a la costa de Asia es muy peligroso.

Chico 2: Sí, lo he visto en internet. Parece que tiene mucha fuerza y todos se están preparando para lo peor.

Chico 1: ¡Uf! Tío, yo en una situación así me vengo abajo. No sé qué hay que hacer para salir vivo.

Chico 2: Pues qué vas a hacer José, quedarte en casa con las puertas y ventanas bien cerradas.

Chico 1: Mira que eres listo, Juanjo… eso es muy fácil de decir; ya me gustaría a mí verte en esa situación, seguro que no estás tan tranquilo.

PISTA 51
Tarea 2
Usted va a escuchar una conversación entre dos amigos, Borja y Celia, en la que hablan sobre diferentes actividades que se pueden realizar en plena naturaleza. Indique si los enunciados (7-12) se refieren a Borja (A), a Celia (B) o a ninguno de los dos (C).
Escuche la conversación dos veces.

Borja: Anoche estuve pensado y, ¿sabes qué, Celia? Me apetece hacer una escapada y pasar un par de días en plena naturaleza.

Celia: ¡Qué buena idea! Puedes buscar un pequeño hotel en la montaña o algo así.

Borja: No, Celia, más bien estoy pensando en hacer una acampada como cuando éramos más jóvenes, ¿te acuerdas? La tienda, la hoguera, las actividades al aire libre…

Celia: Ya entiendo, lo que te apetece es desconectar y estar en contacto con la naturaleza…

Borja: ¡Eso! Desconectar y solo escuchar el canto de los pájaros y cosas así.

Celia: ¡Uy! ¡Qué poético!

Borja: Sí.

Celia: Creo que te puedo pasar alguna información sobre una pequeña empresa que organiza rutas a caballo. Así, al aire limpio de la montaña añadirías el contacto con los animales, ¿qué te parece?

Borja: Me gustan mucho los caballos pero creo que me apetece más hacer senderismo. Además, un poco de ejercicio no me vendrá mal… También he pensado en montar en piragua y hacer un descenso por un río.

Celia: ¡Jo! ¡Qué valiente! Yo no hago eso ni loca. Con el miedo que me da a mí el agua… sobre todo si no hago pie. Yo lo de nadar lo dejo para la piscina en verano y porque hace calor…

Borja: Si el río es tranquilo, no tiene por qué ser peligroso…

Celia: ¿Sabes lo que me gustaría a mí, Borja? Salir a buscar setas… ¡Me encantan las setas! Es una cosa divertida: caminar, buscar las mejores setas, llenar la cesta… y lo mejor de todo, después te las puedes comer con los amigos.

Borja: ¡Anda! Celia, nunca he ido a coger setas. Es una cosa que me llama la atención pero nunca lo he hecho. Para hacerlo tienes que ir con alguien que sepa mucho. No todas las setas se pueden comer.

Celia: Claro, claro. Eso es lo más importante: saber qué setas son comestibles. Yo solo cojo las que conozco. Cuando era pequeña mi padre y yo lo hacíamos todos los años… ¡qué recuerdos!

Borja: La verdad es que una escapada al campo tiene tantas posibilidades que no sé qué hacer; ahora me apetece todo.

Celia: Eso es lo bueno de planear actividades así: puedes hacer mil cosas.

Borja: Para empezar, he decidido que este fin de semana me voy al pueblo para visitar a mis abuelos y respirar aire puro, ¿qué te parece?

Celia: ¿Qué me va a parecer? Una idea estupenda. ¡Pásatelo muy bien y saluda a tus abuelos de mi parte!

PISTA 52
Tarea 3
Usted va a escuchar parte de una entrevista realizada en el programa *Para todos La 2* al ecologista y profesor Jorge Riechman. Escuche la entrevista dos veces. Después debe contestar a las preguntas (13-18). Seleccione la respuesta correcta (a / b / c).

Entrevistadora: Se suele hablar de ecología y de sostenibilidad desde un punto de vista económico, nos preocupan estos temas porque, como mucho, intuimos que afectarán a nuestra supervivencia. Por ejemplo, se fomenta el reciclaje porque los combustibles fósiles son finitos y esta constatación pone en peligro el progreso tal y como lo entendemos hoy. En cambio, lo que no es tan frecuente es hablar de ecología desde un punto de vista ético. Jorge Riechmann, poeta, ecologista, profesor de Filosofía moral de la Universidad Autónoma de Madrid, lo hace en este libro *Interdependientes y ecodependientes. Ensayo desde la ética ecológica y hacia ella*. ¿Qué tal? ¡Buenas tardes Sr. Riechmann!

Jorge Riechmann: ¡Hola! ¿Qué tal? ¡Buenas tardes!

Entrevistadora: Bueno, ¿quiénes son, de entrada, los interdependientes y los ecodependientes?

Jorge Riechmann: Pues…eh… somos nosotros, los seres humanos, pero en realidad también los demás seres vivos con los que compartimos la biosfera, ¿no? Todos provenimos de los mismos organismos ancestrales, nos hemos desarrollado pues en una red de la vida muy intrincada y luego nosotros, los seres humanos, pues hemos evolucionado también hasta formar sociedades complejas que están conectadas por múltiples vías con los sistemas naturales.

Entrevistadora: Pero en ese orden, ¿no? Supongo que la especie humana se cree que es la especie dominante, ¿no? Los humanos somos los que tenemos que dominar el planeta…

Jorge Riechmann: Sí, nos hacemos muchas ilusiones sobre nosotros mismos, ¿no?, tanto individual como colectivamente, pero tenemos un problema con el asunto de la dominación, ¿no?, un problema muy antiguo y cada vez, yo creo, nos deberíamos dar más cuenta de que el exceso de dominación pues acaba siendo también muy dañino para el presunto dominador, ¿no? Eso sin obviar que, según cómo miremos las cosas, pues esa eh… imagen nuestra, ¿no?, como especie dominante de la biosfera es también cuestionable. Desde cierto punto de vista, sin duda, las bacterias son, digamos, los seres vivos dominantes en este planeta y estarán aquí cuando nosotros ya no estemos, casi con toda seguridad.

Entrevistadora: Es interesante porque usted o tú, si te puedo tutear Jorge…

Entrevistador: Sí.

Entrevistadora: … no hablas de preocupación por el Medio Ambiente exactamente sino de otro punto de vista que es un conflicto socioecológico.

Jorge Riechmann: Sí, así es… vivimos muy desajustadamente, ¿no? En el planeta en el que estamos y que es el único que tenemos, ¿no?, a pesar de esas fantasías con exoplanetas que a veces alientan los medios de comunicación. Hay que hacerse a la idea de que esta es nuestra Tierra, la única que tenemos; ya tendremos suerte si las cosas van bien y superamos la gran crisis que vemos acercarse en el siglo XXI y el planeta sigue siendo un lugar hospitalario, habitable para nosotros, pues, dentro de un par de siglos, ¿no?

Entrevistadora: Eh… otra definición que haces es que estamos ante una… bueno, una crisis o una depresión como podría ser, para hacernos a la idea de la gravedad, ¿no?, la depresión como la de 1929. ¿Se trata de un holocausto biológico según tu punto de vista? Cuéntanos…

Jorge Riechmann: Bueno…

Entrevistadora: ¿Tan grave es?

Jorge Riechmann: Es mucho más grave de lo que la mayoría social está percibiendo, ¿no?, están en marcha procesos de una trascendencia enorme, ¿no? Eh… yo llamo la atención, como mucha otra gente, particularmente sobre lo que tiene que ver con la crisis energética, ¿no?, el abastecimiento de energía, particularmente pues esa dependencia de los combustibles fósiles que nos hace tan vulnerables; en segundo lugar, la crisis climática a consecuencia del mal uso de esos combustibles fósiles y, en tercer lugar, también ese… bueno, se puede hablar de holocausto de diversidad biológica, porque realmente lo que está pasando ahí, pues, solamente lo podemos comparar con las grandes extinciones biológicas que ha conocido nuestro planeta pero con la diferencia de que en este caso pues no es que tenga lugar una mega- extinción porque un fenómeno exterior, por ejemplo, el choque de un gran asteroide contra la Tierra lo cause, sino que es el funcionamiento de las sociedades industriales lo que lo está originando.

Entrevistadora: Pues bueno, Jorge Riechmann, muchísimas gracias por recordarnos que somos interdependientes y ecodependientes en esta sociedad actual y que vamos, quizá, demasiado deprisa. Gracias por estar aquí en *Para todos La 2*.

Jorge Riechmann: Gracias, Marta.

[Fragmento de *Para todos La 2*, RTVE]

PISTA 53
Tarea 4

Usted va a escuchar a seis personas que dan consejos para crear un huerto en casa. Escuche la audición dos veces. Seleccione el enunciado (A-J) que corresponde al tema del que habla cada persona (19-24). Hay diez enunciados incluido el ejemplo. Seleccione solamente seis. Ahora escuche el ejemplo:

Persona 0 (Ejemplo)

Hombre: Si te gustan los productos ecológicos y te apetece cultivar tus propias verduras y hortalizas en casa, un huerto casero es una excelente opción. Solo necesitas seguir unos simples consejos y, sobre todo, quitarte la idea de que cultivar tus propios productos es demasiado difícil y que solo puede ser hecho por expertos. Ya verás lo fácil que es tener tu propio huerto en casa.

La opción correcta es el enunciado G.
Persona 1

Hombre: Lo primero es disponer de contenedores apropiados. Su tamaño va a depender de lo que quieras cultivar. Existen muchos tipos: macetas, jardineras, mesas de cultivo, los hay también textiles… pero lo más importante es que sean ligeros para que se puedan mover fácilmente y que tengan un buen sistema de drenaje para eliminar el exceso de agua de riego.

Persona 2

Mujer: En cuanto al riego, elegí bien qué sistema vas a utilizar. En una terraza podés instalar riego automático, pero si no es posible, tratá de tener acceso fácil a un grifo o una canilla para que regués sin grandes inconvenientes. Con la regadera de toda la vida es suficiente.

Persona 3

Mujer: En cuanto a la frecuencia y cantidad de agua, todo va a depender de la época del año (verano o invierno), pero ten en cuenta que lo mejor es mantener la humedad constantemente, es decir, regar más frecuentemente y en pequeñas cantidades.

Persona 4

Hombre: Pero además de agua, el sol es otro de los elementos fundamentales para que nuestro huerto florezca. La mejor orientación para un balcón, terraza, ventana o patio es hacia el sur y suroeste, si estás en el hemisferio norte. Las plantas deben gozar de un mínimo de ocho a diez horas de sol (o cuatro de luz directa) para que crezcan sanas y fuertes.

Persona 5

Hombre: También tienes que considerar la planificación del espacio. Ten presente la superficie que se va a ocupar, la capacidad y la distribución de los contenedores. De ese modo evitarás sobrecargar el balcón o ventana. Coloca las plantas bajas delante de las altas para aprovechar mejor las horas de sol. Así, por ejemplo, la lechuga debería ponerse por delante de los tomates.

Persona 6

Mujer: En cuanto al tipo de cultivo, lo mejor es que elijas diferentes especies dentro de la enorme variedad de opciones que existe. Sin embargo, para quienes son principiantes se recomienda probar con cebollas, ajos, espinacas, rábanos, lechuga y plantas aromáticas, por ejemplo, que resultan fáciles de cultivar.

[Adaptado de *http://us.hola.com*]

PISTA 54
Tarea 5

Usted va a escuchar un breve reportaje sobre el Parque de la Naturaleza de Cabárceno. Escuche la audición dos veces. Después debe contestar a las preguntas (25-30). Seleccione la opción correcta (a / b / c).

Situada en el norte de España se encuentra la Comunidad Autónoma de Cantabria. A 15 km de su capital, está el Parque de la Naturaleza de Cabárceno. Se extiende por la ladera sur del macizo de Peña Cabarga con una extensión de 750 hectáreas que acoge, en estado de semilibertad, a unos mil animales de 111 especies de los cinco continentes.

Antes de ser parque, fueron unas minas de mineral de hierro que se estuvieron explotando durante más de dos mil años, a cielo abierto. Se cerraron en 1989 por su baja rentabilidad industrial. Recuperado este terreno, profundamente degradado por la actividad minera, el Parque de la Naturaleza de Cabárceno fue inaugurado el 10 de junio de 1990. Un entramado de 25 km de carretera nos llevará por maravillosos desfiladeros, apacibles lagos y un increíble paisaje kárstico que sorprende a los visitantes.

En el paraje del parque, el trabajo minero ha puesto al descubierto un bello relieve kárstico de rocas calizas que se encontraban ocultas bajo las arcillas mineralizadas; tan bello paisaje ha sido calificado por los expertos como único en Europa.

El Parque de la Naturaleza de Cabácerno es uno de los mayores atractivos turísticos del norte de España. Varios millones de personas han pasado por estas instalaciones desde su apertura en 1990.

En la Feria Internacional de Turismo, periodistas y escritores especializados en el sector turístico concedieron al Parque de la Naturaleza de Cabárceno el Premio Nacional de Turismo.

Su clima templado y húmedo permite a Cabárceno ser uno de los mejores lugares del mundo para albergar animales salvajes. Osos, tigres, leones, jirafas, cebras, bisontes y muchos animales más se han adaptado perfectamente. La manada más importante de elefantes africanos que hay en Europa se encuentra en este parque. Una buena alimentación, los amplios recintos, trabajos de investigación y el buen control de los servicios veterinarios permiten que animales en peligro de extinción se estén reproduciendo perfectamente.

Este sorprendente parque es visita obligada para cualquier persona que se acerque a Cantabria. Le dejará con una grata sensación de armonía entre el hombre y la naturaleza.

[Fuente: *Cabárceno*, Cantur – Gobierno de Cantabria]

PISTA 55
Tarea 1
Va a escuchar una noticia sobre la contaminación sonora de Latinoamérica. Escuche el reportaje dos veces.

Mujer 1: Diariamente la exposición a sonidos muy fuertes provoca molestias que van desde el sentimiento de desagrado y la incomodidad hasta daños irreversibles en el sistema auditivo. Por ello, el Servicio de Gestión Ambiental está realizando los preparativos para la denominada "Campaña contra ruidos molestos". Con ello se busca que la población tome conciencia de los daños que ocasiona la contaminación sonora.

Mujer 2: Estamos eh… dando los últimos toques de esta campaña, ¿no? Luego lo vamos a compartir también y la lanzamos…

Mujer 1: Pocos ciudadanos saben que dentro de la ordenanza municipal 003 se estipula el cuadro de infracciones y sanciones administrativas, por ejemplo: tan solo por el uso de megáfonos, sirenas y silbatos que atenten de manera permanente la tranquilidad del vecindario una persona puede ser multada con 355 soles.

Mujer 2: Está prohibido el comercio ambulatorio y el uso de bocinas, de megáfonos y que esos oh… ese equipamiento va a ser decomisado. Así está la ordenanza.

Mujer 1: Inclusive, por causar sonificación residencial que exceda los 75 decibelios la o las personas pueden recibir una multa equivalente a los 5680 nuevos soles.

[Fuente: Ozono Televisión, Perú]

PISTA 56
Tarea 1
Usted va a escuchar seis conversaciones breves. Escuche cada conversación dos veces. Después debe contestar a las preguntas (1-6). Seleccione la opción correcta (a / b / c).
Conversación 1
Va a escuchar a unos amigos hablando sobre el futuro.

Mujer: Lucas, he escuchado en las noticias que los científicos están trabajando en un chip inteligente que una vez implantado en nuestro cerebro hará que ya no sea necesario estudiar nuevos idiomas.

Hombre: ¿Cómo? ¿Con un microchip en la cabeza ya sabremos un nuevo idioma? ¡Qué pasada!

Mujer: Bueno, parece una idea genial pero imagino que pasará un siglo hasta que sea real para todos…

Hombre: ¡Qué va! Esto avanza muy deprisa, tú y yo lo vamos a poder disfrutar, ya lo verás.

PISTA 57
Conversación 2
Va a escuchar a una madre y un hijo hablando sobre los avances de la tecnología.

Hijo: Mamá, esta mañana hemos hablado en clase sobre los aspectos positivos y negativos del avance tecnológico.

Madre: ¡Qué interesante! ¿Y tú qué opinas sobre el tema?

Hijo: Pues que creo que tiene muchos más pros que contras…

Madre: ¿Estás seguro? ¿Y qué me dices del mal uso de la tecnología, por ejemplo las armas químicas?

Hijo: Bueno, claro, pero tú lo has dicho: "el mal uso".

PISTA 58
Conversación 3
Va a escuchar a dos amigos hablando sobre vida extraterrestre.

Hombre 1: Juanma, ¿tú crees que hay vida en otros planetas?

Hombre 2: Venga Luis, eso es totalmente imposible de comprobar.

Hombre 1: Yo creo firmemente que sí, estoy seguro de que tarde o temprano contactaremos con otras formas de vida.

Hombre 2: ¡Venga! ¡Tú has visto muchas películas de ciencia ficción! ¿Verdad?

Hombre 1: Tómatelo a risa pero a mí no me hace ninguna gracia, hay muchos científicos que opinan como yo.

Hombre 2: Bueno, Luis, no te pongas así.

PISTA 59
Conversación 4
Va a escuchar a dos amigas hablando sobre los teléfonos móviles.

Mujer 1: Cada vez los teléfonos móviles son más inteligentes pero también son más difíciles de usar. ¡Uff! A mí no me gusta la tecnología y me pierdo con tantas opciones…

Mujer 2: Mónica, tienes que pensar en el lado positivo. ¿Cuántas cosas puedes hacer ahora con los móviles que antes ni imaginabas?

Mujer 1: Y si solo quiero llamar, ¿qué?

Mujer 2: Chica, ¡qué abuelita estás hecha! Ya nadie utiliza el teléfono solo para llamar.

PISTA 60
Conversación 5
Va a escuchar a dos amigos hablando sobre las energías renovables.

Hombre: Las energías renovables son el futuro. El sol y el viento nos pueden dar toda la energía que necesitamos.

Mujer: Mario, el problema es que explotar estos recursos es demasiado caro.

Hombre: No creo que sea un problema de costes. Estoy seguro de que hay otros motivos ocultos para que no se exploten. Así seguirá habiendo ricos y pobres en el mundo…

Mujer: ¡Bah! Tú siempre con tus extrañas teorías.

PISTA 61
Conversación 6
Va a escuchar a dos amigas hablando sobre casas inteligentes.

Mujer 1: Jimena, he leído un artículo sobre casas inteligentes y me he enamorado de toda esa tecnología que se puede utilizar para hacernos la vida más fácil.

Mujer 2: Por muy inteligente que sea una casa, como no haya un humano al mando…

Mujer 1: ¡Que no, mujer! Ahora ya no tienes que hacer nada, solo controlarlo todo desde una pantalla…

Mujer 2: Ya, pero el precio de esos juguetes no será barato, ¿no?

Mujer 1: Bueno, eso todavía puede mejorar, pero merece la pena.

Mujer 2: Chica, ¿sabes qué te digo? Que me quedo como estoy, con mi casa "boba".

PISTA 62
Tarea 2
Usted va a escuchar una conversación entre dos amigos, Cristian y Alejandra, en la que hablan sobre la posibilidad de que exista vida en otros planetas. Indique si los enunciados (7-12) se refieren a Cristian (A), a Alejandra (B) o a ninguno de los dos (C).

Escuche la conversación dos veces.

Cristian: Alejandra, ¿sabes que es bastante probable que exista vida en Marte? He leído un artículo en una revista especializada en ciencia y dice que, al haber agua, cabe la posibilidad de que haya también vida… ¿No te parece alucinante?

Alejandra: A mí ese tipo de noticia no me coge de nuevas… No solo por el agua, es una cuestión de pura estadística. ¿O piensas que somos los únicos en el universo?

Cristian: ¡Que va! Yo sé que los extraterrestres existen, eso lo tengo claro. Lo que me resulta más difícil de explicar es por qué no se comunican con nosotros.

Alejandra: ¡Anda! ¿Y por qué no nos comunicamos nosotros con ellos? Pues muy fácil Cristian… porque no podemos. Hace falta una tecnología muy desarrollada y nosotros todavía no la tenemos.

Cristian: Tiene sentido. ¿Entonces crees que dentro de 200 o 300 años podremos establecer contacto con ellos?

Alejandra: ¡Eso fijo! En 300 años nuestro planeta será una mezcla de culturas, no de distintos países sino de diferentes planetas de toda la galaxia…

Cristian: Como una película de ciencia ficción…

Alejandra: Sí, exacto… pero sin ser ficción.

Cristian: Yo opino lo mismo pero veo un problema muy gordo. ¿Cómo nos vamos a comunicar? Hablaremos idiomas tan distintos que la comunicación será imposible…

Alejandra: Cristian, te olvidas que será dentro de 300 años… para entonces ya habrán inventado aparatos que descifren las lenguas y sistemas de comunicación universales. Los hombres seremos más máquinas que hombres…

Cristian: O unas píldoras que cuando te las tomes ya sepas muchas cosas… ¿te imaginas no tener que estudiar nunca más?

Alejandra: La verdad es que no me lo imagino… ¡Lástima que no estemos aquí para verlo!

Cristian: A lo mejor los extraterrestres traen a la Tierra nuevas tecnologías y así los muertos podrán vivir de nuevo…

Alejandra: Cristian, ¡ya estás diciendo tonterías!

Cristian: ¿Por qué? Todo es posible, ¿no?

Alejandra: No, no todo es posible. El límite es la ciencia. Además, los extraterrestres también se morirán, ¡digo yo!

Cristian: Alejandra, no estoy de acuerdo contigo. Yo creo que el límite es la imaginación…

Alejandra: ¡Bueno, qué poético te pones! ¡La imaginación para las películas! Estamos hablando de la posibilidad de que nos visiten seres venidos del espacio exterior…

Cristian: ¡Jo! No sabía que te tomabas tan en serio el tema, de verdad.

Alejandra: Es que yo sé que es cuestión de tiempo… Sé que están ahí fuera…

Cristian: Oye, me estás dando un poco de miedo…

Alejandra: ¡Espera! ¿Y si ya estuvieran entre nosotros?

PISTA 63
Tarea 3
Usted va a escuchar parte de una entrevista radiofónica realizada en el programa *Eureka* en la que un científico habla sobre los diferentes llantos de los bebés. Escuche la entrevista dos veces. Después debe contestar a las preguntas (13-18). Seleccione la respuesta correcta (a / b / c).

Entrevistadora: ¡Hola! ¿Cómo están? Bienvenidos a *Eureka*. Quienes son padres lo saben bien y, sobre todo, si se estrenan en esa ardua pero muy gratificante labor. Entender por qué llora un bebé, si tiene hambre, frío, miedo, sueño, si le duele algo…, es, muchas veces, algo difícil de descifrar; requiere práctica, entrenamiento y también mucha calma, pero ahora hay un estudio científico que puede ayudarnos: investigadores españoles han estudiado el grado de precisión que tenemos los adultos para reconocer ese motivo de disgusto del bebé. Y resulta que el movimiento de los ojos del niño y la dinámica de su llanto son esenciales para que sepamos por qué llora.

Mariano Chóliz, investigador de la Universidad de Valencia, nos lo va a explicar en *Eureka*.

Mariano Chóliz: Bueno, esto es un estudio que hemos llevado a cabo tres universidades españolas, la UNED, la Universidad de Murcia y la Universidad de Valencia, y que, bueno, el objetivo era analizar a ver si existía algún patrón diferencial del llanto de los bebés, ¿no?, en función del motivo por el cual lloraban. Nosotros estudiamos el llanto provocado por miedo o susto, provocado por dolor agudo y por enfado o ira. Y llevamos a cabo ese estudio después de que los niños lloraban. Analizamos una secuencia de vídeo de entre 10 y 20 segundos durante el llanto y analizamos la expresión facial y la dinámica del llanto.

Entrevistadora: Y, ¿a qué conclusiones han llegado? ¿Cómo se diferencia el llanto del miedo, del enfado, del dolor…? ¿Qué patrón siguen?

Mariano Chóliz: Sí, eh… nosotros, lo que hemos podido ver en nuestros estudios es que lo que es la expresión facial, en concreto el patrón de la mirada, eh… diferencian esos tres tipos de llanto en el sentido de que el dolor provoca una contracción mayor de los ojos —de hecho lloran con los ojos cerrados, están con los ojos… y además tensos—, el llanto de ira, especialmente en los bebés más mayores (a partir de los ocho meses) focaliza la mirada a la persona que le puede estar molestando y en el llanto de miedo, especialmente en los bebés también un poco más mayores, el patrón de mirada, aunque no está fijo en persona… más que nada es una forma de buscar ayuda, ¿no? Y en lo que se refiere a la dinámica del llanto, el llanto es explosivo en el caso del dolor (se producía después de una vacuna), es decir, inmediatamente [después] de que se produce la sensación de dolor llora con su máxima intensidad y se mantiene durante un tiempo; en el caso del miedo después de recibir un susto por un sonido intenso el niño se va cargando, digamos, y también explota a llorar pero después de unos segundos, mientras que en el caso de la ira, el niño va llorando ya, pero va de menos a más, ¿no?, hasta que gradualmente alcanza el máximo de intensidad. Es un patrón muy característico que diferencia esos tres tipos de llanto.

Entrevistadora: O sea que, fundamentalmente, nos tenemos que fijar en los ojos y en el ritmo que tiene el llanto…

Mariano Chóliz: Es lo que nosotros hemos podido descubrir o analizar en nuestro estudio, evidentemente puede que haya otras variables que no hemos podido analizar.

Entrevistadora: Pues muchísimas gracias por atender la llamada de *Eureka*, de Radio Exterior de España.

Mariano Chóliz: Muchas gracias a vosotros y pues la universidad pública estamos para esto.

Entrevistadora: Hasta pronto, Mariano.

Mariano Chóliz: Hasta pronto.

[Fragmento del programa de radio *Eureka* en *http://www.rtve.es/alacarta*]

PISTA 64

Tarea 4

Usted va a escuchar a seis personas que dan consejos para realizar compras por internet. Escuche la audición dos veces. Seleccione el enunciado (A-J) que corresponde al tema del que habla cada persona (19-24). Hay diez enunciados incluido el ejemplo. Seleccione solamente seis. Ahora escuche el ejemplo:

Persona 0 (Ejemplo)

Hombre: La comodidad y facilidad que otorga hacer las compras desde un ordenador es una gran ventaja. Sin embargo, es necesario que estés atento para hacer un buen uso de la tecnología y evitar ser estafado. Un buen punto de partida es que revises las políticas de privacidad de la tienda en línea en que planeas comprar: así sabrás qué hace o hará la tienda con los datos del comprador y podrás decidir si tu información será manejada correctamente.

La opción correcta es el enunciado G.

Persona 1

Mujer: Una de las primeras cosas que te recomiendo es que actualices e instales los parches de seguridad en el navegador y en el sistema operativo de tu ordenador. Este conjunto de ficheros adicionales al *software* original de un programa son también conocidos como actualizaciones. Adicionalmente, también deberías tener una solución antivirus para evitar correr riesgos innecesarios.

Persona 2

Hombre: Tienes que tener en mente también dónde comprar. Recuerda que un sitio de confianza es aquel que tiene buena reputación por cumplir lo que promete, proporcionar descripciones precisas de sus productos y realizar las entregas en el tiempo pautado. Todo eso lo puedes averiguar buscando en internet las opiniones de usuarios que hayan comprado por esa vía antes.

Persona 3

Hombre: Además, yo desconfiaría de las ofertas especiales. Si una oferta parece demasiado buena para ser real, probablemente sea un engaño, especialmente si se trata de productos de temporada. A veces es mejor pagar un precio no tan alto, pero recibir a cambio un servicio seguro.

Persona 4

Mujer: Hablando de seguridad, fíjate que el sitio en el que estás comprando cumpla con el protocolo SSL, el estándar internacional de seguridad de las transacciones, que encripta el intercambio de información para hacerla ilegible. De esta forma, los atacantes no pueden descifrarla sin la contraseña correspondiente. El SSL puede mostrarse a través del símbolo de una llave o candado en la ventana donde estás ingresando tus datos privados.

Persona 5

Mujer: Pero también tenés que ser precavido y pensar antes de actuar. No confíes en los correos electrónicos comerciales con mensajes que tienen errores de ortografía, ni en aquellos que llegan con algún archivo adjunto. Nunca hagás click desde tu correo electrónico para ser redirigido a la página promocionada. Lo mejor es que visités directamente la página web que ofrece el producto que buscás. De este modo podés evitar ser engañado por falsos enlaces que llevan a sitios maliciosos desarrollados por ciberdelincuentes.

Persona 6

Hombre: Otra cosa a tener en mente a la hora de comprar por internet es hacerlo desde una conexión segura. Evita comprar desde una red Wi-Fi pública, pues así te asegurarás de que la información ingresada no será vista por otras personas. Si vas a comprar vía Wi-Fi, comprueba que la conexión que estás usando tenga una contraseña y que utilice el sistema de protección WPA.

PISTA 65

Tarea 5

Usted va a escuchar un breve reportaje sobre el automóvil del futuro. Escuche la audición dos veces. Después debe contestar a las preguntas (25-30). Seleccione la opción correcta (a / b / c).

Algunos progresos cambian nuestro estilo de vida de forma permanente. Progresos sin los que la simplicidad del día a día no se podría imaginar. Y algunos ocurren tan rápido que parece que nos sobrepasan. Uno de ellos es el coche; aunque todavía están equipados mediante un motor de combustión tradicional y están comenzando los sistemas de conducción híbridos, el diseño de los automóviles cambiará más rápido de lo esperado. La razón para esta evolución son los cambios globales y los mercados económicos más importantes, que demandan con urgencia nuevos conceptos. Pero, ¿cómo son de importantes los conceptos sobre el nuevo automóvil?

Es incuestionable que existe una tendencia hacia la electrificación total del vehículo. Esta es una oportunidad real para las empresas especializadas en sistemas y componentes electrónicos. Los vehículos eléctricos necesitan electricidad y un reto será repartir la suficiente energía todo el tiempo a los vehículos eléctricos de una forma sostenible. Pero el suministro energético no está preparado para adaptarse repentinamente a este inmenso número de nuevos consumidores.

El mercado es actualmente un enorme sistema de almacenamiento descentralizado de energía ambulante que afectará al comercio global energético. Los edificios inteligentes maximizarán el confort, mientras que optimizarán la gestión de su electricidad. Cuando se disponga de electricidad, llenarán su capacidad de almacenamiento, como los coches eléctricos en sus aparcamientos, para usarla cuando el suministro energético sea más difícil. Además, los edificios y casas inteligentes pueden, incluso, suministrar electricidad a la red, activando una producción y un almacenamiento innovador interno. Entre todos estos cambios, la movilidad individual estará garantizada en todo momento.

La electrificación total del vehículo, conducirá a un nuevo tipo de arquitectura del automóvil con muchas opciones para las nuevas funciones del vehículo y su integración en la infraestructura y en el medioambiente. El coche encaja perfectamente en la infraestructura y en las soluciones logísticas innovadoras.

El pensamiento se moverá hacia la participación activa en la red energética; soluciones de movilidad inteligentes, los edificios y las infraestructuras eléctricas contribuirán de una forma activa a maximizar el rendimiento ante todo. Las posibilidades son ilimitadas. El mundo va a cambiar, cambiemos el mundo.

[Fuente: *http://www.prensa.siemens.biz*]

PISTA 66
Tarea 1
Va a escuchar una noticia sobre la relación que existe entre el estado de ánimo y la forma de pensar. Escuche el reportaje dos veces.

El estado de ánimo determina la forma de pensar y percibir. Conocer cómo nos afecta nuestro humor nos puede ayudar a sacarle mejor partido: cuando nos sentimos melancólicos, estamos más atentos a los detalles y los errores de nuestro entorno; es el momento de hacer tareas minuciosas, de corregir un texto o resolver un problema matemático, por ejemplo. Para tener ideas innovadoras, sin embargo, es mejor esperar a estar tranquilos y felices porque ahí es cuando la atención se nos dirige hacia adentro y somos capaces de desarrollar la intuición. Por eso, las mejores ideas nos surgen en la ducha.

[Fuente: *http://www.rtve.es/alacarta*]